JEAN-PAUL SARTRE

Situations, II

QU'EST-CE QUE LA LITTÉRATURE ?

GALLIMARD

PRÉSENTATION
DES TEMPS MODERNES

Tous les écrivains d'origine bourgeoise ont connu la tentation de l'irresponsabilité : depuis un siècle, elle est de tradition dans la carrière des lettres. L'auteur établit rarement une liaison entre ses œuvres et leur rémunération en espèces. D'un côté, il écrit, il chante, il soupire; d'un autre côté, on lui donne de l'argent. Voilà deux faits sans relation apparente; le mieux qu'il puisse faire c'est de se dire qu'on le pensionne pour qu'il soupire. Aussi se tient-il plutôt pour un étudiant titulaire d'une bourse que comme un travailleur qui reçoit le prix de ses peines. Les théoriciens de l'Art pour l'Art et du Réalisme sont venus l'ancrer dans cette opinion. A-t-on remarqué qu'ils ont le même but et la même origine ? L'auteur qui suit l'enseignement des premiers a pour souci principal de faire des ouvrages qui ne servent à rien : s'ils sont bien gratuits, bien privés de racines, ils ne sont pas loin de lui paraître beaux. Ainsi se met-il en marge de la société; ou plutôt il ne consent à y figurer qu'au titre de pur consommateur : précisément comme le boursier. Le Réaliste, lui aussi, consomme volontiers. Quant à produire, c'est une

autre affaire : on lui a dit que la science n'avait pas
le souci de l'utile et il vise à l'impartialité inféconde
du savant. Nous a-t-on assez dit qu'il « se penchait »
sur les milieux qu'il voulait décrire. Il se penchait !
Où était-il donc ? En l'air ? La vérité, c'est que,
incertain sur sa position sociale, trop timoré pour
se dresser contre la bourgeoisie qui le paye, trop
lucide pour l'accepter sans réserves, il a choisi de
juger son siècle et s'est persuadé par ce moyen qu'il
lui demeurait extérieur, comme l'expérimentateur
est extérieur au système expérimental. Ainsi le
désintéressement de la science pure rejoint la gratuité
de l'Art pour l'Art. Ce n'est pas par hasard que
Flaubert est à la fois pur styliste, amant pur de la
forme et père du naturalisme; ce n'est pas par hasard
que les Goncourt se piquent à la fois de savoir
observer et d'avoir l'écriture artiste.

Cet héritage d'irresponsabilité a mis le trouble dans
beaucoup d'esprits. Ils souffrent d'une mauvaise
conscience littéraire et ne savent plus très bien s'il
est admirable d'écrire ou grotesque. Autrefois, le
poète se prenait pour un prophète, c'était honorable;
par la suite, il devint paria et maudit, ça pouvait
encore aller. Mais aujourd'hui, il est tombé au rang
des spécialistes et ce n'est pas sans un certain malaise
qu'il mentionne, sur les registres d'hôtel, le métier
d'« homme de lettres », à la suite de son nom. Homme
de lettres : en elle-même, cette association de mots a
de quoi dégoûter d'écrire; on songe à un Ariel, à
une Vestale, à un enfant terrible, et aussi à un inoffensif maniaque apparenté aux haltérophiles ou aux
numismates. Tout cela est assez ridicule. L'homme
de lettres écrit quand on se bat; un jour, il en est
fier, il se sent clerc et gardien des valeurs idéales;
le lendemain il en a honte, il trouve que la littérature
ressemble fort à une manière d'affectation spéciale.
Auprès des bourgeois qui le lisent, il a conscience

de sa dignité; mais en face des ouvriers, qui ne le
lisent pas, il souffre d'un complexe d'infériorité,
comme on l'a vu en 1936, à la Maison de la Culture.
C'est certainement ce complexe qui est à l'origine de
ce que Paulhan nomme *terrorisme*, c'est lui qui con-
duisit les surréalistes à mépriser la littérature dont
ils vivaient. Après l'autre guerre, il fut l'occasion d'un
lyrisme particulier; les meilleurs écrivains, les plus
purs, confessaient publiquement ce qui pouvait les
humilier le plus et se montraient satisfaits lorsqu'ils
avaient attiré sur eux la réprobation bourgeoise :
ils avaient produit un écrit qui, par ses conséquences,
ressemblait un peu à un acte. Ces tentatives isolées
ne purent empêcher les mots de se déprécier chaque
jour davantage. Il y eut une crise de la rhétorique,
puis une crise du langage. A la veille de cette guerre,
la plupart des littérateurs s'étaient résignés à n'être
que des rossignols. Il se trouva enfin quelques
auteurs pour pousser à l'extrême le dégoût de produire : renchérissant sur leurs aînés, ils jugèrent
qu'ils n'eussent point assez fait en publiant un livre
simplement inutile, ils soutinrent que le but secret de
toute littérature était la destruction du langage et
qu'il suffisait pour l'atteindre de parler pour ne
rien dire. Ce silence intarissable fut à la mode quelque
temps et les Messageries Hachette distribuèrent dans
les bibliothèques des gares des comprimés de silence
sous forme de romans volumineux. Aujourd'hui, les
choses en sont venues à ce point que l'on a vu des
écrivains, blâmés ou punis parce qu'ils ont loué leur
plume aux Allemands, faire montre d'un étonnement
douloureux. « Eh quoi ? disent-ils, ça engage donc,
ce qu'on écrit ? »

Nous ne voulons pas avoir honte d'écrire et nous
n'avons pas envie de parler pour ne rien dire. Le
souhaiterions-nous, d'ailleurs, que nous n'y parvien-
drions pas : personne ne peut y parvenir. Tout écrit

possède un sens, même si ce sens est fort loin de celui
que l'auteur avait rêvé d'y mettre. Pour nous, en
effet, l'écrivain n'est ni Vestale, ni Ariel : il est « dans
le coup », quoi qu'il fasse, marqué, compromis,
jusque dans sa plus lointaine retraite. Si, à de certaines époques, il emploie son art à forger des bibe-
lots d'inanité sonore, cela même est un signe : c'est
qu'il y a une crise des lettres et, sans doute, de la
Société, ou bien c'est que les classes dirigeantes
l'ont aiguillé sans qu'il s'en doute vers une activité
de luxe, de crainte qu'il ne s'en aille grossir les
troupes révolutionnaires. Flaubert, qui a tant pesté
contre les bourgeois et qui croyait s'être retiré à
l'écart de la machine sociale, qu'est-il pour nous
sinon un rentier de talent ? Et son art minutieux ne
suppose-t-il pas le confort de Croisset, la sollicitude
d'une mère ou d'une nièce, un régime d'ordre, un
commerce prospère, des coupons à toucher réguliè-
rement ? Il faut peu d'années pour qu'un livre
devienne un fait social qu'on interroge comme une
institution ou qu'on fait entrer comme une chose
dans les statistiques; il faut peu de recul pour qu'il
se confonde avec l'ameublement d'une époque, avec
ses habits, ses chapeaux, ses moyens de transport
et son alimentation. L'historien dira de nous : « Ils
mangeaient ceci, ils lisaient cela, ils se vêtaient ainsi. »
Les premiers chemins de fer, le choléra, la révolte
des Canuts, les romans de Balzac, l'essor de l'industrie
concourent également à caractériser la Monarchie
de Juillet. Tout cela, on l'a dit et répété, depuis Hegel :
nous voulons en tirer les conclusions pratiques.
Puisque l'écrivain n'a aucun moyen de s'évader, nous
voulons qu'il embrasse étroitement son époque;
elle est sa chance unique : elle s'est faite pour lui et
il est fait pour elle. On regrette l'indifférence de
Balzac devant les journées de 48, l'incompréhension
apeurée de Flaubert en face de la Commune; on les

regrette *pour eux* : il y a là quelque chose qu'ils ont
manqué pour toujours. Nous ne voulons rien manquer de notre temps : peut-être en est-il de plus beaux,
mais c'est le nôtre; nous n'avons que *cette* vie à
vivre, au milieu de *cette* guerre, de *cette* révolution
peut-être. Qu'on n'aille pas conclure de là que nous
prêchions une sorte de populisme : c'est tout le
contraire. Le populisme est un enfant de vieux, le
triste rejeton des derniers réalistes; c'est encore un
essai pour tirer son épingle du jeu. Nous sommes
convaincus, au contraire, qu'on ne *peut pas* tirer son
épingle du jeu. Serions-nous muets et cois comme des
cailloux, notre passivité même serait une action.
Celui qui consacrerait sa vie à faire des romans sur
les Hittites, son abstention serait par elle-même une
prise de position. L'écrivain est *en situation* dans
son époque : chaque parole a des retentissements.
Chaque silence aussi. Je tiens Flaubert et Goncourt
pour responsables de la répression qui suivit la Commune parce qu'ils n'ont pas écrit une ligne pour
l'empêcher. Ce n'était pas leur affaire, dira-t-on.
Mais le procès de Calas, était-ce l'affaire de Voltaire ?
La condamnation de Dreyfus, était-ce l'affaire de
Zola ? L'administration du Congo, était-ce l'affaire
de Gide ? Chacun de ces auteurs, en une circonstance
particulière de sa vie, a mesuré sa responsabilité
d'écrivain. L'occupation nous a appris la nôtre.
Puisque nous agissons sur notre temps par notre
existence même, nous décidons que cette action sera
volontaire. Encore faut-il préciser : il n'est pas rare
qu'un écrivain se soucie, pour sa modeste part, de
préparer l'avenir. Mais il y a un futur vague et
conceptuel qui concerne l'humanité entière et sur
lequel nous n'avons pas de lumières : l'histoire aura-
t-elle une fin ? Le soleil s'éteindra-t-il ? Quelle sera
la condition de l'homme dans le régime socialiste de
l'an 3000 ? Nous laissons ces rêveries aux romanciers

d'anticipation: c'est l'avenir de *notre* époque qui doit faire l'objet de nos soins : un avenir limité qui s'en distingue à peine — car une époque, comme un homme, c'est d'abord un avenir. Il est fait de ses travaux en cours, de ses entreprises, de ses projets à plus ou moins long terme, de ses révoltes, de ses combats, de ses espoirs : quand finira la guerre ? Comment rééquipera-t-on le pays ? comment aménagera-t-on les relations internationales ? que seront les réformes sociales ? les forces de la réaction triompheront-elles ? y aura-t-il une révolution et que sera-t-elle ? Cet avenir nous le faisons nôtre, nous ne voulons point en avoir d'autre. Sans doute, certains auteurs ont des soucis moins actuels et des vues moins courtes. Ils passent au milieu de nous, comme des absents. Où sont-ils donc ? Avec leurs arrière-neveux, ils se retournent pour juger cette ère disparue qui fut la nôtre et dont ils sont seuls survivants. Mais ils font un mauvais calcul : la gloire posthume se fonde toujours sur un malentendu. Que savent-ils de ces neveux qui viendront les pêcher parmi nous ! C'est un terrible alibi que l'immortalité : il n'est pas facile de vivre avec un pied au delà de la tombe et un pied en deçà. Comment expédier les affaires courantes quand on les regarde de si loin ! Comment se passionner pour un combat, comment jouir d'une victoire ! Tout est équivalent. Ils nous regardent sans nous voir : nous sommes déjà morts à leurs yeux — et ils retournent au roman qu'ils écrivent pour des hommes qu'ils ne verront jamais. Ils se sont laissé voler leur vie par l'immortalité. Nous écrivons pour nos contemporains, nous ne voulons pas regarder notre monde avec des yeux futurs, ce serait le plus sûr moyen de le tuer, mais avec nos yeux de chair, avec nos vrais yeux périssables. Nous ne souhaitons pas gagner notre procès en appel et nous n'avons que faire d'une réhabilitation posthume : c'est ici même et de notre vivant que les procès se gagnent ou se perdent.

Nous ne songeons pourtant pas à instaurer un relativisme littéraire. Nous avons peu de goût pour l'historique pur. Et d'ailleurs existe-t-il un historique pur sinon dans les manuels de M. Seignobos ? Chaque époque découvre un aspect de la condition humaine, à chaque époque l'homme se choisit en face d'autrui, de l'amour, de la mort, du monde; et lorsque les partis s'affrontent à propos du désarmement des F. F. I. ou de l'aide à fournir aux républicains espagnols, c'est ce choix métaphysique, ce projet singulier et absolu qui est en jeu. Ainsi, en prenant parti dans la singularité de notre époque, nous rejoignons finalement l'éternel et c'est notre tâche d'écrivain que de faire entrevoir les valeurs d'éternité qui sont impliquées dans ces débats sociaux ou politiques. Mais nous ne nous soucions pas de les aller chercher dans un ciel intelligible : elles n'ont d'intérêt que sous leur enveloppe actuelle. Bien loin d'être relativistes, nous affirmons hautement que l'homme est un absolu. Mais il l'est à son heure, dans son milieu, sur sa terre. Ce qui est absolu, ce que mille ans d'histoire ne peuvent détruire, c'est *cette* décision irremplaçable, incomparable, qu'il prend dans ce moment à propos de ces circonstances; l'absolu, c'est Descartes, l'homme qui nous échappe parce qu'il est mort, qui a vécu dans son époque, qui l'a pensée au jour le jour, avec les moyens du bord, qui a formé sa doctrine à partir d'un certain état des sciences, qui a connu Gassendi, Caterus et Mersenne, qui a aimé dans son enfance une jeune fille louche, qui a fait la guerre et qui a engrossé une servante, qui s'est attaqué non au principe d'autorité en général, mais précisément à l'autorité d'Aristote et qui se dresse à sa date, désarmé mais non vaincu, comme une borne; ce qui est relatif, c'est le carté-

sianisme, cette philosophie baladeuse qu'on promène
de siècle en siècle et où chacun trouve ce qu'il y met.
Ce n'est pas en courant après l'immortalité que nous
nous rendrons éternels : nous ne serons pas des
absolus pour avoir reflété dans nos ouvrages quelques
principes décharnés, assez vides et assez nuls pour
passer d'un siècle à l'autre, mais parce que nous
aurons combattu passionnément dans notre époque,
parce que nous l'aurons aimée passionnément et que
nous aurons accepté de périr tout entiers avec elle.

En résumé, notre intention est de concourir à
produire certains changements dans la Société qui
nous entoure. Par là, nous n'entendons pas un changement dans les âmes : nous laissons bien volontiers
la direction des âmes aux auteurs qui ont une clientèle spécialisée. Pour nous qui, sans être matérialistes, n'avons jamais distingué l'âme du corps et
qui ne connaissons qu'une réalité indécomposable :
la réalité humaine, nous nous rangeons du côté de
ceux qui veulent changer à la fois la condition sociale
de l'homme et la conception qu'il a de lui-même.
Aussi, à propos des événements politiques et sociaux
qui viennent, notre revue prendra position en chaque
cas. Elle ne le fera pas *politiquement*, c'est-à-dire
qu'elle ne servira aucun parti ; mais elle s'efforcera de
dégager la conception de l'homme dont s'inspireront
les thèses en présence et elle donnera son avis con-
formément à la conception qu'elle soutient. Si nous
pouvons tenir ce que nous nous promettons, si nous
pouvons faire partager nos vues à quelques lecteurs
nous ne concevrons pas un orgueil exagéré ; nous
nous féliciterons simplement d'avoir retrouvé une
bonne conscience professionnelle et de ce que, au
moins pour nous, la littérature soit redevenue ce
qu'elle n'aurait jamais dû cesser d'être : une fonction
sociale.

Et quelle est, dira-t-on, cette conception de

l'homme que vous prétendez nous découvrir ? Nous répondrons qu'elle court les rues et que nous ne prétendons pas la découvrir, mais seulement aider à la préciser. Cette conception, je la nommerai totalitaire. Mais comme le mot peut sembler malheureux, comme il a été fort décrié ces dernières années, comme il a servi à désigner non la personne humaine mais un type d'État oppressif et antidémocratique, il convient de donner quelques explications.

La classe bourgeoise, me semble-t-il, peut se définir intellectuellement par l'usage qu'elle fait de l'esprit d'analyse, dont le postulat initial est que les composés doivent nécessairement se réduire à un agencement d'éléments simples. Entre ses mains, ce postulat fut jadis une arme offensive qui lui servit à démanteler les bastions de l'Ancien Régime. Tout fut analysé; on réduisit d'un même mouvement l'air et l'eau à leurs éléments, l'esprit à la somme des impressions qui le composent, la société à la somme des individus qui la font. Les ensembles s'effacèrent : ils n'étaient plus que des sommations abstraites dues au hasard des combinaisons. La réalité se réfugia dans les termes ultimes de la décomposition. Ceux-ci en effet — c'est le second postulat de l'analyse — gardent inaltérablement leurs propriétés essentielles, qu'ils entrent dans un composé ou qu'ils existent à l'état libre. Il y eut une nature immuable de l'oxygène, de l'hydrogène, de l'azote, des impressions élémentaires qui composent notre esprit, il y eut une nature immuable de l'homme. L'homme était l'homme comme le cercle était le cercle : une fois pour toutes; l'individu, qu'il fût transporté sur le trône ou plongé dans la misère, demeurait foncièrement identique à lui-même parce qu'il était conçu sur le modèle de l'atome d'oxygène, qui peut se combiner avec l'hydrogène pour faire de l'eau, avec l'azote pour faire de l'air, sans que sa structure interne

en soit changée. Ces principes ont présidé à la Déclaration des Droits de l'Homme. Dans la société que
conçoit l'esprit d'analyse, l'individu, particule solide
et indécomposable, véhicule de la nature humaine,
réside comme un petit pois dans une boîte de petits
pois : il est tout rond, fermé sur soi, incommunicable.
Tous les hommes sont *égaux* : il faut entendre qu'ils
participent tous également à l'essence d'homme.
Tous les hommes sont *frères* : la fraternité est un
lien passif entre molécules distinctes, qui tient la
place d'une solidarité d'action ou de classe que l'esprit
d'analyse ne peut même pas concevoir. C'est une
relation tout extérieure et purement sentimentale
qui masque la simple juxtaposition des individus
dans la société analytique. Tous les hommes sont
libres : libres d'*être hommes*, cela va sans dire. Ce qui
signifie que l'action du politique doit être toute
négative : il n'a pas à faire la nature humaine; il
suffit qu'il écarte les obstacles qui pourraient l'empêcher de s'épanouir. Ainsi, désireuse de ruiner le
droit divin, le droit de la naissance et du sang, le
droit d'aînesse, tous ces droits qui se fondaient sur
l'idée qu'il y a des différences de nature entre les
hommes, la bourgeoisie a confondu sa cause avec
celle de l'analyse et construit à son usage le mythe de
l'universel. Au rebours des révolutionnaires contemporains, elle n'a pu réaliser ses revendications qu'en
abdiquant sa conscience de classe : les membres du
Tiers-État à la Constituante étaient bourgeois en
ceci qu'ils se considéraient simplement comme des
hommes.

Après cent cinquante ans, l'esprit d'analyse reste
la doctrine officielle de la démocratie bourgeoise,
seulement il est devenu arme défensive. La bourgeoisie a tout intérêt à s'aveugler sur les classes
comme autrefois sur la réalité synthétique des institutions d'Ancien Régime. Elle persiste à ne voir que

des hommes, à proclamer l'identité de la nature humaine à travers toutes les variétés de situation : mais c'est contre le prolétariat qu'elle le proclame. Un ouvrier, pour elle, est d'abord un homme — un homme comme les autres. Si la Constitution accorde à cet homme le droit de vote et la liberté d'opinion, il manifeste sa nature humaine autant qu'un bourgeois. Une littérature polémique a trop souvent représenté le bourgeois comme un esprit calculateur et chagrin dont l'unique souci est de défendre ses privilèges. En fait, on se *constitue bourgeois* en faisant choix, une fois pour toutes, d'une certaine vision du monde analytique qu'on tente d'imposer à tous les hommes et qui exclut la perception des réalités collectives. Ainsi, la défense bourgeoise est bien en un sens permanente, et elle ne fait qu'un avec la bourgeoisie elle-même; mais elle ne se manifeste pas par des calculs; à l'intérieur du monde qu'elle s'est construit, il y a place pour des vertus d'insouciance, d'altruisme et même de générosité; seulement les bienfaits bourgeois sont des actes individuels qui s'adressent à la nature humaine universelle en tant qu'elle s'incarne dans un individu. En ce sens, ils ont autant d'efficacité qu'une habile propagande, car le titulaire des bienfaits est contraint de les recevoir comme on les lui propose, c'est-à-dire en se pensant comme une créature humaine isolée en face d'une autre créature humaine. La charité bourgeoise entretient le mythe de la fraternité.

Mais il est une autre propagande, qui nous intéresse plus particulièrement ici, puisque nous sommes des écrivains et que les écrivains s'en font les agents inconscients. Cette légende de l'irresponsabilité du poète, que nous dénoncions tout à l'heure, elle tire son origine de l'esprit d'analyse. Puisque les auteurs bourgeois se considèrent eux-mêmes comme des petits pois dans une boîte, la solidarité qui les unit aux autres hommes leur paraît strictement *mécanique*, c'est-à-dire de simple juxtaposition. Même s'ils ont un sens élevé de leur mission littéraire, ils pensent avoir assez fait lorsqu'ils ont décrit leur nature propre ou celle de leurs amis : puisque tous les hommes sont faits de même, ils auront rendu service à tous, en éclairant chacun sur soi. Et comme le postulat dont ils partent est celui de l'analyse, il leur paraît tout simple d'utiliser pour se connaître la méthode analytique. Telle est l'origine de la psychologie intellectualiste dont les œuvres de Proust nous offrent l'exemple le plus achevé. Pédéraste, Proust a cru pouvoir s'aider de son expérience homosexuelle lorsqu'il a voulu dépeindre l'amour de Swann pour Odette; bourgeois, il présente ce sentiment d'un bourgeois riche et oisif pour une femme entretenue comme le prototype de l'amour : c'est donc qu'il croit à l'existence de passions universelles dont le mécanisme ne varie pas sensiblement quand on modifie les caractères sexuels, la condition sociale, la nation ou l'époque des individus qui les ressentent. Après avoir ainsi « isolé » ces affections immuables, il pourra entreprendre de les réduire, à leur tour, à des particules élémentaires. Fidèle aux postulats de l'esprit d'analyse, il n'imagine même pas qu'il puisse y avoir une dialectique des sentiments, mais seulement un mécanisme. Ainsi l'atomisme social, position de repli de la bourgeoisie contemporaine, entraîne l'atomisme psychologique. Proust s'est *choisi bourgeois*, il s'est fait le complice de la propagande bourgeoise, puisque son œuvre contribue à répandre le mythe de la nature humaine.

Nous sommes persuadés que l'esprit d'analyse a vécu et que son unique office est aujourd'hui de troubler la conscience révolutionnaire et d'isoler les hommes au profit des classes privilégiées. Nous ne croyons plus à la psychologie intellectualiste de

Proust, et nous la tenons pour néfaste. Puisque nous avons choisi pour exemple son analyse de l'amour-passion, nous éclairerons sans doute le lecteur en mentionnant les points essentiels sur lesquels nous refusons toute entente avec lui.

En premier lieu, nous n'acceptons pas *a priori* l'idée que l'amour-passion soit une affection constitutive de l'esprit humain. Il se pourrait fort bien, comme l'a suggéré Denis de Rougemont, qu'il eût une origine historique en corrélation avec l'idéologie chrétienne. D'une façon plus générale, nous estimons qu'un sentiment est toujours l'expression d'un certain mode de vie et d'une certaine conception du monde qui sont communs à toute une classe ou à toute une époque et que son évolution n'est pas l'effet de je ne sais quel mécanisme intérieur mais de ces facteurs historiques et sociaux.

En second lieu, nous ne pouvons admettre qu'une affection humaine soit composée d'éléments moléculaires qui se juxtaposent sans se modifier les uns les autres. Nous la considérons non comme une machine bien agencée mais comme une forme organisée. Nous ne concevons pas la possibilité de faire l'*analyse* de l'amour parce que le développement de ce sentiment, comme de tous les autres, est *dialectique*.

Troisièmement, nous refusons de croire que l'amour d'un inverti présente les mêmes caractères que celui d'un hétérosexuel. Le caractère secret, interdit du premier, son aspect de messe noire, l'existence d'une franc-maçonnerie homosexuelle, et cette damnation où l'inverti a conscience d'entraîner avec lui son partenaire : autant de faits qui nous paraissent influencer le sentiment tout entier et jusque dans les détails de son évolution. Nous prétendons que les divers sentiments d'une personne ne sont pas juxtaposés mais qu'il y a une unité synthétique de l'affec-

tivité et que chaque individu se meut dans un monde
affectif qui lui est propre.

Quatrièmement, nous nions que l'origine, la classe,
le milieu, la nation de l'individu soient de simples
concomitants de sa vie sentimentale. Nous estimons
au contraire que chaque affection, comme d'ailleurs
toute autre forme de sa vie psychique, *manifeste*
sa situation sociale. Cet ouvrier, qui touche un salaire,
qui ne possède pas les instruments de son métier,
que son travail isole en face de la matière et qui se
défend contre l'oppression en prenant conscience de
sa classe, ne saurait en aucune circonstance sentir
comme ce bourgeois, d'esprit analytique, que sa
profession met en relation de politesse avec d'autres
bourgeois.

Ainsi recourons-nous, contre l'esprit d'analyse, à
une conception synthétique de la réalité dont le
principe est qu'un tout, quel qu'il soit, est différent
en nature de la somme de ses parties. Pour nous, ce
que les hommes ont en commun, ce n'est pas une
nature, c'est une condition métaphysique : et par là,
nous entendons l'ensemble des contraintes qui les
limitent *a priori*, la nécessité de naître et de mourir,
celle d'être *fini* et d'exister dans le monde au milieu
d'autres hommes. Pour le reste, ils constituent des
totalités indécomposables, dont les idées, les humeurs
et les actes sont des structures secondaires et dépendantes, et dont le caractère essentiel est d'être
situées et ils diffèrent entre eux comme leurs situations
diffèrent entre elles. L'unité de ces touts signifiants
est le sens qu'ils manifestent. Qu'il écrive ou travaille à la chaîne, qu'il choisisse une femme ou une
cravate, l'homme manifeste toujours : il manifeste
son milieu professionnel, sa famille, sa classe et,
finalement, comme il est situé par rapport au monde
entier, c'est le monde qu'il manifeste. Un homme,
c'est toute la terre. Il est présent partout, il agit

partout, il est responsable de tout et c'est en tout lieu, à Paris, à Potsdam, à Vladivostok, que son destin se joue. Nous adhérons à ces vues parce qu'elles nous semblent vraies, parce qu'elles nous semblent socialement utiles dans le moment présent, et parce que la plupart des esprits nous semblent les pressentir et les réclamer. Notre revue voudrait contribuer, pour sa modeste part, à la constitution d'une anthropologie synthétique. Mais il ne s'agit pas seulement, répétons-le, de préparer un progrès dans le domaine de la connaissance pure : le but lointain que nous nous fixons est une *libération*. Puisque l'homme est une totalité, il ne suffit pas, en effet, de lui accorder le droit de vote, sans toucher aux autres facteurs qui le constituent : il faut qu'il se délivre totalement, c'est-à-dire qu'il se fasse *autre*, en agissant sur sa constitution biologique aussi bien que sur son conditionnement économique, sur ses complexes sexuels aussi bien que sur les données politiques de sa situation.

Cependant cette vue synthétique présente de graves dangers : si l'individu est une sélection arbitraire opérée par l'esprit d'analyse, ne risque-t-on pas de substituer, en renonçant aux conceptions analytiques, le règne de la conscience collective au règne de la personne ? On ne fait pas sa part à l'esprit de synthèse : l'homme-totalité, à peine entrevu, va disparaître, englouti par la classe; la classe seule existe, c'est elle seule qu'il faut délivrer. Mais, dira-t-on, en libérant la classe, ne libère-t-on pas les hommes qu'elle embrasse ? Pas nécessairement : le triomphe de l'Allemagne hitlérienne, eût-ce été le triomphe de chaque Allemand ? Et d'ailleurs, où s'arrêtera la synthèse ? Demain, on viendra nous dire que la classe est une structure secondaire, dépendant d'un ensemble plus vaste qui sera, par exemple, la nation. La grande séduction que le nazisme a exercée sur certains esprits de gauche vient sans aucun doute de ce qu'il a porté la conception totalitaire à l'absolu : ses théoriciens dénonçaient, eux aussi, les méfaits de l'analyse, le caractère abstrait des libertés démocratiques, sa propagande aussi promettait de forger un homme nouveau, elle conservait les mots de Révolution et de Libération : seulement au prolétariat de classe, on substituait un prolétariat de nations. On réduisait les individus à n'être que des fonctions dépendantes de la classe, les classes à n'être que des fonctions de la nation, les nations à n'être que des fonctions du continent européen. Si, dans les pays occupés, la classe ouvrière tout entière s'est dressée contre l'envahisseur, c'est sans doute parce qu'elle se sentait blessée dans ses aspirations révolutionnaires, mais c'est aussi qu'elle avait une répugnance invincible à laisser dissoudre la personne dans la collectivité.

Ainsi la conscience contemporaine semble déchirée par une antinomie. Ceux qui tiennent par-dessus tout à la dignité de la personne humaine, à sa liberté, à ses droits imprescriptibles, inclinent par là-même à penser selon l'esprit d'analyse qui conçoit les individus en dehors de leurs conditions réelles d'existence, qui les dote d'une nature immuable et abstraite, qui les isole et s'aveugle sur leur solidarité. Ceux qui ont fortement compris que l'homme est enraciné dans la collectivité et qui veulent affirmer l'importance des facteurs économiques, techniques et historiques, se rejettent vers l'esprit de synthèse qui, aveugle aux personnes, n'a d'yeux que pour les groupes. Cette antinomie se marque, par exemple, dans la croyance fort répandue que le socialisme est aux antipodes de la liberté individuelle. Ainsi ceux qui tiennent à l'autonomie de la personne seraient acculés à un libéralisme capitaliste dont on connaît les conséquences néfastes; ceux qui réclament une organisation socialiste de l'économie devraient la demander à je ne sais quel autoritarisme totalitaire. Le malaise actuel vient de ce que personne ne peut accepter les conséquences extrêmes de ces principes : il y a une composante « synthétique » chez les démocrates de bonne volonté; il y a une composante analytique chez les socialistes. Qu'on se rappelle, par exemple, ce que fut en France le parti radical. Un de ses théoriciens a fait paraître un ouvrage qu'il intitulait : « Le citoyen contre les pouvoirs. » Ce titre indique assez comment il envisageait la politique : tout irait mieux si le citoyen isolé, représentant moléculaire de la nature humaine, contrôlait ses élus et, au besoin, exerçait contre eux son libre jugement. Mais, précisément, les radicaux ne pouvaient pas ne pas reconnaître leur échec; ce grand parti n'avait plus, en 1939, ni volonté, ni programme, ni idéologie; il sombrait dans l'opportunisme : c'est qu'il avait voulu résoudre politiquement des problèmes qui ne souffraient pas de solution politique. Les meilleures têtes s'en montraient étonnées : si l'homme est un animal politique, d'où vient qu'on n'ait pas, en lui donnant la liberté politique, réglé son sort une fois pour toutes ? D'où vient que le libre jeu des institutions parlementaires n'ait pu réussir à supprimer la misère, le chômage, l'oppression des trusts ? D'où vient qu'on rencontre une lutte des classes par delà les oppositions fraternelles des partis ? Il n'eût pas fallu pousser beaucoup plus loin pour entrevoir les limites de l'esprit analytique. Le fait que le radicalisme recherchait avec constance l'alliance des partis de gauche montre clairement la voie où l'engageaient ses sympathies et ses aspirations confuses, mais il manquait de la technique intellectuelle qui lui eût permis non seulement de résoudre, mais même de formuler les problèmes qu'il pressentait obscurément.

Dans l'autre camp, l'embarras n'est pas moindre. La classe ouvrière s'est faite l'héritière des traditions démocratiques. C'est au nom de la démocratie qu'elle réclame son affranchissement. Or, nous l'avons vu, l'idéal démocratique se présente historiquement sous la forme d'un contrat social entre individus libres. Ainsi les revendications analytiques de Rousseau interfèrent souvent dans les consciences avec les revendications synthétiques du marxisme. D'ailleurs, la formation technique de l'ouvrier développe en lui l'esprit d'analyse. Semblable en cela au savant, c'est par l'analyse qu'il doit résoudre les problèmes de la matière. S'il se retourne vers les personnes, il a tendance, pour les comprendre, à faire appel aux raisonnements qui lui servent dans son travail; il applique ainsi aux conduites humaines une psychologie d'analyse qui s'apparente à celle du XVIIe siècle français.

L'existence simultanée de ces deux types d'explication révèle un certain flottement; ce perpétuel recours au « comme si... » marque assez que le marxisme ne dispose pas encore d'une psychologie de synthèse appropriée à sa conception totalitaire de la classe.

Pour nous, nous refusons de nous laisser écarteler entre la thèse et l'antithèse. Nous concevons sans difficulté qu'un homme, encore que sa situation le conditionne totalement, puisse être un centre d'indétermination irréductible. Ce secteur d'imprévisibilité qui se découpe ainsi dans le champ social, c'est ce que nous nommons la liberté et la personne n'est rien d'autre que sa liberté. Cette liberté, il ne faut pas l'envisager comme un pouvoir métaphysique de la « nature » humaine et ce n'est pas non plus la licence de faire ce qu'on veut, ni je ne sais quel refuge intérieur qui nous resterait jusque dans les chaînes. On ne fait pas ce qu'on veut et cependant

on est responsable de ce qu'on est : voilà le fait;
l'homme qui s'explique simultanément par tant de
causes est pourtant seul à porter le poids de soi-même.
En ce sens, la liberté pourrait passer pour une malédiction, elle *est* une malédiction. Mais c'est aussi
l'unique source de la grandeur humaine. Sur le fait,
les marxistes seront d'accord avec nous en esprit,
sinon dans la lettre, car ils ne se privent pas, que je
sache, de porter des condamnations morales. Reste
à l'expliquer : mais c'est l'affaire des philosophes,
non la nôtre. Nous ferons seulement remarquer que
si la société fait la personne, la personne, par un
retournement analogue à celui qu'Auguste Comte
nommait le passage à la subjectivité, fait la société.
Sans son avenir, une société n'est qu'un amas de
matériel, mais son avenir n'est rien que le projet de
soi-même que font, par delà l'état de choses présent,
les millions d'hommes qui la composent. L'homme
n'est qu'une situation : un ouvrier n'est pas *libre*
de penser ou de sentir comme un bourgeois; mais
pour que cette situation *soit un homme*, tout un
homme, il faut qu'elle soit vécue et dépassée vers
un but particulier. En elle-même, elle reste indiffé-
rente tant qu'une liberté humaine ne la charge pas
d'un certain sens : elle n'est ni tolérable, ni insupportable tant qu'une liberté ne s'y résigne pas, ne se
rebelle pas contre elle, c'est-à-dire tant qu'un homme
ne se choisit pas en elle, en choisissant sa signification.
Et c'est alors seulement, à l'intérieur de ce choix
libre, qu'elle se fait déterminante parce qu'elle est
surdéterminée. Non, un ouvrier ne peut pas vivre
en bourgeois; il faut, dans l'organisation sociale
d'aujourd'hui, qu'il subisse jusqu'au bout sa condition
de salarié; aucune évasion n'est possible, il n'y a
pas de recours contre cela. Mais un homme n'existe
pas à la manière de l'arbre ou du caillou : il faut qu'il
se fasse ouvrier. Totalement conditionné par sa

classe, son salaire, la nature de son travail, conditionné jusqu'à ses sentiments, jusqu'à ses pensées, c'est lui qui décide du sens de sa condition et de celle de ses camarades, c'est lui qui, librement, donne au prolétariat un avenir d'humiliation sans trêve ou de conquête et de victoire, selon qu'il se choisit résigné ou révolutionnaire. Et c'est de ce choix qu'il est responsable. Non point libre de ne pas choisir : il est engagé, il faut parier, l'abstention est un choix. Mais libre pour choisir d'un même mouvement son destin, le destin de tous les hommes et la valeur qu'il faut attribuer à l'humanité. Ainsi se choisit-il à la fois ouvrier et homme, tout en conférant une signification au prolétariat. Tel est l'homme que nous concevons : homme total. Totalement engagé et totalement libre. C'est pourtant cet homme libre qu'il faut *délivrer*, en élargissant ses possibilités de choix. En certaines situations, il n'y a place que pour une alternative dont l'un des termes est la mort. Il faut faire en sorte que l'homme puisse, en toute circonstance, choisir la vie.

C'est à défendre l'autonomie et les droits de la personne que notre revue se consacrera. Nous la considérons avant tout comme un organe de recherches : les idées que je viens d'exposer nous serviront de thème directeur dans l'étude des problèmes concrets de l'actualité. Nous abordons tous l'étude de ces problèmes dans un esprit commun; mais nous n'avons pas de programme politique ou social; chaque article n'engagera que son auteur. Nous souhaitons seulement dégager, à la longue, une ligne générale. En même temps, nous recourrons à tous les genres littéraires pour familiariser le lecteur avec nos conceptions : un poème, un roman d'imagination, s'ils s'en inspirent, pourront, plus qu'un écrit théorique, créer le climat favorable à leur développement. Mais ce contenu idéologique et ces intentions nouvelles risquent de réagir sur la forme même et les procédés des productions romanesques : nos essais critiques tenteront de définir dans leurs grandes lignes les techniques littéraires — nouvelles où anciennes — qui s'adapteront le mieux à nos desseins. Nous nous efforcerons d'appuyer l'examen des questions actuelles en publiant aussi fréquemment que nous pourrons des études historiques, lorsque, comme les travaux de Marc Bloch ou de Pirenne sur le moyen âge, elles appliqueront spontanément ces principes et la méthode qui en découle aux siècles passés, c'est-à-dire lorsqu'elles renonceront à la division arbitraire de l'histoire en histoires (politique, économique, idéologique, histoire des institutions, histoire des individus) pour tenter de restituer une époque disparue comme une totalité et qu'elles considéreront à la fois que l'époque s'exprime dans et par les personnes et que les personnes se choisissent dans et par leur époque. Nos chroniques s'efforceront de considérer notre propre temps comme une synthèse signifiante et pour cela elles envisageront dans un esprit synthétique les diverses manifestations d'actualité, les modes et les procès criminels aussi bien que les faits politiques et les ouvrages de l'esprit, en cherchant beaucoup plus à y découvrir des sens communs qu'à les apprécier individuellement. C'est pourquoi, au contraire de la coutume, nous n'hésiterons pas plus à passer sous silence un livre excellent mais qui, du point de vue où nous nous plaçons, ne nous apprend rien de nouveau sur notre époque, qu'à nous attarder, au contraire, sur un livre médiocre qui nous semblera, dans sa médiocrité même, révélateur. Nous joindrons chaque mois à ces études des documents bruts que nous choisirons aussi variés que possible en leur demandant seulement de montrer avec clarté l'implication réciproque du collectif et de la personne.

Nous étaierons ces documents par des enquêtes et
des reportages. Il nous paraît, en effet, que le reportage fait partie des genres littéraires et qu'il peut
devenir un des plus importants d'entre eux. La
capacité de saisir intuitivement et instantanément
les significations, l'habileté à regrouper celles-ci
pour offrir au lecteur des ensembles synthétiques
immédiatement déchiffrables sont les qualités les
plus nécessaires au reporter; ce sont celles que nous
demandons à tous nos collaborateurs. Nous savons
d'ailleurs que parmi les rares ouvrages de notre
époque qui sont assurés de durer, se trouvent plusieurs reportages comme « Les dix jours qui renver-
sèrent le Monde » et surtout l'admirable « Testament espagnol »... Enfin, nous ferons, dans nos
chroniques, la plus large part aux études psychia-
triques lorsqu'elles seront écrites dans les perspectives qui nous intéressent. On voit que notre projet
est ambitieux : nous ne pouvons le mener à bien
tout seuls. Nous sommes une petite équipe au départ,
nous aurions échoué si, dans un an, elle ne s'était pas
considérablement accrue. Nous faisons appel à toutes
les bonnes volontés; tous les manuscrits seront
acceptés, d'où qu'ils viennent, pourvu qu'ils s'inspirent de préoccupations qui rejoignent les nôtres
et qu'ils présentent, en outre, une valeur littéraire.
Je rappelle, en effet, que dans la « littérature engagée »,
l'*engagement* ne doit, en aucun cas, faire oublier la
littérature et que notre préoccupation doit être de
servir la littérature en lui infusant un sang nouveau,
tout autant que de servir la collectivité en essayant
de lui donner la littérature qui lui convient.

LA NATIONALISATION
DE LA LITTÉRATURE

Aux belles années d'anarchie qui suivirent le traité de Versailles, les auteurs avaient honte d'écrire et les critiques n'aimaient pas la lecture. Dans les salons littéraires on ne rencontrait plus guère d'écrivains mais seulement des professionnels de l'érotisme, du crime, du désespoir, de la révolte ou de l'intuition mystique, qui, une ou deux fois l'an, sur les instances de leurs éditeurs, consentaient à délivrer un message. Comme ils ne se souciaient aucunement de leurs lecteurs et qu'il était convenu, au demeurant, que les mots ne pouvaient pas exprimer la pensée, on achetait beaucoup de livres mais on lisait peu. Quand un chroniqueur, par souci professionnel, consacrait quelques heures à cet exercice, son regard passait au travers du texte comme le soleil au travers d'une vitre et s'en prenait directement à l'homme. C'est que la mode était au terrorisme. On feignait que les auteurs n'eussent jamais écrit et, si l'on considérait leurs ouvrages, c'était uniquement comme une somme de renseignements disparates sur leurs mœurs. On parlait de leurs procédés et de leur rhétorique comme s'il se fût agi non d'artifices et d'apprêts, mais de détails piquants et licencieux sur leur vie intime. On ne disait pas de Giraudoux qu'il avait publié *Bella* ou *Églantine*, mais : « Il nous prend par la main et nous fait pirouetter avec lui, nous croyons le suivre à Bellac et nous voilà en Chine; il tire sur une cible à Berlin et un oiseau de paradis dégringole du ciel à Milwaukee », tant était grand alors le mépris où l'on tenait la chose littéraire.

Aujourd'hui le vent a tourné : littérature et rhétorique sont rétablies dans leur dignité et dans leurs pouvoirs. Il ne s'agit plus d'allumer des incendies dans les brousses du langage, de marier des « mots qui se brûlent » et d'atteindre à l'absolu par la combustion du dictionnaire mais de communiquer avec les autres hommes en utilisant modestement les moyens du bord. Comme on n'a plus l'orgueil de séparer la pensée des mots, on ne peut même concevoir comment les mots trahiraient la pensée. On a reconquis assez de probité pour ne pas vouloir être jugé sur je ne sais quel ineffable que ni les paroles ni les actions ne pourraient épuiser; on prétend ne connaître des intentions que par les actes qui les réalisent et des pensées que par les mots qui les expriment. Du coup, les critiques se sont remis à lire; tout serait pour le mieux si l'on ne discernait dans le ton qu'ils adoptent pour parler des ouvrages de l'esprit les présages d'une mode nouvelle et plus inquiétante encore que l'autre. Certes on ne regarde plus l'auteur comme un fou, un assassin ou un thaumaturge, c'est-à-dire comme un polichinelle; on ne manque pas une occasion de lui rappeler sa grandeur et ses devoirs. Mais je ne sais finalement s'il ne vaut pas mieux passer pour un polichinelle que pour un sous-préfet : or, le respect qu'on porte à l'écrivain rappelle étrangement celui qu'on affiche pour les dames bienfaitrices et les agents du gouvernement. Un personnage officiel me disait un jour de

Dullin : « C'est un bien national. » Cela ne m'a fait
point rire : j'ai peur qu'on ne cherche aujourd'hui
par une manœuvre·subtile à transformer les écrivains
et les artistes en biens nationaux. Sans doute faut-il
se féliciter de ce qu'on parle moins de leurs amours
et davantage de leurs œuvres. Mais on en parle avec
trop de considération. Ce n'est pas que la critique
ait gagné en indulgence, ni qu'elle distribue plus de
fleurs : mais elle situe différemment les ouvrages
dont elle parle. Il fut un temps où l'on tenait le
fait d'oser publier un livre — après Racine, Fénelon
ou Pascal — pour une rare impertinence et l'auteur
n'avait pas trop de tout son talent pour se faire
pardonner d'écrire. Aujourd'hui, c'est tout le contraire et les nouvelles productions bénéficient, avant
même que de paraître, d'un préjugé favorable. Mais
cette bienveillance ne s'adresse pas à l'effort toujours
solitaire et incertain de l'artiste pour exprimer son
sentiment. Elle vient de ce que l'on considère chaque
écrit nouveau comme une cérémonie officielle et,
pour tout dire, comme une contribution bénévole
aux festivités de la quatrième République.

On n'en rend point compte comme d'un fruit
vert encore et qui a besoin de mûrir pour dégager
tout son sens mais, tout à la fois, comme d'un banquet
d'anciens combattants et du Salon de l'Automobile.
Le public lettré a emboîté le pas : dans certains
milieux on ne dit plus d'un roman ou d'un poème
qu'il est beau ou plaisant ou émouvant. On prend
une voix riche et soucieuse pour conseiller : « Lisez-le :
c'est très *important*. » Important, comme un discours
de Poincaré définissant sa politique monétaire à
l'occasion de l'inauguration d'un monument aux
morts, comme l'interview d'un leader travailliste.
Imaginez Mme de Sévigné écrivant à sa fille : « J'ai
vu *Esther :* c'est très important. » Les littérateurs
vont-ils devenir des importants ?

Comment peut-on décider de l'importance des
ouvrages qui viennent de commencer leur carrière ?
N'est-ce pas cent ans plus tard à leurs effets, à leur
progéniture qu'on la reconnaîtra ? Nous saisissons
sur le vif le procédé du critique et des gens du bel
air : ils se soucient moins d'apprécier la valeur d'un
écrit que de supputer d'emblée son action et sa
postérité, ils définissent à vue de nez les courants
littéraires qu'il va déterminer, ils analysent le rôle
qu'il jouera dans tel mouvement social qui n'est pas
encore né. M. Julien Gracq publie-t-il *Le beau Téné-
breux* ? Nos critiques de parler aussitôt d'un « retour
au surréalisme ». Retour de qui ? Car enfin M. Gracq
ne l'avait point quitté. Et même, si l'on se réfère
au « Château d'Argol », il semble, au contraire,
s'éloigner profondément de sa première manière.
Mais nos habiles ne se soucient point de mettre en
relief la continuité des vues ou l'évolution lente d'un
individu qui se transforme en demeurant fidèle à
une ligne générale. Ils considèrent l'ouvrage en lui-
même et comme coupé de son auteur : en 1945,
six mois après la libération, une « manifestation
surréaliste » a eu lieu : voilà ce qui les intéresse. Ils
en usaient pareillement, dès avant la guerre, lorsqu'ils
disaient à la parution de *Saint Saturnin :* « Étape
importante : ce roman marque le retour de l'ordre
dans la littérature. » Quelle étrange sentence : pour
M. Schlumberger, ce fut tout un de naître et d'entrer
au parti de l'ordre. Et pour les fauteurs de désordre,
les Breton, les Cocteau, je ne sache pas que *Saint
Saturnin* les ait beaucoup influencés. Peut-être même
ont-ils oublié de le lire. Le critique ne se trouble pas
pour si peu : chaque année, chaque publication
nouvelle marquent pour lui un départ, un retour,
un aller et retour. Voici qu'un de nos chroniqueurs
nous prédit vingt années de vaches maigres : pas de
grandes œuvres avant vingt ans. Dans le même temps

un autre tient pour les vaches grasses : il explique fort bien comment la littérature de demain fut fécondée par les souffrances de l'occupation. Un troisième dénonce le péril que l'influence américaine représente pour les lettres françaises. Vingt ans de romans américains. Mais un quatrième nous rassure : la publication de je ne sais quel roman a sonné le glas de cette influence funeste. Un cinquième, un sixième, un septième décèlent des écoles littéraires dans la confusion actuelle : il y a l'existentialisme qui s'étend, nous dit-on, jusqu'aux arts graphiques, puisqu'on connaît des peintres et des dessinateurs existentialistes. Et même des musiciens. Il paraît — je m'excuse de parler de moi — que j'ai quelque chose à faire là dedans. Non, toutefois, si l'on en croit un autre critique, car je suis chef du néo-surréalisme, ayant sous mes ordres Eluard et Picasso (je leur en demande bien pardon et n'ai pas encore oublié, Dieu merci, que je portais encore des culottes courtes quand ils avaient déjà la maîtrise d'eux-mêmes). Et voici la dernière en date, l'école misérabiliste, si jeune qu'elle n'a pas encore, à ma connaissance, eu de représentants. Il est d'autres jeux : certains, par exemple, se plaisent à dépeindre le livre que nous attendons. Ils le voient, comme Geofffroy Rudel voyait la princesse lointaine et ils trouvent des accents si persuasifs pour nous en parler, que nous le voyons avec eux. Voici donc le monde dans l'attente : déjà le roman futur et tant espéré participe de la dignité d'une cérémonie sacrée. Nous y retrouverons nos traits, nos espoirs et nos fureurs. Après cela il ne reste plus qu'à trouver un volontaire pour l'écrire. Nous sommes en révolution, dit un autre. Notre littérature a donc tous les traits d'une littérature révolutionnaire. Et de les énumérer. Qui ne comprendrait son dépit lorsqu'il constate ensuite que les jeunes écrivains sont assez légers pour ne pas vérifier

ses prophéties ? C'est que ce sont de faux écrivains,
des saboteurs, peut-être des trotzkystes. Un autre,
parlant le mois dernier d'un fort bon roman français
sur les partisans polonais, écrit avec sérénité : « C'est
le roman de la Résistance. » Autrefois, l'on eût réservé
l'avenir, l'on eût laissé leur chance aux Russes, aux
Belges, aux Hollandais, aux Tchèques, aux Italiens,
aux Polonais eux-mêmes, ainsi qu'aux quelque
deux mille Français qui ont un ouvrage en réserve
sur ce sujet. Le critique contemporain ne s'embarrasse
pas de cette sotte prudence : son plaisir est d'extra-
poler; après chaque œuvre nouvelle, il fait le bilan,
comme si cette œuvre marquait la fin de l'histoire
et de la littérature. *Bilan de l'occupation*, *Bilan de
l'année* 1945, *Bilan du théâtre contemporain* : il adore
les bilans. Pour en faire plus commodément, il arrête
des carrières d'un trait de plume. Plusieurs feuille-
tonistes, après l'*Invitée*, après *Enrico* ont décrété
allègrement que Simone de Beauvoir, que Mouloudji
n'écriraient plus rien. Il me souvient que M. Lalou
s'inquiétait de savoir si *la Nausée*, qui fut mon
premier ouvrage, n'était pas aussi mon « testament
littéraire ». C'était une invite discrète : un auteur qui
sait vivre écrit son testament littéraire à trente ans et
s'en tient là. Le scandale, avec ces bourreaux de
travail qui produisent un livre tous les deux ans,
c'est que les critiques sont obligés à chaque fois de
remettre leur jugement antérieur en question. Faute
de deviner à coup sûr la carrière des nouveaux écrivains, ils sont devant chaque débutant, dans la
fonction de ce « lecteur » d'une grande maison d'éditions qui écrivit, après lecture d'un manuscrit que
Pierre Bost lui avait recommandé : « Demander à
Pierre Bost si l'auteur a du talent. » Du talent, c'est-
à-dire en termes d'éditeurs : combien de livres a-t-il
dans le ventre ? Dans le ventre de Mouloudji, les
critiques ont décidé qu'il n'y en avait qu'un. C'est-

à-dire qu'ils ont pris ce jeune homme de vitesse et qu'ils ont été l'attendre dans l'avenir, au terme de sa longue vie. De là, solidement établis dans cet instant privilégié où Mouloudji rendra le dernier soupir et où, selon la sagesse antique, on pourra décider s'il fut heureux ou malheureux, fol ou avisé, ils regardent *Enrico* unique production littéraire de ce mort, que nulle œuvre postérieure n'est venue remettre en question, ils rendent un arrêt définitif. Après cela, direz-vous, Mouloudji a écrit un second livre. D'accord, mais il a eu tort et les critiques le lui ont bien fait voir.

Qu'est-ce à dire ? Et qu'y a-t-il de commun entre les différents propos que nous venons de rapporter ? Lorsqu'un article de journal vous indigne, il est rare que vous pensiez à son auteur. Y penseriez-vous, votre indignation serait désarmée, à moins qu'il ne s'agisse d'un homme célèbre : mais si l'article vous apparaît comme le pensum commandé à un pauvre bougre qui l'a rédigé la nuit dans le brouhaha de la salle commune, votre colère se tournera en pitié. C'est qu'aussi bien vous ne considérez pas les mots qui vous irritent comme des signes tracés sur la feuille que vous tenez dans vos mains : il vous semble les entendre répéter par mille bouches comme la rumeur du vent dans les roseaux. Chacun d'eux est un événement social puisqu'il est passé des lèvres de l'un à l'oreille de l'autre, puisqu'il a été l'occasion de contacts répétés entre différents membres de la communauté; et finalement l'article n'a plus rien de commun avec les élucubrations nocturnes d'un journaliste irresponsable : c'est une immense représentation collective qui s'étend à travers cent mille têtes; c'est à titre de représentation collective qu'il vous paraît néfaste et sacré. Critiques et lettrés s'entendent aujourd'hui pour considérer un livre comme l'éditorial d'un quotidien. Ils ne s'occupent

pas de ce que l'auteur y a *voulu dire* et, à la vérité,
ils l'envisagent comme s'il n'avait point du tout
d'auteur. Ils ne s'intéressent à lui que comme slogan
qui, pour quelque jour ou quelques mois, réunira
une armée de lecteurs ; ils voient en lui une production
spontanée de la conscience collective, quelque chose
comme une institution. Pour mieux rendre compte de
cette institution, pour en esquisser le destin, pour
en énumérer les répercussions, le critique choisit de
la regarder avec les yeux de ses petits-enfants et
de s'exprimer sur elle comme un manuel de littérature sur un écrit vieux de cent cinquante ans.
Seul, en effet, un manuel peut apprécier l'influence
qu'a exercée une production de l'esprit, il peut seul
nous expliquer sa fortune et juger de sa postérité,
parce qu'il est seul qualifié à cent ans de distance
pour en faire l'histoire. Dans cent ans on pourra
décider pour de bon si le surréalisme a fait ou non
un retour offensif sur les années 45, si l'*Éducation
Européenne* était ou non *le* livre de la Résistance ;
dans cent ans on déterminera les courants littéraires
de cette après-guerre ; dans cent ans on pourra
donner une description appropriée de la forme romanesque que nous attendons — si tant est que nous en
attendions une — en comparant les succès divers
qu'auront eus les romans qui vont paraître dans cette
décade. Mais nous sommes des gens pressés. Nous
avons hâte de nous connaître et de nous juger. C'est
qu'il s'est fait, au cours de ces vingt dernières années,
un progrès important de la conscience occidentale.
Sous la pression de l'histoire nous avons appris que
nous étions historiques. De la même façon que les
mathématiques cartésiennes ont conditionné les différentes branches du savoir et des lettres au XVIIe siècle,
la physique de Newton les a conditionnées au
XVIIIe siècle, la biologie de Claude Bernard et de
Lamarck au XIXe, l'histoire au nôtre. Nous savons que

le plus intime de nos gestes contribue à faire l'histoire, que la plus subjective de nos opinions concourt à former cet esprit objectif que l'historien nommera l'esprit public de 1945, nous savons que nous appartenons à une époque qui aura plus tard un nom et une figure et dont les grands traits, les dates principales, la signification profonde se dégageront aisément : nous vivons dans l'histoire comme les poissons dans l'eau, nous avons une conscience aiguë de notre responsabilité historique. Ne nous a-t-on pas dit, à San-Francisco, que le sort de la civilisation se jouerait dans les années qui viennent ? Hitler ne répétait-il pas que la guerre qu'il vient de perdre déciderait pour mille ans du sort des hommes ? Mais plus notre conscience historique est exquise, plus nous nous irritons de nous débattre dans le noir, d'être justiciables d'un tribunal que nous ne connaîtrons point, de nous sentir engagés dans un procès à la Kafka dont nous ignorerons l'issue, qui n'aura peut-être jamais de fin. N'est-il pas offensant que le secret de notre époque et l'exacte estimation de nos fautes appartiennent à des gens qui ne sont pas encore nés et à qui nos fils et petits-fils donneront des fessées longtemps encore après notre mort. Nous voulons couper l'herbe sous le pied de ces morveux et nous désirons établir tout de suite et pour toujours ce qu'il faudra qu'ils pensent de nous. Si nous pouvions nous retourner sur nous-même et dégager la portée historique de nos actes dans le même temps que nous les accomplissons, il nous semble que nous bouclerions la boucle et que nous présenterions à nos neveux une appréciation si pertinente et si complète de notre époque qu'ils n'auraient plus qu'à l'entériner. Ainsi passons-nous notre temps à circonscrire, à classer, à étiqueter les événements que nous vivons, à écrire pour l'usage de la postérité, un manuel d'histoire du xxe siècle. On a ri longtemps de

ce mélodrame où l'auteur faisait dire à des soldats
de Bouvines : « Nous autres, chevaliers de la guerre
de Cent ans. » C'est fort bien fait, mais il faut donc
rire de nous-mêmes : nos jeunes gens s'intitulaient
« génération de l'entre-deux guerres » quatre ans
avant l'accord de Munich. Il faut rire d'eux, même si
l'événement leur a donné raison, car ils avaient choisi
de parler d'eux comme s'ils étaient leurs propres
petits-enfants; c'est encore une façon de conférer
de l'importance à ce haïssable moi qu'il faudrait
couvrir : on respecte toujours son grand-père. Péné-
trons-nous au contraire de cette vérité sévère : si
haut que nous nous placions pour juger notre temps,
l'historien futur le jugera de plus haut encore; la
montagne où nous pensons avoir fait notre nid
d'aigle ne sera pour lui qu'une taupinière; la sentence
que nous avons rendue touchant notre époque
figurera parmi les pièces de notre procès. En vain
tenterions-nous de devenir notre propre historien :
l'historien lui-même est créature historique. Nous
devons nous contenter de *faire* notre histoire à
l'aveuglette, au jour le jour, en choisissant de tous
les partis celui qui nous semble présentement le
meilleur; mais nous ne pourrons jamais prendre sur
elle ces vues cavalières qui ont fait la fortune de
Taine et de Michelet; nous sommes dedans.

Il en va de même pour le critique : c'est en vain
qu'il jalouse l'historien des idées. Hazard peut parler
de la crise intellectuelle de 1715 mais nous ne pouvons point traiter de la « crise du roman en 1945 ».
Savons-nous seulement si le roman est en crise ?
Nous pouvons discerner clairement ce que chaque
auteur ou chaque école a le dessein de faire et nous
pouvons aussi juger si, dans leurs œuvres, ils
demeurent fidèles à leur propos. Nous pouvons
démêler certains desseins secrets, certaines intentions
cachées. Mais nous ne pouvons pas surprendre la

figure que l'ouvrage aura pour les lecteurs de demain,
nous ne pouvons pas le considérer déjà comme une
acquisition de l'esprit objectif de l'époque : sa face
objective nous demeure toujours voilée, car elle
n'est pas autre chose que l'aspect qu'il prendra aux
yeux des autres. Nous ne saurions être à la fois
dehors et dedans. A traiter les productions de l'esprit
avec un respect qui ne s'adressait autrefois qu'aux
grands morts, on risque de les tuer. Il n'est aujour-
d'hui de petit romancier dont on ne parle sur le
ton dont usait Lanson pour Racine, et Bédier pour
la *Chanson de Roland*. Peut-être certains se sentent-ils
flattés mais ce n'est pas sans un obscur dépit : car
enfin il n'est pas plaisant d'être traité de son vivant
comme un monument public. Qu'on y prenne garde :
cette année littéraire, qui n'est pas particulièrement
distinguée par la qualité des œuvres, est déjà jonchée
de monuments, elle ressemble à la voie Appienne.
Il faut que nous réapprenions la modestie et le goût
du risque : puisqu'on ne peut sortir de la subjectivité
— non de la subjectivité individuelle mais de celle
de l'époque — il faut que le critique renonce à juger
à coup sûr et qu'il partage la fortune des auteurs.
Après tout, un roman n'est pas d'abord une application concertée de la technique américaine, ni
une illustration des théories de Heidegger, ni un
manifeste surréaliste. Il n'est pas non plus une
mauvaise action, ni un événement gros de conséquences internationales. C'est l'entreprise hasardeuse
d'un homme seul. Lire, pour un contemporain de
l'auteur, roulé dans la même subjectivité historique,
c'est participer aux risques de l'entreprise. Le
livre est neuf, inconnu, sans importance : il faut y
entrer sans guide; peut-être laisserons-nous passer
sans les voir les qualités les plus rares, peut-être, au
contraire, un éclat superficiel nous induira-t-il en
erreur. Peut-être découvrirons-nous au bas d'une

page, négligemment jetée, une de ces idées qui
font soudain battre le cœur et qui éclairent toute
une vie, comme il arriva à Daniel de Fontanin
lorsqu'il rencontra les *Nourritures Terrestres*. Et
puis, enfin, il faut parier : le livre est-il bon ? est-il
mauvais ? Parions : c'est tout ce que nous pouvons
faire. Par peur, par goût de la consécration sociale,
le critique lit aujourd'hui comme on relit. Cette
pétrification qu'opère son œil de Méduse, je crain-
drais, si j'étais à sa place, qu'elle ne soit un signe
avant-coureur de la mort de l'Art que prévoit Hegel.

Mais enfin, dira-t-on, pourquoi en use-t-il de la
sorte ? Pourquoi le critique qui affectait, il y a
vingt ans, de saisir par une intuition quasi bergso-
nienne les vertus les plus individuelles de l'auteur,
s'occupe-t-il exclusivement aujourd'hui de recueillir
les résonances sociales de l'œuvre ? C'est que l'auteur
lui-même est socialisé : il ne passe plus aux yeux du
monde pour le merle blanc qu'il fut naguère; il
fait figure d'ambassadeur. Autrefois un nouvel écrivain se sentait de trop sur la terre : on ne l'attendait
pas. Le public n'attend jamais rien : ou plutôt si, il
attend le prochain livre des romanciers qu'il connaît,
dont il s'est assimilé le style et la façon de voir.
Mais entre les problèmes de chaque époque et les
solutions de fortune ou de tradition qu'on leur donne
tant bien que mal, il s'établit toujours un certain
équilibre et tout nouveau venu fait figure d'intrus.
On n'attendait pas Freud : la psychologie de Ribot
et de Wundt suffisait vaille que vaille à tout expliquer
sauf un ou deux tout petits points rebelles qu'on
espérait bien faire rentrer dans l'ordre. On n'attendait pas Einstein : on pensait pouvoir interpréter
l'expérience de Michelson et Morlay sans abandonner
la physique de Newton. On n'attendait pas Proust,
ni Claudel : Maupassant, Bourget, Leconte de Lisle
suffisaient à combler les âmes délicates. Aujourd'hui

on n'attend pas davantage les idées ou le style :
mais on attend les hommes. On vient chercher
l'auteur à domicile, on le sollicite. A son premier
livre, on se dit : « Hé ! Hé ! Ce pourrait bien être notre
homme. » A son deuxième on en est sûr. Au troisième,
il règne déjà : il préside des comités, il écrit dans les
journaux politiques, on pense à lui pour la députa-
tion ou l'Académie : l'essentiel est qu'il soit consacré
au plus vite. Déjà on a pris l'habitude de publier de
son vivant ses œuvres posthumes ; peut-être coulera-
t-on sa statue avant qu'il ne soit mort. C'est à proprement parler, faire de l'inflation littéraire. Il y a,
aux époques calmes, un écart normal et constant
entre la circulation fiduciaire et la couverture-or,
entre la réputation d'un auteur et les ouvrages qu'il
a produits. Lorsque cet écart s'accroît, il y a inflation.
Aujourd'hui il s'est accru à l'extrême. Tout se passe
comme si la France avait un besoin éperdu de
grands hommes.

Cela tient d'abord aux difficultés de la relève.
Celle-ci est assurée normalement par l'infiltration
continue dans les couches les plus anciennes d'éléments issus des générations nouvelles. Aussi les
changements ne sont-ils pas fort sensibles et les
vieillards, qui s'accrochent à leurs privilèges, freinent
très suffisamment l'ardeur des nouveaux venus.
Après 1918, l'équilibre a été rompu au profit des
vieilles gens : les jeunes étaient restés à Verdun, sur
la Marne et sur l'Yser. Aujourd'hui, c'est le phénomène inverse qui tend à se produire : certes, la France
a perdu beaucoup de jeunes hommes. Mais la défaite
et l'occupation ont hâté la liquidation des générations antérieures, beaucoup de vieilles gloires ont
mal tourné, d'autres ont cherché un refuge à l'étranger et on les a tout doucement oubliées, d'autres
enfin ont pris le parti de mourir. Un poète pourtant
fort célèbre constatait mélancoliquement, un jour,

après avoir lu la liste — incomplète — des écrivains
collaborationnistes : « Notre gloire ne pèse pas lourd
auprès de la leur. » Traîtres ou suspects, Montherlant,
Céline, Chardonne, Drieu, Fernandez, Abel Hermant,
André Thérive, Henri Bordeaux. Oubliés, Maurois,
Romains, Bernanos (ils font aujourd'hui ce qu'il
faut pour se rappeler à notre souvenir). Morts,
Romain Rolland et Giraudoux. Lorsque Maritain
revint à New-York après un court voyage en France,
on lui demanda son impression sur la IVe République.
Il répondit : « La France manque d'hommes. » Il
entendait par là, cela va sans dire : « Elle manque
d'hommes de mon âge. » Mais il n'en est pas moins
vrai que cette brusque hécatombe de doyens a laissé
d'énormes vides. On essaye de les combler à la hâte.
Ainsi, en certains pays, lorsqu'un nouveau parti
s'emparait du pouvoir, il proscrivait la moitié du
Sénat et créait d'urgence une nouvelle fournée de
sénateurs, pour boucher les trous. On a donc conféré
la pairie ou le bâton de maréchal à des écrivains qui,
en temps ordinaire, les eussent attendus assez longtemps encore. Il n'y a rien là qu'il faille blâmer.
Bien au contraire : lorsque, pendant l'occupation,
le public, déconcerté par la trahison de quelques
grands auteurs, se tournait vers des hommes plus
jeunes mais sûrs, leur donnait sa confiance et du
même coup, pour balancer le poids des traîtres,
conférait aux nouveaux venus une gloire qu'ils
n'avaient point encore méritée par leurs œuvres, il
y avait dans cet élan une force et une grandeur
émouvantes. J'en sais que leur silence a grandi, non
pas moralement comme on eût pu croire, mais
littérairement. Cela est juste; le devoir du littérateur
n'est pas seulement d'écrire mais de savoir se taire
quand il faut. Mais, à présent que la guerre est finie,
il est dangereux d'opérer la pêche aux grands hommes
en s'inspirant des mêmes principes, comme les

auteurs-collaborateurs sont provisoirement contraints
au repos il n'est pas d'écrivain aujourd'hui en
exercice qui n'ait coopéré de près ou de loin aux
mouvements de résistance; à tout le moins avait-il
un cousin dans le maquis. De la sorte, dans les
milieux littéraires, écrire et avoir résisté sont devenus
synonymes. Nul auteur ne présente son nouveau
livre dans la nudité de l'enfant qui vient de naître :
les nouveaux ouvrages sont auréolés de vaillance.
Il en résulte un mode tout particulier de confraternité.
« Comment, se demande le critique, dirai-je moi,
résistant, à cet ancien résistant que je ne trouve
point bon son dernier roman sur la Résistance ? »
Il le lui dit cependant, car il est honnête; mais il
laisse entendre que le livre, encore qu'il soit manqué,
recèle une qualité plus exquise et plus rare que s'il
eût été réussi; quelque chose comme l'odeur de la
vertu. Un coup de pouce et cette confusion inévitable
entre la valeur d'une âme et le talent tourne au profit
de la politique. Et comment s'arrêterait-on en
chemin; celui qui a choisi, en toute pureté, d'aimer
tel romancier parce qu'il résistait à l'ennemi, pourquoi ne choisirait-il pas d'aimer tel autre qui est son
camarade de parti ? Parfois les jugements interfèrent:
cet écrivain, bourgeois et catholique, ne saurait
avoir de talent aux yeux du critique de gauche;
pourtant si, il en a, puisqu'il a résisté. On s'en tirera
par des dosages. Une courtoisie frémissante règne
dans le monde des lettres. C'est pourquoi je ne taxerai
pas de lâcheté ceux qui récompensent les ouvrages
en tenant compte de leur signification politique
plus que de la valeur réelle de leur contenu : nous
en sommes tous là aujourd'hui et je ne suis pas sûr
que ceux qui protestent le plus contre cet état de
choses ne s'inspirent pas, eux aussi, de motifs politiques. L'auteur ainsi choisi et poussé, parfois malgré
lui, au premier rang, représente le maquis ou les

48 SITUATIONS, II

prisonniers de guerre, le parti communiste ou démo-
crate-chrétien, tout sauf lui-même. Et comment
savoir si son prestige lui vient de ses années d'exil,
de prison, de déportation, d'action clandestine, ou,
tout bêtement, de son talent. A partir de là, bien
sûr, les partis font une effroyable consommation
de grands hommes. En 39, le P. C. porta Paul Nizan
au prix Interallié : c'était le grand favori, le chal-
lenger d'Aragon. Il quitta le Parti au moment du
pacte germano-soviétique. Il eut tort, je le veux
bien; au demeurant ce n'est pas mon affaire. Mais
quoi : d'abord il est mort en combattant, et puis
c'était un écrivain de premier ordre. Aujourd'hui,
le silence se fait sur son nom; ceux qui parlent de
nos pertes mentionnent Prévost, Decour; Nizan
point. Faut-il en conclure qu'Aragon, s'il abandonnait
le Parti à son tour (hypothèse absurde, je le sais),
après avoir été Béranger tomberait tout à coup au
rang de Déroulède ?
  Le public tout entier est complice. Nous venons
de découvrir dans l'humiliation que la France ne
jouerait plus dans le monde de demain le rôle qu'elle
jouait dans celui d'hier. A vrai dire, personne n'est
coupable : notre pays n'avait pas assez d'hommes,
notre sous-sol n'était pas assez riche. Le glissement
de la France, qu'accompagne d'ailleurs celui de
l'Europe occidentale, est le résultat d'une longue
évolution; si nous nous en étions progressivement
aperçus, nul doute que nous nous y soyons adaptés
avec courage : la partie que nous avons à jouer
demeure fort belle. Seulement la vérité s'est montrée
à nous dans le désastre. Jusqu'en 1939, notre victoire
passée — qui n'avait fait que précipiter les choses
en décimant notre population — l'éclat de notre vie
intellectuelle et artistique nous avaient masqué notre
véritable importance. Nous supportons mal une
révélation si brutale : la honte d'avoir perdu la

bataille de 40, la douleur de renoncer à exercer notre
hégémonie sur l'Europe se confondent dans nos
cœurs. Nous sommes tentés parfois de croire que
nous avons mis notre pays au tombeau de nos
propres mains; et d'autres fois, nous relevons la
tête et nous affirmons que la France éternelle ne
saurait périr. En d'autres termes, nous avons acquis
en l'espace de cinq ans un formidable complexe
d'infériorité. L'attitude des maîtres du monde n'est
pas faite pour nous en guérir. Nous frappons sur la
table : on ne nous écoute point. Nous rappelons notre
grandeur passée : on nous répond qu'elle est précisément passée. Sur un seul point nous avons surpris
l'étranger : il ne cesse d'admirer la vitalité de notre
littérature. « Et quoi ! nous dit-on. Vous avez été
battus, occupés, ruinés et vous avez tant écrit ! »
Cette admiration s'explique aisément : si les Anglais
et les Américains ont produit peu d'œuvres nouvelles,
c'est qu'ils étaient mobilisés et leurs écrivains dis-
persés aux quatre coins du monde. Nous, au contraire,
persécutés, traqués et, dans beaucoup de cas,
menacés de mort, du moins étions-nous en France,
dans nos foyers; nos écrivains pouvaient écrire,
sinon au grand jour, du moins en cachette. Et puis
les intellectuels anglo-saxons qui forment une classe
à part, coupée du reste de la nation, sont toujours
éblouis quand ils retrouvent en France des hommes
de lettres et des artistes étroitement mêlés à la vie
et aux affaires du pays. Enfin beaucoup d'entre eux
partagent le sentiment que m'a confié récemment
une dame anglaise : « Les Français, m'a-t-elle dit,
souffrent dans leur orgueil. Il faut les persuader
qu'ils ont des amis dans le monde et, pour cela,
ne leur parler en ce moment que de ce qu'on admire
chez eux : par exemple de leur littérature. » En
conséquence de cette admiration, à la fois spontanée
et complaisamment étalée, les États-Unis, l'Angle-

terre, vingt autres pays manifestent un intérêt
profond pour nos écrivains : jamais on n'a tant
invité nos romanciers et nos poètes. Pour les voir,
pour les entendre et aussi pour les nourrir. La
Suisse en a engraissé quelques-uns, l'Amérique aussi;
la Grande-Bretagne fera de son mieux. Du coup,
nous commençons à prendre au sérieux notre littérature. Ceux qui n'y voyaient autrefois qu'un
passe-temps d'oisifs ou une activité coupable s'avisent
aujourd'hui qu'elle est un instrument de propagande.
On se cramponne à son prestige, puisque l'étranger
le reconnaît. Beaucoup préféreraient qu'on nous
admirât pour la puissance de notre industrie ou le
nombre de nos canons. Mais nous avons tant besoin
d'estime qu'ils s'accommodent à la rigueur d'une
admiration littéraire. Ils ne cessent de souhaiter en
leur cœur que la France redevienne le pays de
Turenne et de Bonaparte, mais pour assurer l'inté-
rim, ils se rabattent sur Rimbaud ou Valéry. La
littérature devient à leurs yeux une activité de remplacement. Il était permis de traiter l'écrivain en
maudit quand les usines marchaient, quand les généraux avaient des soldats sous leurs ordres. Aujour-
d'hui on ramasse en hâte les jeunes auteurs et on
les enfourne dans la couveuse artificielle pour en
faire rapidement des grands hommes qu'on puisse
déléguer à Londres, à Stockholm ou à Washington.
   Jamais péril plus grave n'a menacé la littérature :
les pouvoirs officiels et officieux, le gouvernement,
les journaux, peut-être même la haute banque et
la grosse industrie viennent de découvrir sa force
et vont l'utiliser à leur profit. S'ils réussissent, l'écrivain pourra choisir : il se consacrera à la propagande
électorale ou il entrera dans une section spéciale du
Ministère de l'Information; les critiques ne se soucient
plus d'apprécier ses ouvrages mais d'en supputer
l'importance nationale et l'efficacité; dès qu'ils sau-

ront utiliser les statistiques, leur discipline fera de
rapides progrès. L'auteur devenu fonctionnaire et
accablé d'honneurs s'effacera discrètement derrière
son œuvre; tout au plus parlera-t-on par commodité
d'un roman « de Malraux » ou « de Chamson »,
comme on dit aujourd'hui la liqueur de Fowler ou
la loi d'Ohm : à titre de moyen mnémotechnique.
Il y a, aux confins des grandes villes, des usines
destinées à la récupération des ordures : les vieux
chiffons brûlent bien pourvu que la température soit
assez élevée. Poursuivant son effort, la société veut
récupérer ces matériaux jusqu'ici peu utilisables : les
écrivains. Méfions-nous; il y avait parmi eux des ordures assez superbes. Que gagnerons-nous à les laisser
se perdre en fumée ? Ce n'est pas ainsi qu'il faut
entendre l'engagement littéraire. Sans doute l'œuvre
écrite est un fait social et l'écrivain avant même que
de prendre la plume doit en être profondément convaincu. Il faut, en effet, qu'il se pénètre de sa responsabilité. Il est responsable de tout : des guerres
perdues ou gagnées, des révoltes et des répressions;
il est complice des oppresseurs s'il n'est pas l'allié
naturel des opprimés. Mais non point seulement
parce qu'il est écrivain : parce qu'il est homme. Cette
responsabilité il doit la vivre et la vouloir (et, pour
lui, ce doit être tout un que de vivre et d'écrire —
non point parce que l'art sauve la vie mais parce
que la vie s'exprime dans des entreprises et que la
sienne est d'écrire). Mais il ne faut point qu'il se
retourne sur elle pour tenter de discerner ce qu'elle
sera pour ses neveux. Il ne s'agit pas pour lui de
savoir s'il va déterminer un mouvement littéraire en
« isme », mais de s'engager *dans le présent*. Non de
prévoir un avenir éloigné d'où il se puisse juger après
coup, mais de vouloir au jour le jour l'avenir prochain. L'historien jugera peut-être que l'Armistice
de 1940 a permis de gagner la guerre. Peut-être dira-

t-il : jamais l'Allemagne n'aurait osé attaquer
l'U. R. S. S. — ce qui commence sa perte — si les
Anglais s'étaient établis dès 40 à Alger et à Bizerte.
Peut-être. Mais ces considérations ne pouvaient inter-
venir en 40; personne ne pouvait prévoir le conflit
germano-russe à si brève échéance et par suite,
compte tenu des renseignements *réels* dont nous
disposions, il *fallait continuer la guerre*. L'écrivain
ne diffère point en cela des politiques : ce qu'il sait
est peu de chose et il doit décider à partir de ce
qu'il sait. Le reste — c'est-à-dire la fortune de son
œuvre à travers les siècles — c'est la part du diable.
Et l'on ne doit pas jouer avec le diable. Reconnaissons qu'il y a un visage de nos livres qui nous
échappera pour toujours. Un amour, une carrière,
une révolution : autant d'entreprises que l'on commence en ignorant leur issue. Pourquoi l'écrivain
échapperait-il au sort commun ? Ainsi doit-il accepter
de risquer, de se perdre. On lui clame partout qu'on
l'attendait. Qu'il sache bien que ce n'est pas vrai.
On attendait un ambassadeur de la pensée française,
mais non pas un homme qui cherche, dans l'inquiétude, à exprimer par des mots une pensée neuve.
Sa notoriété d'aujourd'hui est basée sur un malentendu. On attend toujours le grand homme, parce
qu'il est flatteur pour une nation de l'avoir produit.
Mais jamais la grande pensée, parce qu'elle offense.
Qu'il accepte donc la devise de l'industrie : créer des
besoins pour les satisfaire. Qu'il crée le besoin de la
justice, de la liberté, de la solidarité et qu'il s'efforce
de satisfaire ces besoins par ses œuvres ultérieures.
Souhaitons qu'il puisse secouer cette meute
d'hommages qui l'a coiffé et qu'il retrouve en lui-
même la force de faire scandale; qu'il fraye des
routes au lieu de s'engager sur les autostrades nationaux, même si on lui fournit une voiture de course.
Je n'ai jamais cru qu'on faisait de la bonne litté-

rature avec de mauvais sentiments. Mais je pense
que les bons sentiments ne sont jamais donnés
d'avance : il faut que chacun les invente à son tour.
Peut-être la critique pourrait-elle contribuer à sauver
les lettres si elle se souciait de comprendre les
œuvres plutôt que de les consacrer. En tout cas, nous
avons ici le ferme propos d'aider à la déflation littéraire. Il est probable que nous ne nous ferons pas
beaucoup d'amis. Mais la littérature s'endort; une
bonne passion, fût-ce la colère, aura chance, peut-être,
de la réveiller.

QU'EST-CE QUE
LA LITTÉRATURE ?

à DOLORÈS

« Si vous voulez vous engager, écrit un jeune imbécile, qu'attendez-vous pour vous inscrire au P. C. ? »
Un grand écrivain qui s'engagea souvent et se dégagea
plus souvent encore, mais qui l'a oublié, me dit : « Les
plus mauvais artistes sont les plus engagés : voyez
les peintres soviétiques. » Un vieux critique se plaint
doucement : « Vous voulez assassiner la littérature ;
le mépris des Belles-Lettres s'étale insolemment dans
votre revue. » Un petit esprit m'appelle forte tête, ce
qui est évidemment pour lui la pire injure ; un auteur
qui eut peine à se traîner d'une guerre à l'autre et dont
le nom réveille parfois des souvenirs languissants chez
les vieillards, me reproche de n'avoir pas souci de
l'immortalité : il connaît, Dieu merci, nombre d'honnêtes gens dont elle est le principal espoir. Aux yeux
d'un folliculaire américain, mon tort est de n'avoir
jamais lu Bergson ni Freud ; quant à Flaubert, qui
ne s'engagea pas, il paraît qu'il me hante comme un
remords. Des malins clignent de l'œil : « Et la poésie ?
Et la peinture ? Et la musique ? Est-ce que vous voulez
aussi les engager ? » Et des esprits martiaux demandent :
« De quoi s'agit-il ? De la littérature engagée ? Eh bien,

c'est l'ancien réalisme socialiste, à moins que ce ne soit un renouveau du populisme, en plus agressif. »

Que de sottises ! C'est qu'on lit vite, mal et qu'on juge avant d'avoir compris. Donc, recommençons. Cela n'amuse personne, ni vous, ni moi. Mais il faut enfoncer le clou. Et puisque les critiques me condamnent au nom de la littérature, sans jamais dire ce qu'ils entendent par là, la meilleure réponse à leur faire, c'est d'examiner l'art d'écrire, sans préjugés. Qu'est-ce qu'écrire ? Pourquoi écrit-on ? Pour qui ? Au fait, il semble que personne ne se le soit jamais demandé.

I

QU'EST-CE QU'ÉCRIRE ?

Non, nous ne voulons pas « engager aussi » peinture, sculpture et musique, ou, du moins, pas de la même manière. Et pourquoi le voudrions-nous ? Quand un écrivain des siècles passés exprimait une opinion sur son métier, est-ce qu'on lui demandait aussitôt d'en faire l'application aux autres arts ? Mais il est élégant aujourd'hui de « parler peinture » dans l'argot du musicien ou du littérateur, et de « parler littérature » dans l'argot du peintre, comme s'il n'y avait, au fond, qu'un seul art qui s'exprimât indifféremment dans l'un ou l'autre de ces langages, à la manière de la substance spinoziste que chacun de ses attributs reflète adéquatement. Sans doute peut-on trouver, à l'origine de toute vocation artistique, un certain choix indifférencié que les circonstances, l'éducation et le contact avec le monde particulariseront seulement plus tard. Sans doute aussi les arts d'une même époque s'influencent mutuellement et sont conditionnés par les mêmes facteurs sociaux. Mais ceux qui veulent faire voir l'absurdité d'une théorie littéraire en montrant qu'elle est inapplicable à la musique doivent prouver d'abord que les arts sont parallèles. Or ce parallélisme n'existe pas. Ici, comme partout, ce n'est pas seulement la forme qui différencie, mais aussi la matière; et c'est une chose que de travailler sur des couleurs et des sons, c'en est une autre de s'exprimer par des mots. Les notes, les couleurs, les formes ne sont pas des signes, elles ne renvoient à rien qui leur soit extérieur. Bien entendu, il est tout à fait impossible de les réduire strictement à elles-mêmes et l'idée d'un son pur, par exemple, est une abstraction : il n'y a, Merleau-Ponty l'a bien montré dans la *Phénoménologie de la perception*, de qualité ou de sensation si dépouillées qu'elles ne soient pénétrées de signification. Mais le petit sens obscur qui les habite, gaîté légère, timide tristesse, leur demeure immanent ou tremble autour d'elles comme une brume de chaleur; il *est* couleur ou son. Qui pourrait distinguer le vert-pomme de sa gaîté acide ? Et n'est-ce pas déjà trop dire que de nommer « la gaîté acide du vert-pomme » ? Il y a le vert, il y a le rouge, c'est tout; ce sont des choses, elles existent par elles-mêmes. Il est vrai qu'on peut leur conférer par convention la valeur de signes. Ainsi parle-t-on du langage des fleurs. Mais si, après accord, les roses blanches signifient pour moi « fidélité », c'est que j'ai cessé de les voir comme roses : mon regard les traverse pour viser au delà d'elles cette vertu abstraite; je les oublie, je ne prends pas garde à leur foisonnement mousseux, à leur doux parfum croupi; je ne les ai pas même perçues. Cela veut dire que je ne me suis pas comporté en artiste. Pour l'artiste, la couleur, le bouquet, le tintement de la cuiller sur la soucoupe sont *choses* au suprême degré; il s'arrête à la qualité du son ou de la forme, il y revient sans cesse et s'en enchante; c'est cette couleur-objet qu'il va transporter sur sa toile et la seule modification qu'il lui fera subir c'est qu'il la transformera en

objet *imaginaire*. Il est donc le plus éloigné de considérer les couleurs et les sons comme un *langage*[1].
Ce qui vaut pour les éléments de la création artistique vaut aussi pour leurs combinaisons : le peintre
ne veut pas tracer des signes sur sa toile, il veut
créer[2] une chose; et s'il met ensemble du rouge, du
jaune et du vert, il n'y a aucune raison pour que leur
assemblage possède une signification définissable,
c'est-à-dire renvoie nommément à un autre objet.
Sans doute cet assemblage est-il habité, lui aussi,
par une âme, et puisqu'il a fallu des motifs, même
cachés, pour que le peintre choisisse le jaune plutôt
que le violet, on peut soutenir que les objets ainsi
créés reflètent ses tendances les plus profondes.
Seulement ils n'expriment jamais sa colère, son
angoisse ou sa joie comme le font des paroles ou
un air de visage : ils en sont imprégnés; et pour s'être
coulées dans ces teintes qui, par elles-mêmes, avaient
déjà quelque chose comme un sens, ses émotions
se brouillent et s'obscurcissent; nul ne peut tout à
fait les y reconnaître. Cette déchirure jaune du
ciel au-dessus du Golgotha, le Tintoret ne l'a pas
choisie pour *signifier* l'angoisse, ni non plus pour *la
provoquer;* elle *est* angoisse, et ciel jaune en même
temps. Non pas ciel d'angoisse, ni ciel angoissé;
c'est une angoisse faite chose, une angoisse qui a
tourné en déchirure jaune du ciel et qui, du coup,
est submergée, empâtée par les qualités propres des
choses, par leur imperméabilité, par leur extension,
leur permanence aveugle, leur extériorité et cette
infinité de relations qu'elles entretiennent avec les
autres choses; c'est-à-dire qu'elle n'est plus du tout
lisible, c'est comme un effort immense et vain,
toujours arrêté à mi-chemin du ciel et de la terre,
pour exprimer ce que leur nature leur défend d'exprimer. Et pareillement la signification d'une mélodie
— si on peut encore parler de signification — n'est

rien en dehors de la mélodie même, à la différence
des idées qu'on peut rendre adéquatement de plusieurs manières. Dites qu'elle est joyeuse ou qu'elle
est sombre, elle sera toujours au delà ou en deçà
de tout ce que vous pouvez dire sur elle. Non parce
que l'artiste a des passions plus riches ou plus variées,
mais parce que ses passions, qui sont peut-être à
l'origine du thème inventé, en s'incorporant aux
notes, ont subi une transsubstantiation et une dégradation. Un cri de douleur est signe de la douleur
qui le provoque. Mais un chant de douleur est à
la fois la douleur elle-même et autre chose que la
douleur. Ou, si l'on veut adopter le vocabulaire
existentialiste, c'est une douleur qui *n'existe* plus,
qui *est*. Mais le peintre, direz-vous, s'il fait des maisons ? Eh bien, précisément, il en *fait*, c'est-à-dire
qu'il crée une maison imaginaire sur la toile et non
un signe de maison. Et la maison ainsi apparue
conserve toute l'ambiguïté des maisons réelles.
L'écrivain peut vous guider et s'il vous décrit un
taudis, y faire voir le symbole des injustices sociales,
provoquer votre indignation. Le peintre est muet :
il vous présente *un* taudis, c'est tout; libre à vous
d'y voir ce que vous voulez. Cette mansarde ne sera
jamais le symbole de la misère; il faudrait pour cela
qu'elle fût signe, alors qu'elle est chose. Le mauvais
peintre cherche le type, il peint l'Arabe, l'Enfant,
la Femme; le bon sait que ni l'Arabe, ni le Prolétaire n'existent dans la réalité, ni sur sa toile; il
propose un ouvrier — un certain ouvrier. Et que
penser d'*un* ouvrier ? Une infinité de choses contradictoires. Toutes les pensées, tous les sentiments
sont là, agglutinés sur la toile dans une indifféren-
ciation profonde; c'est à vous de choisir. Des artistes
à belles âmes ont parfois entrepris de nous émouvoir;
ils ont peint de longues files d'ouvriers attendant
l'embauche dans la neige, les visages émaciés des

chômeurs, les champs de bataille. Ils ne touchent
pas plus que Greuze avec son *Fils prodigue*. Et
Le Massacre de Guernica, ce chef-d'œuvre, croit-on
qu'il ait gagné un seul cœur à la cause espagnole ?
Et pourtant quelque chose est dit qu'on ne peut
jamais tout à fait entendre et qu'il faudrait une
infinité de mots pour exprimer. Les longs Arlequins
de Picasso, ambigus et éternels, hantés par un sens
indéchiffrable, inséparable de leur maigreur voûtée
et des losanges délavés de leurs maillots, ils sont une
émotion qui s'est faite chair et que la chair a bue
comme le buvard boit l'encre, une émotion méconn-
naissable, perdue, étrangère à elle-même, écartelée
aux quatre coins de l'espace et pourtant présente.
Je ne doute pas que la charité ou la colère puissent
produire d'autres objets, mais elles s'y enliseront
pareillement, elles y perdront leur nom, il demeurera
seulement des choses hantées par une âme obscure.
On ne peint pas les significations, on ne les met pas
en musique; qui oserait, dans ces conditions, réclamer
du peintre ou du musicien qu'ils s'engagent ?

L'écrivain, au contraire, c'est aux significations
qu'il a affaire. Encore faut-il distinguer : l'empire
des signes, c'est la prose; la poésie est du côté de
la peinture, de la sculpture, de la musique. On me
reproche de la détester : la preuve en est, dit-on,
que les *Temps Modernes* publient fort peu de poèmes.
C'est la preuve que nous l'aimons, au contraire.
Pour s'en convaincre, il suffit de jeter les yeux sur
la production contemporaine. « Au moins, disent les
critiques triomphalement, vous ne pouvez même
rêver de l'engager. » En effet. Mais pourquoi le
voudrais-je ? Parce qu'elle se sert des mots comme
la prose ? Mais elle ne s'en sert pas de la même
manière; et même elle ne s'en *sert* pas du tout;
je dirais plutôt qu'elle les sert. Les poètes sont des
hommes qui refusent d'*utiliser* le langage. Or, comme

c'est dans et par le langage conçu comme une certaine espèce d'instrument que s'opère la recherche de la vérité, il ne faut pas s'imaginer qu'ils visent à discerner le vrai ni à l'exposer. Ils ne songent pas non plus à *nommer* le monde et, par le fait, ils ne nomment rien du tout, car la nomination implique un perpétuel sacrifice du nom à l'objet nommé ou pour parler comme Hegel, le nom s'y révèle l'inessentiel, en face de la chose qui est essentielle. Ils ne parlent pas; ils ne se taisent pas non plus : c'est autre chose. On a dit qu'ils voulaient détruire le verbe par des accouplements monstrueux, mais c'est faux; car il faudrait alors qu'ils fussent déjà jetés au milieu du langage utilitaire et qu'ils cherchassent à en retirer les mots par petits groupes singuliers, comme par exemple « cheval » et « beurre » en écrivant « cheval de beurre [3] ». Outre qu'une telle entreprise réclamerait un temps infini, il n'est pas concevable qu'on puisse se tenir sur le plan à la fois du projet utilitaire, considérer les mots comme des ustensiles et méditer de leur ôter leur ustensilité. En fait, le poète s'est retiré d'un seul coup du langage-instrument; il a choisi une fois pour toutes l'attitude poétique qui considère les mots comme des choses et non comme des signes. Car l'ambiguïté du signe implique qu'on puisse à son gré le traverser comme une vitre et poursuivre à travers lui la chose signifiée ou tourner son regard vers sa *réalité* et le considérer comme objet. L'homme qui parle est au delà des mots, près de l'objet; le poète est en deçà. Pour le premier, ils sont domestiques; pour le second, ils restent à l'état sauvage. Pour celui-là, ce sont des conventions utiles, des outils qui s'usent peu à peu et qu'on jette quand ils ne peuvent plus servir; pour le second, ce sont des choses naturelles qui croissent naturellement sur la terre comme l'herbe et les arbres.

Mais s'il s'arrête aux mots, comme le peintre fait aux couleurs et le musicien aux sons, cela ne veut pas dire qu'ils aient perdu toute signification à ses yeux; c'est en effet la signification seule qui peut donner aux mots leur unité verbale; sans elle ils s'éparpilleraient en sons ou en traits de plume. Seulement elle devient naturelle, elle aussi; ce n'est plus le but toujours hors d'atteinte et toujours visé par la transcendance humaine; c'est une propriété de chaque terme, analogue à l'expression d'un visage, au petit sens triste ou gai des sons et des couleurs. Coulée dans le mot, absorbée par sa sonorité ou par son aspect visuel, épaissie, dégradée, elle est chose, elle aussi, incréée, éternelle; pour le poète, le langage est une structure du monde extérieur, Le parleur est *en situation* dans le langage, investi par les mots; ce sont les prolongements de ses sens. ses pinces, ses antennes, ses lunettes; il les manœuvre du dedans, il les sent comme son corps, il est entouré d'un corps verbal dont il prend à peine conscience et qui étend son action sur le monde. Le poète est hors du langage, il voit les mots à l'envers, comme s'il n'appartenait pas à la condition humaine et que, venant vers les hommes, il rencontrât d'abord la parole comme une barrière. Au lieu de connaître d'abord les choses par leur nom, il semble qu'il ait d'abord un contact silencieux avec elles puis que, se retournant vers cette autre espèce de choses que sont pour lui les mots, les touchant, les tâtant, les palpant, il découvre en eux une petite luminosité propre et des affinités particulières avec la terre, le ciel et l'eau et toutes les choses créées. Faute de savoir s'en servir comme *signe* d'un aspect du monde, il voit dans le mot l'*image* d'un de ces aspects. Et l'image verbale qu'il choisit pour sa ressemblance avec le saule ou le frêne n'est pas nécessairement le mot que nous utilisons pour désigner ces objets.

3

Comme il est déjà dehors, au lieu que les mots lui soient des indicateurs qui le jettent hors de lui, au milieu des choses, il les considère comme un piège pour attraper une réalité fuyante; bref, le langage tout entier est pour lui le Miroir du monde. Du coup, d'importants changements s'opèrent dans l'économie interne du mot. Sa sonorité, sa longueur, ses désinences masculines ou féminines, son aspect visuel lui composent un visage de chair qui *représente* la signification plutôt qu'il ne l'exprime. Inversement, comme la signification est *réalisée*, l'aspect physique du mot se reflète en elle et elle fonctionne à son tour comme image du corps verbal. Comme son signe aussi, car elle a perdu sa prééminence et, puisque les mots sont incréés, comme les choses, le poète ne décide pas si ceux-là existent pour celles-ci ou celles-ci pour ceux-là. Ainsi s'établit entre le mot et la chose signifiée un double rapport réciproque de ressemblance magique et de signification. Et comme le poète n'*utilise* pas le mot, il ne choisit pas entre des acceptions diverses et chacune d'elles, au lieu de lui paraître une fonction autonome, se donne à lui comme une qualité matérielle qui se fond sous ses yeux avec les autres acceptions. Ainsi réalise-t-il en chaque mot, par le seul effet de l'*attitude* poétique, les métaphores dont rêvait Picasso lorsqu'il souhaitait faire une boîte d'allumettes qui fût tout entière chauve-souris sans cesser d'être boîte d'allumettes. Florence est ville et fleur et femme, elle est ville-fleur et ville-femme et fille-fleur tout à la fois. Et l'étrange objet qui paraît ainsi possède la liquidité du *fleuve*, la douce ardeur fauve de l'*or* et, pour finir, s'abandonne avec *décence* et prolonge indéfiniment par l'affaiblissement continu de l'*e* muet son épanouissement plein de réserves. A cela s'ajoute l'effort insidieux de la biographie. Pour moi, Florence est aussi une certaine femme, une actrice américaine

qui jouait dans les films muets de mon enfance et
dont j'ai tout oublié, sauf qu'elle était longue comme
un long gant de bal et toujours un peu lasse et toujours chaste, et toujours mariée et incomprise, et
que je l'aimais, et qu'elle s'appelait Florence. Car
le mot, qui arrache le prosateur à lui-même et le
jette au milieu du monde, renvoie au poète, comme
un miroir, sa propre image. C'est ce qui justifie la
double entreprise de Leiris qui, d'une part, dans
son *Glossaire*, cherche à donner de certains mots une
définition poétique, c'est-à-dire qui soit par elle-même
une synthèse d'implications réciproques entre le
corps sonore et l'âme verbale, et, d'autre part, dans
un ouvrage encore inédit, se lance à la recherche du
temps perdu en prenant pour guides quelques mots
particulièrement chargés, pour lui, d'affectivité.
Ainsi le mot poétique est un microcosme. La crise
du langage qui éclata au début de ce siècle est une
crise poétique. Quels qu'en aient été les facteurs
sociaux et historiques, elle se manifesta par des
accès de dépersonnalisation de l'écrivain en face
des mots. Il ne savait plus s'en servir et, selon la
formule célèbre de Bergson, il ne les reconnaissait
qu'à demi; il les abordait avec un sentiment d'étrangeté tout à fait fructueux; ils n'étaient plus à lui,
ils n'étaient plus lui; mais dans ces miroirs étrangers
se reflétaient le ciel, la terre et sa propre vie; et
pour finir ils devenaient les choses elles-mêmes ou
plutôt le cœur noir des choses. Et quand le poète
joint ensemble plusieurs de ces microcosmes, il en
est de lui comme des peintres quand ils assemblent
leurs couleurs sur la toile; on croirait qu'il compose
une phrase, mais c'est une apparence : il crée un
objet. Les mots-choses se groupent par associations
magiques de convenance et de disconvenance, comme
les couleurs et les sons, ils s'attirent, ils se repoussent,
ils se *brûlent* et leur association compose la véritable

unité poétique qui est la *phrase-objet*. Plus souvent
encore, le poète a d'abord dans l'esprit le schème
de la phrase et les mots suivent. Mais ce schème n'a
rien de commun avec ce qu'on nomme à l'ordinaire
un schème verbal : il ne préside pas à la construction
d'une signification ; il se rapprocherait plutôt du projet créateur par quoi Picasso préfigure dans l'espace,
avant même de toucher à son pinceau, cette *chose*
qui deviendra un saltimbanque ou un Arlequin.

> *Fuir, là-bas fuir, je sens que des oiseaux sont ivres,*
> *Mais ô mon cœur entends le chant des matelots.*

Ce « mais », qui se dresse comme un monolithe
à l'orée de la phrase, ne relie pas le dernier vers au
précédent. Il le colore d'une certaine nuance réservée,
d'un « quant à soi » qui le pénètre tout entier. De
la même façon, certains poèmes commencent par
« et ». Cette conjonction n'est plus pour l'esprit la
marque d'une opération à effectuer : elle s'étend
tout à travers le paragraphe pour lui donner la qualité absolue d'une *suite*. Pour le poète, la phrase a
une tonalité, un goût ; il goûte à travers elle et pour
elles-mêmes les saveurs irritantes de l'objection, de
la réserve, de la disjonction ; il les porte à l'absolu,
il en fait des propriétés réelles de la phrase ; celle-ci
devient tout entière objection sans être objection
à rien de précis. Nous retrouvons ici ces relations
d'implication réciproque que nous signalions tout à
l'heure entre le mot poétique et son sens : l'ensemble
des mots choisis fonctionne comme *image* de la nuance
interrogative ou restrictive et, inversement, l'interrogation est image de l'ensemble verbal qu'elle délimite.
Comme dans ces vers admirables :

> *O saisons ! O châteaux !*
> *Quelle âme est sans défaut ?*

Personne n'est interrogé; personne n'interroge : le poète est absent. Et l'interrogation ne comporte pas de réponse ou plutôt elle est sa propre réponse. Est-ce donc une fausse interrogation ? Mais il serait absurde de croire que Rimbaud a « voulu dire » : tout le monde a ses défauts. Comme disait Breton de Saint-Pol Roux :« S'il avait voulu le dire, il l'aurait dit. » Et il n'a pas non plus *voulu dire* autre chose. Il a fait une interrogation absolue; il a conféré au beau mot d'âme une existence interrogative. Voilà l'interrogation devenue chose, comme l'angoisse du Tintoret était devenue ciel jaune. Ce n'est plus une signification, c'est une substance; elle est vue du dehors et Rimbaud nous invite à la voir du dehors avec lui, son étrangeté vient de ce que nous nous plaçons, pour la considérer, de l'autre côté de la condition humaine; du côté de Dieu.

S'il en est ainsi, on comprendra facilement la sottise qu'il y aurait à réclamer un engagement poétique. Sans doute l'émotion, la passion même — et pourquoi pas la colère, l'indignation sociale, la haine politique — sont à l'origine du poème. Mais elles ne s'y *expriment* pas, comme dans un pamphlet ou dans une confession. A mesure que le prosateur expose des sentiments, il les éclaircit; pour le poète, au contraire, s'il coule ses passions dans son poème, il cesse de les reconnaître : les mots les prennent, s'en pénètrent et les métamorphosent : ils ne les signifient pas, même à ses yeux. L'émotion est devenue chose, elle a maintenant l'opacité des choses; elle est brouillée par les propriétés ambiguës des vocables où on l'a enfermée. Et surtout il y a toujours beaucoup plus, dans chaque phrase, dans chaque vers, comme il y a dans ce ciel jaune au-dessus du Golgotha plus qu'une simple angoisse. Le mot, la phrase-chose, inépuisables comme des choses, débordent de partout le sentiment qui les a suscités.

Comment espérer qu'on provoquera l'indignation ou
l'enthousiasme politique du lecteur quand précisément on le retire de la condition humaine et qu'on
l'invite à considérer, avec les yeux de Dieu, le langage
à l'envers ? « Vous oubliez, me dira-t-on, les poètes
de la Résistance. Vous oubliez Pierre Emmanuel. »
Hé ! non : j'allais justement vous les citer à l'appui[4].

Mais qu'il soit défendu au poète de s'engager,
est-ce une raison pour en dispenser le prosateur ?
Qu'y a-t-il de commun entre eux ? Le prosateur
écrit, c'est vrai, et le poète écrit aussi. Mais entre
ces deux actes d'écrire il n'y a de commun que le
mouvement de la main qui trace les lettres. Pour
le reste leurs univers demeurent incommunicables
et ce qui vaut pour l'un ne vaut pas pour l'autre.
La prose est utilitaire par essence; je définirais
volontiers le prosateur comme un homme qui *se
sert* des mots. M. Jourdain faisait de la prose pour
demander ses pantoufles et Hitler pour déclarer la
guerre à la Pologne. L'écrivain est un *parleur :* il
désigne, démontre, ordonne, refuse, interpelle, sup-
plie, insulte, persuade, insinue. S'il le fait à vide, il
ne devient pas poète pour autant : c'est un prosateur
qui parle pour ne rien dire. Nous avons assez vu le
langage à l'envers, il convient maintenant de le
regarder à l'endroit[5].

L'art de la prose s'exerce sur le discours, sa matière
est naturellement signifiante : c'est-à-dire que les
mots ne sont pas d'abord des objets, mais des dési-
gnations d'objets. Il ne s'agit pas d'abord de savoir
s'ils plaisent ou déplaisent en eux-mêmes, mais s'ils
indiquent correctement une certaine chose du monde
ou une certaine notion. Ainsi arrive-t-il souvent que
nous nous trouvions en possession d'une certaine
idée qu'on nous a apprise par des paroles, sans
pouvoir nous rappeler un seul des mots qui nous l'ont
transmise. La prose est d'abord une attitude d'esprit :

il y a prose quand, pour parler comme Valéry, le mot passe à travers notre regard comme le verre au travers du soleil. Lorsqu'on est en danger ou en difficulté, on empoigne n'importe quel outil. Ce danger passé on ne se rappelle même plus si c'était un marteau ou une bûche. Et d'ailleurs on ne l'a jamais su : il fallait tout juste un prolongement de notre corps, un moyen d'étendre la main jusqu'à la plus haute branche; c'était un sixième doigt, une troisième jambe, bref une pure fonction que nous nous sommes assimilée. Ainsi du langage : il est notre carapace et nos antennes, il nous protège contre les autres et nous renseigne sur eux, c'est un prolongement de nos sens. Nous sommes dans le langage comme dans notre corps; nous le *sentons* spontanément en le dépassant vers d'autres fins, comme nous sentons nos mains et nos pieds; nous le percevons, quand c'est l'autre qui l'emploie, comme nous percevons les membres des autres. Il y a le mot vécu, et le mot rencontré. Mais dans les deux cas, c'est au cours d'une entreprise, soit de moi sur les autres, soit de l'autre sur moi. La parole est un certain moment particulier de l'action et ne se comprend pas en dehors d'elle. Certains aphasiques ont perdu la possibilité d'agir, de comprendre les situations, d'avoir des rapports normaux avec l'autre sexe. Au sein de cette apraxie, la destruction du langage paraît seulement l'effondrement d'une des structures : la plus fine et la plus apparente. Et si la prose n'est jamais que l'instrument privilégié d'une certaine entreprise, si c'est l'affaire du seul poète que de contempler les mots de façon désintéressée, dès lors on est en droit de demander d'abord au prosateur : à quelle fin écris-tu ? dans quelle entreprise es-tu lancé et pourquoi nécessite-t-elle de recourir à l'écriture ? Et cette entreprise, en aucun cas, ne saurait avoir pour fin la pure contemplation.

Car l'intuition est silence et la fin du langage est
de communiquer. Sans doute peut-il *fixer* les résultats de l'intuition, mais en ce cas quelques mots
jetés à la hâte sur le papier suffiront : l'auteur s'y
reconnaîtra toujours assez. Si les mots sont assemblés
en phrases avec un souci de clarté, il faut qu'une
décision étrangère à l'intuition, au langage même
soit intervenue : la décision de livrer à d'autres les
résultats obtenus. C'est de cette décision qu'on
doit, en chaque cas, demander raison. Et le bon
sens, que nos doctes oublient trop volontiers, ne
cesse de le répéter. N'a-t-on pas coutume de poser
à tous les jeunes gens qui se proposent d'écrire cette
question de principe : « Avez-vous quelque chose
a dire ? » Par quoi il faut entendre : quelque chose
qui vaille la peine d'être communiqué. Mais comment comprendre ce qui en « vaut la peine » si ce
n'est par recours à un système de valeurs transcendant ?

D'ailleurs, à considérer seulement cette structure
secondaire de l'entreprise qu'est le *moment verbal*,
la grave erreur des purs stylistes c'est de croire que
la parole est un zéphyr qui court légèrement à la
surface des choses, qui les effleure sans les altérer.
Et que le parleur est un pur *témoin* qui résume par
un mot sa contemplation inoffensive. Parler c'est
agir : toute chose qu'on nomme n'est déjà plus tout
à fait la même, elle a perdu son innocence. Si vous
nommez la conduite d'un individu vous la lui révé-
lez : il se voit. Et comme vous la nommez, en même
temps, à tous les autres, il se sait *vu* dans le moment
qu'il se *voit ;* son geste furtif, qu'il oubliait en le
faisant, se met à exister énormément, à exister pour
tous, il s'intègre à l'esprit objectif, il prend des dimensions nouvelles, il est récupéré. Après cela
comment voulez-vous qu'il agisse de la même manière ? Ou bien il persévérera dans sa conduite par

obstination et en connaissance de cause, ou bien il
l'abandonnera. Ainsi, en parlant, je dévoile la situation par mon projet même de la changer ; je la dévoile
à moi-même et aux autres *pour* la changer ; je l'atteins
en plein cœur, je la transperce et je la fixe sous les
regards ; à présent j'en dispose, à chaque mot que je
dis, je m'engage un peu plus dans le monde, et du
même coup, j'en émerge un peu davantage puisque
je le dépasse vers l'avenir. Ainsi le prosateur est
un homme qui a choisi un certain mode d'action
secondaire qu'on pourrait nommer l'action par dévoilement. Il est donc légitime de lui poser cette
question seconde : quel aspect du monde veux-tu
dévoiler, quel changement veux-tu apporter au
monde par ce dévoilement ? L'écrivain « engagé »
sait que la parole est action : il sait que dévoiler
c'est changer et qu'on ne peut dévoiler qu'en projetant de changer. Il a abandonné le rêve impossible
de faire une peinture impartiale de la Société et de
la condition humaine. L'homme est l'être vis-à-vis
de qui aucun être ne peut garder l'impartialité,
même Dieu. Car Dieu, s'il existait, serait, comme
l'ont bien vu certains mystiques, en *situation* par
rapport à l'homme. Et c'est aussi l'être qui ne peut
même voir une situation sans la changer, car son
regard fige, détruit, ou sculpte ou, comme fait
l'éternité, change l'objet en lui-même. C'est à l'amour,
à la haine, à la colère, à la crainte, à la joie, à l'indignation, à l'admiration, à l'espoir, au désespoir que
l'homme et le monde se révèlent *dans leur vérité*.
Sans doute l'écrivain engagé peut être médiocre, il
peut même avoir conscience de l'être, mais comme
on ne saurait écrire sans le projet de réussir parfaitement, la modestie avec laquelle il envisage son
œuvre ne doit pas le détourner de la construire
comme si elle devait avoir le plus grand retentissement. Il ne doit jamais se dire : « Bah, c'est à peine

si j'aurai trois mille lecteurs »; mais « qu'arrive-
rait-il si tout le monde lisait ce que j'écris? » Il se
rappelle la phrase de Mosca devant la berline qui
emportait Fabrice et Sanseverina : « Si le mot
d'Amour vient à surgir entre eux, je suis perdu. »
Il sait qu'il est l'homme qui nomme ce qui n'a pas
encore été nommé ou ce qui n'ose dire son nom,
il sait qu'il fait « surgir » le mot d'amour et le mot
de haine et avec eux l'amour et la haine entre des
hommes qui n'avaient pas encore décidé de leurs
sentiments. Il sait que les mots, comme dit Brice-
Parain, sont des « pistolets chargés ». S'il parle, il
tire. Il peut se taire, mais puisqu'il a choisi de tirer,
il faut que ce soit comme un homme, en visant des
cibles et non comme un enfant, au hasard, en fer-
mant les yeux et pour le seul plaisir d'entendre les
détonations. Nous tenterons plus loin de déterminer
ce que peut être le but de la littérature. Mais dès
à présent nous pouvons conclure que l'écrivain a
choisi de dévoiler le monde et singulièrement l'homme
aux autres hommes pour que ceux-ci prennent en
face de l'objet ainsi mis à nu leur entière responsabilité. Nul n'est censé ignorer la loi parce qu'il y
a un code et que la loi est chose écrite : après cela,
libre à vous de l'enfreindre, mais vous savez les risques
que vous courez. Pareillement la fonction de l'écrivain est de faire en sorte que nul ne puisse ignorer
le monde et que nul ne s'en puisse dire innocent.
Et comme il s'est une fois engagé dans l'univers
du langage, il ne peut plus jamais feindre qu'il ne
sache pas parler : si vous entrez dans l'univers des
significations, il n'y a plus rien à faire pour en sortir;
qu'on laisse les mots s'organiser en liberté, ils feront
des phrases et chaque phrase contient le langage
tout entier et renvoie à tout l'univers; le silence
même se définit par rapport aux mots, comme la
pause, en musique, reçoit son sens des groupes

de notes qui l'entourent. Ce silence est un moment du langage; se taire ce n'est pas être muet, c'est refuser de parler, donc parler encore. Si donc un écrivain a choisi de se taire sur un aspect quelconque du monde, ou selon une locution qui dit bien ce qu'elle veut dire : de le *passer sous silence*, on est en droit de lui poser une troisième question : pourquoi as-tu parlé de ceci plutôt que de cela et — puisque tu parles pour changer — pourquoi veux-tu changer ceci plutôt que cela ?

Tout cela n'empêche point qu'il y ait la manière d'écrire. On n'est pas écrivain pour avoir choisi de dire certaines choses mais pour avoir choisi de les dire d'une certaine façon. Et le style, bien sûr, fait la valeur de la prose. Mais il doit passer inaperçu. Puisque les mots sont transparents et que le regard les traverse, il serait absurde de glisser parmi eux des vitres dépolies. La beauté n'est ici qu'une force douce et insensible. Sur un tableau elle éclate d'abord, dans un livre elle se cache, elle agit par persuasion comme le charme d'une voix ou d'un visage, elle ne contraint pas, elle incline sans qu'on s'en doute et l'on croit céder aux arguments quand on est sollicité par un charme qu'on ne voit pas. L'étiquette de la messe n'est pas la foi, elle y dispose; l'harmonie des mots, leur beauté, l'équilibre des phrases *disposent* les passions du lecteur sans qu'il y prenne garde, les ordonnent comme la messe, comme la musique, comme une danse; s'il vient à les considérer par eux-mêmes, il perd le sens, il ne reste que des balancements ennuyeux. Dans la prose, le plaisir esthétique n'est pur que s'il vient par-dessus le marché. On rougit de rappeler des idées si simples, mais il semble aujourd'hui qu'on les ait oubliées. Viendrait-on sans cela nous dire que nous méditons l'assassinat de la littérature ou, plus simplement, que l'engagement nuit à l'art

d'écrire ? Si la contamination d'une certaine prose
par la poésie n'avait brouillé les idées de nos critiques,
songeraient-ils à nous attaquer sur la forme quand
nous n'avons jamais parlé que du fond ? Sur la
forme il n'y a rien à dire par avance et nous n'avons
rien dit : chacun invente la sienne et on juge après
coup. Il est vrai que les sujets proposent le style :
mais ils ne le commandent pas; il n'y en a pas qui
se rangent *a priori* en dehors de l'art littéraire.
Quoi de plus engagé, de plus ennuyeux que le propos
d'attaquer la Société de Jésus ? Pascal en a fait
les *Provinciales*. En un mot, il s'agit de savoir de
quoi l'on veut écrire : des papillons ou de la condition des Juifs. Et quand on le sait, il reste à décider
comment on en écrira. Souvent les deux choix ne
font qu'un, mais jamais, chez les bons auteurs, le
second ne précède le premier. Je sais que Giraudoux disait : « La seule affaire c'est de trouver son
style, l'idée vient après. » Mais il avait tort : l'idée
n'est pas venue. Que si l'on considère les sujets
comme des problèmes toujours ouverts, comme des
sollicitations, des attentes, on comprendra que l'art
ne perd rien à l'engagement; au contraire; de même
que la physique soumet aux mathématiciens des
problèmes nouveaux qui les obligent à produire un
symbolisme neuf, de même les exigences toujours
neuves du social ou de la métaphysique engagent
l'artiste à trouver une langue neuve et des techniques nouvelles. Si nous n'écrivons plus comme au
xviie siècle, c'est bien que la langue de Racine et de
Saint-Evremond ne se prête pas à parler des locomotives ou du prolétariat. Après cela, les puristes nous
interdiront peut-être d'écrire sur les locomotives.
Mais l'art n'a jamais été du côté des puristes.

Si c'est là le principe de l'engagement, que peut-on
lui objecter ? Et surtout, que lui a-t-on objecté ?
Il m'a paru que mes adversaires n'avaient pas

beaucoup de cœur à l'ouvrage et leurs articles ne contenaient rien de plus qu'un long soupir de scandale qui se traînait sur deux ou trois colonnes. J'aurais voulu savoir *au nom de quoi*, de quelle conception de la littérature ils me condamnaient : mais ils ne le disaient pas, ils ne le savaient pas eux-mêmes. Le plus conséquent eût été d'appuyer leur verdict sur la vieille théorie de l'art pour l'art. Mais il n'est aucun d'eux qui puisse l'accepter. Elle gêne aussi. On sait bien que l'art pur et l'art vide sont une même chose et que le purisme esthétique ne fut qu'une brillante manœuvre défensive des bourgeois du siècle dernier, qui aimaient mieux se voir dénoncer comme philistins que comme exploiteurs. Il faut donc bien, de leur aveu même, que l'écrivain parle de quelque chose. Mais de quoi? Je crois que leur embarras serait extrême si Fernandez n'avait trouvé pour eux, après l'autre guerre, la notion de *message*. L'écrivain d'aujourd'hui, disent-ils, ne doit en aucun cas s'occuper des affaires temporelles; il ne doit pas non plus aligner des mots sans signification ni rechercher uniquement la beauté des phrases et des images : sa fonction est de délivrer des messages à ses lecteurs. Qu'est-ce donc qu'un message?

Il faut se rappeler que la plupart des critiques sont des hommes qui n'ont pas eu beaucoup de chance et qui, au moment où ils allaient désespérer, ont trouvé une petite place tranquille de gardien de cimetière. Dieu sait si les cimetières sont paisibles : il n'en est pas de plus riant qu'une bibliothèque. Les morts sont là : ils n'ont fait qu'écrire, ils sont lavés depuis longtemps du péché de vivre et d'ailleurs on ne connaît leur vie que par d'autres livres que d'autres morts ont écrits sur eux. Rimbaud est mort. Morts Paterne Berrichon et Isabelle Rimbaud; les gêneurs ont disparu, il ne reste que les petits cercueils qu'on range sur des planches, le long des murs,

comme les urnes d'un columbarium. Le critique
vit mal, sa femme ne l'apprécie pas comme il faudrait,
ses fils sont ingrats, les fins de mois difficiles. Mais il
lui est toujours possible d'entrer dans sa bibliothèque,
de prendre un livre sur un rayon et de l'ouvrir. Il
s'en échappe une légère odeur de cave et une opération étrange commence, qu'il a décidé de nommer
la lecture. Par un certain côté, c'est une possession :
on prête son corps aux morts pour qu'ils puissent
revivre. Et par un autre côté, c'est un contact
avec l'au-delà. Le livre, en effet, n'est point un objet,
ni non plus un acte, ni même une pensée : écrit par
un mort sur des choses mortes, il n'a plus aucune
place sur cette terre, il ne parle de rien qui nous
intéresse directement; laissé à lui-même il se tasse
et s'effondre, il ne reste que des taches d'encre sur
du papier moisi, et quand le critique ranime ces
taches, quand il en fait des lettres et des mots, elles
lui parlent de passions qu'il n'éprouve pas, de colères
sans objets, de craintes et d'espoirs défunts. C'est
tout un monde désincarné qui l'entoure où les
affections humaines, parce qu'elles ne touchent plus,
sont passées au rang d'affections exemplaires, et
pour tout dire, de *valeurs*. Aussi se persuade-t-il d'être
entré en commerce avec un monde intelligible qui
est comme la vérité de ses souffrances quotidiennes
et leur raison d'être. Il pense que la nature imite
l'art comme, pour Platon, le monde sensible imitait
celui des archétypes. Et, pendant le temps qu'il
lit, sa vie de tous les jours devient une apparence.
Une apparence sa femme acariâtre, une apparence
son fils bossu : et qui seront sauvées parce que
Xénophon a fait le portrait de Xanthippe et Shakes-
peare celui de Richard III. C'est une fête pour lui
quand les auteurs contemporains lui font la grâce
de mourir : leurs livres, trop crus, trop vivants, trop
pressants passent de l'autre bord, ils touchent de

moins en moins et deviennent de plus en plus beaux;
après un court séjour au purgatoire, ils vont peupler
le ciel intelligible de nouvelles valeurs. Bergotte,
Swann, Siegfried, Bella et M. Teste : voilà des acqui-
sitions récentes. On attend Nathanaël et Ménalque.
Quant aux écrivains qui s'obstinent à vivre, on leur
demande seulement de ne pas trop remuer et de
s'appliquer à ressembler dès maintenant aux morts
qu'ils seront. Valéry ne s'en tirait pas mal, qui
publiait depuis vingt-cinq ans des livres posthumes.
C'est pourquoi il a été, comme quelques saints
tout à fait exceptionnels, canonisé de son vivant.
Mais Malraux scandalise. Nos critiques sont des
cathares : ils ne veulent rien avoir à faire avec le
monde réel sauf d'y manger et d'y boire et, puisqu'il
faut absolument vivre dans le commerce de nos semblables, ils ont choisi que ce soit dans celui des
défunts. Ils ne se passionnent que pour les affaires
classées, les querelles closes, les histoires dont on
sait la fin. Ils ne parient jamais sur une issue incertaine et comme l'histoire a décidé pour eux, comme
les objets qui terrifiaient ou indignaient les auteurs
qu'ils lisent ont disparu, comme à deux siècles de
distance la vanité de disputes sanglantes apparaît
clairement, ils peuvent s'enchanter du balancement
des périodes et tout se passe pour eux comme si
la littérature tout entière n'était qu'une vaste tauto-
logie et comme si chaque nouveau prosateur avait
inventé une nouvelle manière de parler pour ne rien
dire. Parler des archétypes et de l'« humaine nature »,
parler pour ne rien dire ? Toutes les conceptions de
nos critiques oscillent de l'une à l'autre idée. Et naturellement toutes deux sont fausses : les grands
écrivains voulaient détruire, édifier, démontrer.
Mais nous ne retenons plus les preuves qu'ils ont
avancées parce que nous n'avons aucun souci de
ce qu'ils entendent prouver. Les abus qu'ils dénon-

çaient ne sont plus de notre temps; il y en a d'autres qui nous indignent et qu'ils ne soupçonnaient pas; l'histoire a démenti certaines de leurs prévisions et celles qui se réalisèrent sont devenues vraies depuis si longtemps que nous avons oublié qu'elles furent d'abord des traits de leur génie; quelques-unes de leurs pensées sont tout à fait mortes et il y en a d'autres que le genre humain tout entier a reprises à son compte et que nous tenons pour des lieux communs. Il s'ensuit que les meilleurs arguments de ces auteurs ont perdu leur efficience; nous en admirons seulement l'ordre et la rigueur; leur agencement le plus serré n'est à nos yeux qu'une parure, une architecture élégante de l'exposition, sans plus d'application pratique que ces autres architectures : les fugues de Bach, les arabesques de l'Alhambra.

Dans ces géométries passionnées, quand la géométrie ne convainc plus, la passion émeut encore. Ou plutôt la représentation de la passion. Les idées se sont éventées au cours des siècles, mais elles demeurent les petites obstinations personnelles d'un homme qui fut de chair et d'os; derrière les raisons de la raison, qui languissent, nous apercevons les raisons du cœur, les vertus, les vices et cette grande peine que les hommes ont à vivre. Sade s'évertue à nous gagner et c'est tout juste s'il scandalise : ce n'est plus qu'une âme rongée par un beau mal, une huître perlière. La *Lettre sur les Spectacles* ne détourne plus personne d'aller au théâtre, mais nous trouvons piquant que Rousseau ait détesté l'art dramatique. Si nous sommes un peu versés dans la psychanalyse, notre plaisir est parfait : nous expliquerons le *Contrat social* par le complexe d'Œdipe et l'*Esprit des Lois* par le complexe d'infériorité; c'est-à-dire que nous jouirons pleinement de la supériorité reconnue que les chiens vivants ont sur les lions morts. Lorsqu'un livre présente ainsi

des pensées grisantes qui n'offrent l'apparence de
raisons que pour fondre sous le regard et se réduire à
des battements de cœur, lorsque l'enseignement
qu'on en peut tirer est radicalement différent de
celui que son auteur voulait donner, on nomme ce
livre un message. Rousseau, père de la révolution
française, et Gobineau, père du racisme, nous ont
envoyé des messages l'un et l'autre. Et le critique
les considère avec une égale sympathie. Vivants, il
lui faudrait opter pour l'un contre l'autre, aimer
l'un, haïr l'autre. Mais ce qui les rapproche avant tout,
c'est qu'ils ont un même tort, profond et délicieux :
ils sont morts.

Ainsi doit-on recommander aux auteurs contemporains de délivrer des messages, c'est-à-dire de limiter volontairement leurs écrits à l'expression involontaire de leurs âmes. Je dis involontaire car les
morts, de Montaigne à Rimbaud, se sont peints tout
entiers, mais sans en avoir le dessein et par-dessus
le marché; le surplus qu'ils nous ont donné sans y
penser doit faire le but premier et avoué des écrivains vivants. On n'exige pas d'eux qu'ils nous livrent
des confessions sans apprêts, ni qu'ils s'abandonnent
au lyrisme trop nu des romantiques. Mais, puisque
nous trouvons du plaisir à déjouer les ruses de Cha-
teaubriand ou de Rousseau, à les surprendre dans
le privé au moment qu'ils jouent à l'homme public,
à démêler les mobiles particuliers de leurs affirmations les plus universelles, on demande aux nouveaux
venus de nous procurer délibérément ce plaisir.
Qu'ils raisonnent donc, qu'ils affirment, qu'ils nient,
qu'ils réfutent et qu'ils prouvent; mais la cause
qu'ils défendent ne doit être que le but apparent
de leurs discours : le but profond, c'est de se livrer
sans en avoir l'air. Leurs raisonnements, il faut
qu'ils les désarment d'abord, comme le temps a
fait pour ceux des classiques, qu'ils les fassent porter

sur des sujets qui n'intéressent personne ou sur des
vérités si générales que les lecteurs en soient convaincus d'avance; leurs idées, il faut qu'ils leurs
donnent un air de profondeur, mais à vide, et qu'ils
les forment de telle manière qu'elles s'expliquent
évidemment par une enfance malheureuse, une haine
de classe ou un amour incestueux. Qu'ils ne s'avisent
pas de penser pour de bon : la pensée cache l'homme
et c'est l'homme seul qui nous intéresse. Un sanglot
tout nu n'est pas beau : il offense. Un bon raisonnement offense aussi, comme Stendhal l'avait bien vu.
Mais un raisonnement qui masque un sanglot, voilà
notre affaire. Le raisonnement ôte aux pleurs ce
qu'ils ont d'obscène; les pleurs, en révélant son
origine passionnelle, ôtent au raisonnement ce qu'il
a d'agressif; nous ne serons ni trop touchés, ni du
tout convaincus et nous pourrons nous livrer, en
sécurité, à cette volupté modérée que procure,
comme chacun sait, la contemplation des œuvres
d'art. Telle est donc la « vraie », la « pure » littérature :
une subjectivité qui se livre sous les espèces de
l'objectif, un discours si curieusement agencé qu'il
équivaut à un silence, une pensée qui se conteste
elle-même, une Raison qui n'est que le masque de
la folie, un Éternel qui laisse entendre qu'il n'est
qu'un moment de l'Histoire, un moment historique
qui, par les dessous qu'il révèle, renvoie tout à coup
à l'homme éternel, un perpétuel enseignement, mais
qui se fait contre les volontés expresses de ceux qui
enseignent.

Le message est, au bout du compte, une âme
faite objet. Une âme; et que fait-on d'une âme ?
On la contemple à distance respectueuse. On n'a
pas coutume de montrer son âme en société sans un
motif impérieux. Mais, par convention et sous certaines réserves, il est permis à quelques personnes
de mettre la leur dans le commerce et tous les adultes

peuvent se la procurer. Pour beaucoup de personnes,
aujourd'hui, les ouvrages de l'esprit sont ainsi de
petites âmes errantes qu'on acquiert pour un prix
modeste : il y a celle du bon vieux Montaigne, et
celle du cher La Fontaine, et celle de Jean-Jacques,
et celle de Jean-Paul, et celle du délicieux Gérard.
On appelle art littéraire l'ensemble des traitements
qui les rendent inoffensives. Tannées, raffinées, chi-
miquement traitées, elles fournissent à leurs acqué-
reurs l'occasion de consacrer quelques moments d'une
vie tout entière tournée vers l'extérieur à la culture
de la subjectivité. L'usage en est garanti sans risques :
le scepticisme de Montaigne, qui donc le prendrait
au sérieux, puisque l'auteur des *Essais* a pris peur
quand la peste ravageait Bordeaux ? Et l'humanisme
de Rousseau, puisque « Jean-Jacques » a mis ses
enfants à l'asile ? Et les étranges révélations de
Sylvie, puisque Gérard de Nerval était fou ? Tout
au plus, le critique professionnel instituera-t-il entre
eux des dialogues infernaux et nous apprendra-t-il
que la pensée française est un perpétuel entretien
entre Pascal et Montaigne. Par là, il n'entend point
rendre Pascal et Montaigne plus vivants, mais Malraux et Gide plus morts. Lorsqu'enfin les contradictions internes de la vie et de l'œuvre auront
rendu l'une et l'autre inutilisables, lorsque le message,
dans sa profondeur indéchiffrable, nous aura enseigné
ces vérités capitales : « que l'homme n'est ni bon
ni mauvais », « qu'il y a beaucoup de souffrance
dans une vie humaine », « que le génie n'est qu'une
longue patience », alors le but ultime de cette cuisine
funèbre sera atteint et le lecteur, en reposant son
livre, pourra s'écrier, l'âme tranquille : « Tout cela
n'est que littérature. »

Mais puisque, pour nous, un écrit est une entreprise,
puisque les écrivains sont vivants avant que d'être
morts, puisque nous pensons qu'il faut tenter d'avoir

raison dans nos livres et que, même si les siècles nous
donnent tort par après, ce n'est pas une raison pour
nous donner tort par avance, puisque nous estimons que l'écrivain doit s'engager tout entier dans
ses ouvrages, et non pas comme une passivité
abjecte, en mettant en avant ses vices, ses malheurs
et ses faiblesses, mais comme une volonté résolue
et comme un choix, comme cette totale entreprise
de vivre que nous sommes chacun, alors il convient
que nous reprenions du début ce problème et que
nous nous demandions à notre tour : *pourquoi*
écrit-on ?

NOTES

1. Du moins, **en général**. La grandeur et l'erreur de Klee résident dans sa tentative pour faire une peinture qui soit à la fois signe et objet.

2. Je dis « créer », non pas « imiter », ce qui suffit à réduire au néant tout le pathos de M. Charles Estienne qui n'a visiblement rien compris à mon propos et qui s'acharne à pourfendre des ombres.

3. C'est l'exemple cité par Bataille dans l'*Expérience intérieure*.

4. Si l'on veut connaître l'origine de cette attitude envers le langage, je donnerai ici quelques brèves indications.

Originellement la poésie crée le *mythe* de l'homme, quand le prosateur trace son *portrait*. Dans la réalité, l'acte humain, commandé par les besoins, sollicité par l'utile, est, en un sens, *moyen*. Il passe inaperçu et c'est le résultat qui compte : quand j'étends la main *pour* prendre la plume, je n'ai qu'une conscience glissante et obscure de mon geste : c'est la plume que je vois; ainsi l'homme est-il aliéné par ses fins. La poésie renverse le rapport : le monde et les choses passent à l'inessentiel, deviennent prétexte à l'acte qui devient sa propre fin. Le vase est là pour que la jeune fille ait le geste gracieux en le remplissant, la guerre de Troie pour qu'Hector et Achille livrent ce combat héroïque. L'action, détachée de ses buts qui s'estompent, devient prouesse ou danse. Cependant, pour indifférent qu'il soit au succès de l'entreprise, le poète, avant le XIXᵉ siècle, reste d'accord avec la société dans son ensemble; il n'use pas du langage pour la fin que poursuit la prose, mais il lui fait la même confiance que le prosateur.

Après l'avènement de la société bourgeoise, le poète fait front commun avec le prosateur pour la déclarer invivable. Il s'agit toujours pour lui de créer le mythe de l'homme, mais il passe de la magie blanche à la magie noire. L'homme est toujours présenté comme la fin absolue, mais par la réussite de son entreprise il s'enlise dans une collectivité utilitaire. Ce qui est à l'arrière-plan de son acte, et qui permettra le

passage au mythe, ce n'est donc plus le succès, mais l'échec.
L'échec seul, en arrêtant comme un écran la série infinie de
ses projets, le rend à lui-même, dans sa pureté. Le monde
demeure l'inessentiel, mais il est là, maintenant, comme prétexte
à la défaite. La finalité de la chose c'est de renvoyer l'homme
à soi en lui barrant la route. Il ne s'agit pas, d'ailleurs, d'introduire arbitrairement la défaite et la ruine dans le cours du
monde, mais plutôt de n'avoir d'yeux que pour elles. L'entreprise humaine a deux visages : elle est à la fois réussite et
échec. Pour la penser, le schéma dialectique est insuffisant :
il faut assouplir encore notre vocabulaire et les cadres de
notre raison. J'essaierai quelque jour de décrire cette étrange
réalité, l'Histoire, qui n'est ni objective, ni jamais tout à fait
subjective, où la dialectique est contestée, pénétrée, corrodée
par une sorte d'antidialectique, pourtant dialectique encore.
Mais c'est l'affaire du philosophe : ordinairement l'on ne considère pas les deux faces du Janus; l'homme d'action voit l'une
et le poète voit l'autre. Quand les instruments sont brisés,
hors d'usage, les plans déjoués, les efforts inutiles, le monde
apparaît d'une fraîcheur enfantine et terrible, sans points
d'appui, sans chemins. Il a le maximum de réalité parce qu'il
est écrasant pour l'homme et, comme l'action en tout cas
généralise, la défaite rend aux choses leur réalité individuelle.
Mais, par un renversement attendu, l'échec considéré comme
fin dernière est à la fois contestation et appropriation de cet
univers. Contestation parce que l'homme *vaut mieux* que
ce qui l'écrase; il ne conteste plus les choses dans leur « peu
de réalité » comme l'ingénieur ou le capitaine mais au contraire
dans leur trop-plein de réalité, par son existence même de
vaincu; il est le remords du monde. Appropriation parce que
le monde, en cessant d'être l'outil de la réussite, devient
l'instrument de l'échec. Le voilà parcouru d'une obscure
finalité, c'est son coefficient d'adversité qui sert, d'autant
plus humain qu'il est plus hostile à l'homme. L'échec lui-
même se retourne en salut. Non qu'il nous fasse accéder à
quelque au-delà : mais de lui-même il bascule et se métamorphose. Par exemple le langage poétique surgit sur les ruines
de la prose. S'il est vrai que la parole soit une trahison et que
la communication soit impossible, alors chaque mot, par lui-
même, recouvre son individualité, devient instrument de
notre défaite et receleur de l'incommunicable. Ce n'est pas
qu'il y ait *autre chose* à communiquer : mais la communication de la prose ayant échoué, c'est le sens même du mot
qui devient l'incommunicable pur. Ainsi l'échec de la communication devient suggestion de l'incommunicable; et le

projet d'utiliser es mots, contrarié, fait place à a pure intuition désintéressée de la parole. Nous retrouvons donc la description que nous avons tentée à la page 16 de cet ouvrage, mais dans la perspective plus générale de la valorisation absolue de l'échec, qui me paraît l'attitude originelle de la poésie contemporaine. A noter aussi que ce choix confère au poète une fonction très précise dans la collectivité : dans une société très intégrée ou religieuse, l'échec est masqué par l'État ou récupéré par la Religion; dans une société moins intégrée et laïque, comme sont nos démocraties, c'est à la poésie de le récupérer.

La poésie, c'est qui perd gagne. Et le poète authentique choisit de perdre jusqu'à mourir pour gagner. Je répète qu'il s'agit de la poésie contemporaine. L'histoire présente d'autres formes de la poésie. Ce n'est pas mon sujet que de montrer leurs liens avec la nôtre. Si donc l'on veut absolument parler de l'engagement du poète, disons que c'est l'homme qui s'engage à perdre. C'est le sens profond de ce guignon, de cette malédiction dont il se réclame toujours et qu'il attribue toujours à une intervention de l'extérieur, alors que c'est son choix le plus profond, non pas la conséquence mais la source de sa poésie. Il est certain de l'échec total de l'entreprise humaine et s'arrange pour échouer dans sa propre vie, afin de témoigner, par sa défaite singulière, de la défaite humaine en général. Il conteste donc, comme nous verrons, ce que fait aussi le prosateur. Mais la contestation de la prose se fait au nom d'une plus grande réussite et celle de la poésie au nom de la défaite cachée que recèle toute victoire.

5. Il va de soi que, dans toute poésie, une certaine forme de prose, c'est-à-dire de réussite, est présente; et réciproquement la prose la plus sèche renferme toujours un peu de poésie, c'est-à-dire une certaine forme d'échec : aucun prosateur, même le plus lucide, n'entend *tout à fait* ce qu'il veut dire; il dit trop ou pas assez, chaque phrase est un pari, un risque assumé; plus on tâtonne, plus le mot se singularise; nul, comme Valéry l'a montré, ne peut comprendre un mot jusqu'au fond. Ainsi chaque mot est employé simultanément pour son sens clair et social et pour certaines résonances obscures, je dirai presque : pour sa physionomie. C'est à quoi le lecteur est, lui aussi, sensible. Et déjà nous ne sommes plus sur le plan de la communication concertée mais sur celui de la grâce et du hasard; les silences de la prose sont poétiques parce qu'ils marquent ses limites, et c'est pour plus de clarté que j'ai envisagé les cas extrêmes de la pure prose et de la poésie pure. Il n'en faudrait pas conclure, toutefois, qu'on

peut passer de la poésie à la prose par une série continue de
formes intermédiaires. Si le prosateur veut trop choyer les
mots, l'*eidos* « prose » se brise et nous tombons dans le gali-
matias. Si le poète raconte, explique ou enseigne, la poésie
devient *prosaïque*, il a perdu la partie. Il s'agit de structures
complexes, impures mais bien délimitées.

II

POURQUOI ÉCRIRE ?

Chacun a ses raisons : pour celui-ci, l'art est une fuite ; pour celui-là, un moyen de conquérir. Mais on peut fuir dans un ermitage, dans la folie, dans la mort ; on peut conquérir par les armes. Pourquoi justement *écrire*, faire *par écrit* ses évasions et ses conquêtes ? C'est qu'il y a, derrière les diverses visées des auteurs, un choix plus profond et plus immédiat, qui est commun à tous. Nous allons tenter d'élucider ce choix et nous verrons si ce n'est pas au nom de leur choix même d'écrire qu'il faut réclamer l'engagement des écrivains.

Chacune de nos perceptions s'accompagne de la conscience que la réalité humaine est « dévoilante », c'est-à-dire que par elle « il y a » de l'être, ou encore que l'homme est le moyen par lequel les choses se manifestent ; c'est notre présence au monde qui multiplie les relations, c'est nous qui mettons en rapport cet arbre avec ce coin de ciel ; grâce à nous cette étoile, morte depuis des millénaires, ce quartier de lune et ce fleuve sombre se dévoilent dans l'unité d'un paysage ; c'est la vitesse de notre auto, de notre avion qui organise les grandes masses terrestres ;

à chacun de nos actes le monde nous révèle un visage neuf. Mais si nous savons que nous sommes les détecteurs de l'être, nous savons aussi que nous n'en sommes pas les producteurs. Ce paysage, si nous nous en détournons, croupira sans témoins dans sa permanence obscure. Du moins croupira-t-il : il n'y a personne d'assez fou pour croire qu'il va s'anéantir. C'est nous qui nous anéantirons et la terre demeurera dans sa léthargie jusqu'à ce qu'une autre conscience vienne l'éveiller. Ainsi à notre certitude intérieure d'être « dévoilants » s'adjoint celle d'être inessentiels par rapport à la chose dévoilée.

Un des principaux motifs de la création artistique est certainement le besoin de nous sentir essentiels par rapport au monde. Cet aspect des champs ou de la mer, cet air de visage que j'ai dévoilés, si je les fixe sur une toile, dans un écrit, en resserrant les rapports, en introduisant de l'ordre là où il ne s'en trouvait pas, en imposant l'unité de l'esprit à la diversité de la chose, j'ai conscience de les produire, c'est-à-dire que je me sens essentiel par rapport à ma création. Mais cette fois-ci, c'est l'objet créé qui m'échappe : je ne puis dévoiler et produire à la fois. La création passe à l'inessentiel par rapport à l'activité créatrice. D'abord, même s'il apparaît aux autres comme définitif, l'objet créé nous semble toujours en sursis : nous pouvons toujours changer cette ligne, cette teinte, ce mot; ainsi ne s'impose-t-il jamais. Un peintre apprenti demandait à son maître : « Quand dois-je considérer que mon tableau est fini ? » Et le maître répondit : « Quand tu pourras le regarder avec surprise, en te disant : « C'est *moi* qui ai fait *ça !* »

Autant dire : jamais. Car cela reviendrait à considérer son œuvre avec les yeux d'un autre et à dévoiler ce qu'on a créé. Mais il va de soi que nous avons d'autant moins la conscience de la chose produite

que nous avons davantage celle de notre activité
productrice. Lorsqu'il s'agit d'une poterie ou d'une
charpente et que nous les fabriquons selon des
normes traditionnelles avec des outils dont l'usage
est codifié, c'est le fameux « on », de Heidegger qui
travaille par nos mains. En ce cas, le résultat peut
nous paraître suffisamment étranger pour conserver
à nos yeux son objectivité. Mais si nous produisons
nous-même les règles de production, les mesures
et les critères, et si notre élan créateur vient du plus
profond de notre cœur, alors nous ne trouvons jamais
que nous dans notre œuvre : c'est nous qui avons
inventé les lois d'après lesquelles nous la jugeons;
c'est notre histoire, notre amour, notre gaîté que
nous y reconnaissons; quand même nous la regar-
derions sans plus y toucher, nous ne *recevons* jamais
d'elle cette gaîté ou cet amour : nous les y mettons;
les résultats que nous avons obtenus sur la toile
ou sur le papier ne nous semblent jamais *objectifs ;*
nous connaissons trop les procédés dont ils sont les
effets. Ces procédés demeurent une trouvaille subjective : ils sont nous-mêmes, notre inspiration, notre
ruse et lorsque nous cherchons à *percevoir* notre
ouvrage, nous le créons encore, nous répétons mentalement les opérations qui l'ont produit, chacun de
ses aspects apparaît comme un résultat. Ainsi, dans
la perception, l'objet se donne comme l'essentiel
et le sujet comme l'inessentiel; celui-ci recherche
l'essentialité dans la création et l'obtient, mais
alors c'est l'objet qui devient l'inessentiel.

Nulle part cette dialectique n'est plus manifeste
que dans l'art d'écrire. Car l'objet littéraire est une
étrange toupie, qui n'existe qu'en mouvement.
Pour la faire surgir, il faut un acte concret qui
s'appelle la lecture, et elle ne dure qu'autant que cette
lecture peut durer. Hors de là, il n'y a que des tracés
noirs sur le papier. Or l'écrivain ne peut pas lire ce

qu'il écrit, au lieu que le cordonnier peut chausser les souliers qu'il vient de faire, s'ils sont à sa pointure, et l'architecte habiter la maison qu'il a construite. En lisant, on prévoit, on attend. On prévoit la fin de la phrase, la phrase suivante, la page d'après ; on attend qu'elles confirment ou qu'elles infirment ces prévisions ; la lecture se compose d'une foule d'hypothèses, de rêves suivis de réveils, d'espoirs et de déceptions ; les lecteurs sont toujours en avance sur la phrase qu'ils lisent, dans un avenir seulement probable qui s'écroule en partie et se consolide en partie à mesure qu'ils progressent, qui recule d'une page à l'autre et forme l'horizon mouvant de l'objet littéraire. Sans attente, sans avenir, sans ignorance, pas d'objectivité. Or l'opération d'écrire comporte une quasi-lecture implicite qui rend la vraie lecture impossible. Quand les mots se forment sous sa plume, l'auteur les voit, sans doute, mais il ne les voit pas comme le lecteur puisqu'il les connaît avant de les écrire ; son regard n'a pas pour fonction de réveiller en les frôlant des mots endormis qui attendent d'être lus, mais de contrôler le tracé des signes ; c'est une mission purement régulatrice, en somme, et la vue ici n'apprend rien, sauf de petites erreurs de la main. L'écrivain ne prévoit ni ne conjecture : il *projette*. Il arrive souvent qu'il s'attende, qu'il attende, comme on dit, l'inspiration. Mais on ne s'attend pas comme on attend les autres ; s'il hésite, il sait que l'avenir n'est pas fait, que c'est lui-même qui va le faire, et s'il ignore encore ce qu'il adviendra de son héros, cela veut simplement dire qu'il n'y a pas pensé, qu'il n'a rien décidé ; alors le futur est une page blanche, au lieu que le futur du lecteur ce sont ces deux cents pages surchargées de mots qui le séparent de la fin. Ainsi l'écrivain ne rencontre partout que *son* savoir, *sa* volonté, *ses* projets, bref lui-même ; il ne touche jamais qu'à sa propre.subjectivité, l'objet qu'il crée est hors d'atteinte, il ne le crée pas *pour lui*. S'il se relit, il est déjà trop tard ; sa phrase ne sera jamais à ses yeux tout à fait une chose. Il va jusqu'aux limites du subjectif mais sans le franchir, il apprécie l'effet d'un trait, d'une maxime, d'un adjectif bien placé; mais c'est l'effet qu'ils feront sur d'autres; il peut l'estimer, non le ressentir. Jamais Proust n'a découvert l'homosexualité de Charlus, puisqu'il l'avait décidée avant même d'entreprendre son livre. Et si l'ouvrage prend un jour pour son auteur un semblant d'objectivité, c'est que les années ont passé, qu'il l'a oublié, qu'il n'y entre plus et ne serait sans doute plus capable de l'écrire. Ainsi de Rousseau relisant le *Contrat social* à la fin de sa vie.

Il n'est donc pas vrai qu'on écrive pour soi-même : ce serait le pire échec; en projetant ses émotions sur le papier, à peine arriverait-on à leur donner un prolongement languissant. L'acte créateur n'est qu'un moment incomplet et abstrait de la production d'une œuvre; si l'auteur existait seul, il pourrait écrire tant qu'il voudrait, jamais l'œuvre comme *objet* ne verrait le jour et il faudrait qu'il posât la plume ou désespérât. Mais l'opération d'écrire implique celle de lire comme son corrélatif dialectique et ces deux actes connexes nécessitent deux agents distincts. C'est l'effort conjugué de l'auteur et du lecteur qui fera surgir cet objet concret et imaginaire qu'est l'ouvrage de l'esprit. Il n'y a d'art que pour et par autrui.

La lecture, en effet, semble la synthèse de la perception et de la création [1] ; elle pose à la fois l'essentialité du sujet et celle de l'objet; l'objet est essentiel parce qu'il est rigoureusement transcendant, qu'il impose ses structures propres et qu'on doit l'attendre et l'observer; mais le sujet est essentiel

aussi **parce** qu'il est requis non seulement pour
dévoiler l'objet (c'est-à-dire faire qu'*il y ait* un objet)
mais encore pour ce que cet objet *soit* absolument
(c'est-à-dire pour le produire). En un mot, le lecteur
a conscience de dévoiler et de créer à la fois, de dévoiler en créant, de créer par dévoilement. Il ne faudrait
pas croire, en effet, que la lecture soit une opération
mécanique et qu'il soit impressionné par les signes
comme une plaque photographique par la lumière.
S'il est distrait, fatigué, sot, étourdi, la plupart des
relations lui échapperont, il n'arrivera pas à « faire
prendre » l'objet (au sens où l'on dit que le feu « prend »
ou « ne prend pas »); il tirera de l'ombre des phrases
qui paraîtront surgir au petit bonheur. S'il est au
meilleur de lui-même, il projettera au delà des mots
une forme synthétique dont chaque phrase ne sera
plus qu'une fonction partielle : le « thème », le « sujet »
ou le « sens ». Ainsi, dès le départ, le sens n'est plus
contenu dans les mots puisque c'est lui, au contraire,
qui permet de comprendre la signification de chacun
d'eux; et l'objet littéraire, quoiqu'il se réalise *à
travers* le langage, n'est jamais donné *dans* le langage;
il est, au contraire, par nature, silence et contestation de la parole. Aussi les cent mille mots alignés
dans un livre peuvent être lus un à un sans que le
sens de l'œuvre en jaillisse; le sens n'est pas la somme
des mots, il en est la totalité organique. Rien n'est
fait si le lecteur ne se met d'emblée et presque sans
guide à la hauteur de ce silence. S'il ne l'invente,
en somme, et s'il n'y place et fait tenir ensuite les
mots et les phrases qu'il réveille. Et si l'on me dit
qu'il conviendrait plutôt d'appeler cette opération
une ré-invention ou une découverte, je répondrai
que d'abord une pareille réinvention serait un acte
aussi neuf et aussi original que l'invention première.
Et, surtout, lorsqu'un objet n'a jamais existé aupa-
ravant, il ne peut s'agir ni de le réinventer ni de le

découvrir. Car si le silence dont je parle est bien
en effet le but visé par l'auteur, du moins celui-ci
ne l'a-t-il jamais connu; son silence est subjectif
et antérieur au langage, c'est l'absence de mots, le
silence indifférencié et vécu de l'inspiration, que la
parole particularisera ensuite, au lieu que le silence
produit par le lecteur est un objet. Et à l'intérieur
même de cet objet il y a encore des silences : ce
que l'auteur ne dit pas. Il s'agit d'intentions si particulières qu'elles ne pourraient pas garder de sens
en dehors de l'objet que la lecture fait paraître;
ce sont elles pourtant qui en font la densité et qui
lui donnent son visage singulier. C'est peu de dire
qu'elles sont inexprimées : elles sont précisément
l'inexprimable. Et pour cela on ne les trouve à aucun
moment défini de la lecture; elles sont partout et
nulle part : la qualité de merveilleux du *Grand
Meaulnes*, le babylonisme d'*Armance*, le degré de
réalisme et de vérité de la mythologie de Kafka,
tout cela n'est jamais donné; il faut que le lecteur
invente tout dans un perpétuel dépassement de la
chose écrite. Sans doute l'auteur le guide; mais il
ne fait que le guider; les jalons qu'il a posés sont
séparés par du vide, il faut les rejoindre, il faut aller
au delà d'eux. En un mot, la lecture est création
dirigée. D'une part, en effet, l'objet littéraire n'a
d'autre substance que la subjectivité du lecteur :
l'attente de Raskolnikoff, c'est *mon* attente, que je
lui prête; sans cette impatience du lecteur il ne
demeurerait que des signes languissants; sa haine
contre le juge d'instruction qui l'interroge, c'est
ma haine, sollicitée, captée par les signes, et le juge
d'instruction lui-même, il n'existerait pas sans la
haine que je lui porte à travers Raskolnikoff; c'est
elle qui l'anime, elle est sa chair. Mais d'autre part
les mots sont là comme des pièges pour susciter
nos sentiments et les réfléchir vers nous; chaque

mot est un chemin de transcendance, il informe nos
affections, les nomme, les attribue à un personnage
imaginaire qui se charge de les vivre pour nous et
qui n'a d'autre substance que ces passions empruntées;
il leur confère des objets, des perspectives, un horizon. Ainsi, pour le lecteur, tout est à faire et tout
est déjà fait; l'œuvre n'existe qu'au niveau exact
de ses capacités; pendant qu'il lit et qu'il crée, il
sait qu'il pourrait toujours aller plus loin dans sa
lecture, créer plus profondément; et, par là, l'œuvre
lui paraît inépuisable et opaque comme les choses.
Cette production absolue de qualité qui, au fur et
à mesure qu'elles émanent de notre subjectivité, se
figent sous nos yeux en objectivités imperméables,
nous la rapprocherions volontiers de cette « intuition rationnelle » que Kant réservait à la Raison
divine.

Puisque la création ne peut trouver son achèvement que dans la lecture, puisque l'artiste doit
confier à un autre le soin d'accomplir ce qu'il a
commencé, puisque c'est à travers la conscience du
lecteur seulement qu'il peut se saisir comme essentiel
à son œuvre, tout ouvrage littéraire est un appel.
Écrire, c'est faire appel au lecteur pour qu'il fasse
passer à l'existence objective le dévoilement que
j'ai entrepris par le moyen du langage. Et si l'on
demande à quoi l'écrivain fait appel, la réponse
est simple. Comme on ne trouve jamais dans le
livre la raison suffisante pour que l'objet esthétique
paraisse, mais seulement des sollicitations à le
produire, comme il n'y a pas non plus assez dans
l'esprit de l'auteur et que sa subjectivité, dont il
ne peut sortir, ne peut rendre raison du passage
à l'objectivité, l'apparition de l'œuvre d'art est un
événement neuf qui ne saurait s'expliquer par les
données antérieures. Et puisque cette création
dirigée est un commencement absolu, elle est donc

opérée par la liberté du lecteur en ce que cette liberté
a de plus pur. Ainsi l'écrivain en appelle à la liberté
du lecteur pour qu'elle collabore à la production
de son ouvrage. On dira sans doute que tous les outils
s'adressent à notre liberté, puisqu'ils sont les instruments d'une action possible et que, en cela, l'œuvre
d'art n'est pas spécifique. Et il est vrai que l'outil
est l'esquisse figée d'une opération. Mais il demeure
au niveau de l'impératif hypothétique : je puis
utiliser un marteau pour clouer une caisse ou pour
assommer mon voisin. Tant que je le considère en
lui-même, il n'est pas un appel à ma liberté, il ne
me place pas en face d'elle, il vise plutôt à la servir
en remplaçant l'invention libre des moyens par une
succession réglée de conduites traditionnelles. Le
livre ne sert pas ma liberté : il la requiert. On ne
saurait en effet s'adresser à une liberté en tant
que telle par la contrainte, la fascination ou les
suppliques. Pour l'atteindre, il n'est qu'un procédé :
la reconnaître d'abord, puis lui faire confiance;
enfin exiger d'elle un acte, au nom d'elle-même,
c'est-à-dire au nom de cette confiance qu'on lui
porte. Ainsi le livre n'est pas, comme l'outil, un
moyen en vue d'une fin quelconque : il se propose
comme fin à la liberté du lecteur. Et l'expression
kantienne de « finalité sans fin » me paraît tout à
fait impropre à désigner l'œuvre d'art. Elle implique,
en effet, que l'objet esthétique présente seulement
l'apparence d'une finalité et se borne à solliciter
le jeu libre et réglé de l'imagination. C'est oublier
que l'imagination du spectateur n'a pas seulement
une fonction régulatrice mais constitutive; elle ne
joue pas, elle est appelée à recomposer l'objet beau
par delà les traces laissées par l'artiste. L'imagination, pas plus que les autres fonctions de l'esprit,
ne peut jouir d'elle-même; elle est toujours dehors,
toujours engagée dans une entreprise. Il y aurait

finalité sans fin si quelque objet offrait une ordonnance si réglée qu'il invitât à lui supposer une
fin alors même que nous ne pourrions pas lui en
assigner. En définissant le beau de cette manière
on pourra — et c'est bien le but de Kant — assimiler
la beauté de l'art à la beauté naturelle, puisqu'une
fleur, par exemple, présente tant de symétrie, des
couleurs si harmonieuses, des courbes si régulières
qu'on est immédiatement tenté de chercher une
explication finaliste à toutes ces propriétés et d'y
voir autant de moyens disposés en vue d'une fin
inconnue. Mais c'est justement l'erreur : la beauté
de la nature n'est en rien comparable à celle de l'art.
L'œuvre d'art n'*a pas de* fin, nous en sommes d'accord avec Kant. Mais c'est qu'elle *est* une fin. La
formule kantienne ne rend pas compte de l'appel
qui résonne au fond de chaque tableau, de chaque
statue, de chaque livre. Kant croit que l'œuvre
existe d'abord en fait et qu'elle est vue ensuite.
Au lieu qu'elle n'existe que si on la *regarde* et qu'elle
est d'abord pur appel, pure exigence d'exister. Elle
n'est pas un instrument dont l'existence est manifeste et la fin indéterminée : elle se présente comme
une tâche à remplir, elle se place d'emblée au niveau
de l'impératif catégorique. Vous êtes parfaitement
libres de laisser ce livre sur la table. Mais si vous
l'ouvrez, vous en assumez la responsabilité. Car la
liberté ne s'éprouve pas dans la jouissance du libre
fonctionnement subjectif mais dans un acte créateur
requis par un impératif. Cette fin absolue, cet impératif transcendant et pourtant consenti, repris à son
compte par la liberté même, c'est ce qu'on nomme
une valeur. L'œuvre d'art est valeur parce qu'elle
est appel.

Si j'en appelle à mon lecteur pour qu'il mène à
bien l'entreprise que j'ai commencée, il va de soi
que je le considère comme liberté pure, pur pouvoir

créateur, activité inconditionnée; je ne saurais donc
en aucun cas m'adresser à sa passivité, c'est-à-dire
tenter de *l'affecter*, de lui communiquer d'emblée
des émotions de peur, de désir ou de colère. Sans doute
y a-t-il des auteurs qui se préoccupent uniquement
de provoquer ces émotions, parce qu'elles sont
prévisibles, gouvernables, et qu'ils disposent de
moyens éprouvés qui les suscitent à coup sûr. Mais
il est vrai aussi qu'on le leur reproche, comme on a
fait à Euripide dès l'antiquité parce qu'il faisait
paraître des enfants sur la scène. Dans la passion, la
liberté est aliénée; engagée abruptement dans des
entreprises partielles, elle perd de vue sa tâche qui
est de produire une fin absolue. Et le livre n'est plus
qu'un moyen pour entretenir la haine ou le désir.
L'écrivain ne doit pas chercher à *bouleverser*, sinon il
est en contradiction avec lui-même; s'il veut *exiger*, il
faut qu'il propose seulement la tâche à remplir. De là
ce caractère de *pure présentation* qui paraît essentiel
à l'œuvre d'art : le lecteur doit disposer d'un certain
recul esthétique. C'est ce que Gautier a confondu
sottement avec « l'art pour l'art », et les Parnassiens
avec l'impassibilité de l'artiste. Il s'agit seulement
d'une précaution, et Genêt la nomme plus justement
politesse de l'auteur envers le lecteur. Mais cela ne
veut pas dire que l'écrivain fasse appel à je ne sais
quelle liberté abstraite et conceptuelle. C'est bien avec
des sentiments qu'on recrée l'objet esthétique; s'il est
touchant, il n'apparaît qu'à travers nos pleurs; s'il est
comique, il sera reconnu par le rire. Seulement ces
sentiments sont d'une espèce particulière : ils ont la
liberté pour origine; ils sont prêtés. Il n'est pas jusqu'à la croyance que j'accorde au récit qui ne soit
librement consentie. C'est une Passion, au sens
chrétien du mot, c'est-à-dire une liberté qui se met
résolument en état de passivité pour obtenir par
ce sacrifice un certain effet transcendant. Le lecteur

se fait crédule, il descend dans la crédulité et celle-ci,
bien qu'elle finisse par se refermer sur lui comme
un songe, s'accompagne à chaque instant de la conscience d'être libre. On a voulu parfois enfermer les
auteurs dans ce dilemme : « Ou l'on croit à votre
histoire, et c'est intolérable; ou l'on n'y croit point,
et c'est ridicule. » Mais l'argument est absurde, car
le propre de la conscience esthétique c'est d'être
croyance par engagement, par serment, croyance
continuée par fidélité à soi et à l'auteur, choix perpétuellement renouvelé de croire. A chaque instant je
puis m'éveiller et je le sais; mais je ne le veux pas :
la lecture est un rêve libre. En sorte que tous les
sentiments qui se jouent sur le fond de cette croyance
imaginaire sont comme des modulations particulières de ma liberté; loin de l'absorber ou de la masquer, ils sont autant de façons qu'elle a choisies de
se révéler à elle-même. Raskolnikoff, je l'ai dit, ne
serait qu'une ombre sans le mélange de répulsion
et d'amitié que j'éprouve pour lui et qui le fait vivre.
Mais, par un renversement qui est le propre de
l'objet imaginaire, ce ne sont pas ses conduites qui
provoquent mon indignation ou mon estime, mais
mon indignation, mon estime qui donnent de la
consistance et de l'objectivité à ses conduites. Ainsi
les affections du lecteur ne sont-elles jamais dominées
par l'objet et, comme nulle réalité extérieure ne peut
les conditionner, elles ont leur source permanente
dans la liberté, c'est-à-dire qu'elles sont toutes
généreuses — car je nomme généreuse une affection
qui a la liberté pour origine et pour fin. Ainsi la
lecture est-elle un exercice de générosité; et ce que
l'écrivain réclame du lecteur ce n'est pas l'application d'une liberté abstraite, mais le don de toute sa
personne, avec ses passions, ses préventions, ses
sympathies, son tempérament sexuel, son échelle de
valeurs. Seulement cette personne se donnera avec

générosité, la liberté la traverse de part en part et vient transformer les massses les plus obscures de sa sensibilité. Et comme l'activité s'est faite passive pour mieux créer l'objet, réciproquement la passivité devient acte, l'homme qui lit s'est élevé au plus haut. C'est pourquoi l'on voit des gens réputés pour leur dureté verser des larmes au récit d'infortunes imaginaires ; ils étaient devenus pour un moment ce qu'ils auraient été s'ils n'avaient passé leur vie à se masquer leur liberté.

Ainsi l'auteur écrit pour s'adresser à la liberté des lecteurs et il la requiert de faire exister son œuvre. Mais il ne se borne pas là et il exige en outre qu'ils lui retournent cette confiance qu'il leur a donnée, qu'ils reconnaissent sa liberté créatrice et qu'ils la sollicitent à leur tour par un appel symétrique et inverse. Ici apparaît en effet l'autre paradoxe dialectique de la lecture : plus nous éprouvons notre liberté, plus nous reconnaissons celle de l'autre ; plus il exige de nous et plus nous exigeons de lui.

Lorsque je m'enchante d'un paysage, je sais fort bien que ce n'est pas moi qui le crée, mais je sais aussi que sans moi les relations qui s'établissent sous mes yeux entre les arbres, les feuillages, la terre, les herbes, n'existeraient pas du tout. Cette apparence de finalité que je découvre dans l'assortiment des teintes, dans l'harmonie des formes et des mouvements provoqués par le vent, je sais bien que je ne puis pas en rendre raison. Elle existe pourtant, elle est là sous ma vue et, après tout, je ne puis faire qu'*il y ait* de l'être que si l'être *est* déjà ; mais, si même je crois en Dieu, je ne puis établir aucun passage, sinon purement verbal, entre l'universelle sollicitude divine et le spectacle particulier que je considère : dire qu'il a fait le paysage pour me charmer ou qu'il m'a fait tel que je m'y plaise, c'est prendre une question pour une réponse. Le mariage de ce bleu et de ce vert est-il voulu ? Comment le saurais-je ? L'idée d'une providence universelle ne peut garantir aucune intention singulière; surtout dans le cas considéré, puisque le vert de l'herbe s'explique par des lois biologiques, des constantes spécifiques, un déterminisme géographique, tandis que le bleu de l'eau trouve sa raison dans la profondeur de la rivière, dans la nature des terrains, dans la rapidité du courant. L'appariage des teintes, s'il est voulu, ne peut l'être que *par-dessus le marché*, c'est la rencontre de deux séries causales, c'est-à-dire, à première vue, un fait de hasard. Au mieux, la finalité demeure problématique. Tous les rapports que nous établissons restent des hypothèses; aucune fin ne se propose à nous à la façon d'un impératif, puisque aucune ne se révèle expressément comme ayant été voulue par un créateur. Du coup, notre liberté n'est jamais *appelée* par la beauté naturelle. Ou plutôt il y a dans l'ensemble des feuillages, des formes, des mouvements, une apparence d'ordre, donc une illusion d'appel qui semble solliciter cette liberté et qui s'évanouit aussitôt sous le regard. A peine avons-nous commencé de parcourir des yeux cette ordonnance que l'appel disparaît : nous restons seuls, libres de nouer ensemble cette couleur avec cette autre ou cette troisième, de mettre en liaison l'arbre et l'eau ou l'arbre et le ciel, ou l'arbre, l'eau et le ciel. Ma liberté devient caprice; à mesure que j'établis des relations nouvelles, je m'éloigne davantage de l'illusoire objectivité qui me sollicitait; je *rêve* sur certains motifs vaguement esquissés par les choses, la réalité naturelle n'est plus qu'un prétexte à songeries. Ou alors, pour avoir profondément regretté que cette ordonnance un instant perçue ne m'ait été offerte par personne et ne soit, par conséquent, pas *vraie*, il arrive que je fixe mon rêve, que je le transpose sur une toile, dans un écrit. Ainsi,

je m'entremets entre la finalité sans fin qui paraît
dans les spectacles naturels et le regard des autres
hommes ; je la leur transmets ; par cette transmission,
elle devient humaine ; l'art est ici une cérémonie
du *don* et le seul don opère une métamorphose :
il y a là quelque chose comme la transmission des
titres et des pouvoirs dans le matronymat, où la
mère ne possède pas les noms, mais demeure l'intermédiaire indispensable entre l'oncle et le neveu.
Puisque j'ai capté au passage cette illusion ; puisque
je la tends aux autres hommes et que je l'ai dégagée,
repensée pour eux, ils peuvent la considérer avec
confiance : elle est devenue intentionnelle. Quant à
moi, bien sûr, je demeure à la lisière de la subjectivité et de l'objectif sans pouvoir jamais contempler
l'ordonnance objective que je transmets.

Le lecteur, au contraire, progresse dans la sécurité.
Aussi loin qu'il puisse aller, l'auteur est allé plus
loin que lui. Quels que soient les rapprochements
qu'il établisse entre les différentes parties du livre
— entre les chapitres ou entre les mots — il possède
une garantie : c'est qu'ils ont été expressément
voulus. Il peut même, comme dit Descartes, feindre
qu'il y ait un ordre secret entre des parties qui ne
semblent point avoir de rapports entre elles ; le
créateur l'a précédé dans cette voie et les plus beaux
désordres sont effets de l'art, c'est-à-dire ordre encore.
La lecture est induction, interpolation, extrapola-
tion, et le fondement de ces activités repose dans la
volonté de l'auteur, comme on a cru longtemps
que celui de l'induction scientifique reposait dans la
volonté divine. Une force douce nous accompagne
et nous soutient de la première page à la dernière.
Cela ne veut pas dire que nous déchiffrions aisément
les intentions de l'artiste : elles font l'objet, nous
l'avons dit, de conjectures et il y a une *expérience*
du lecteur ; mais ces conjectures sont étayées par la

grande certitude où nous sommes que les beautés qui paraissent dans le livre ne sont jamais l'effet de rencontres. L'arbre et le ciel, dans la nature, ne s'harmonisent que par hasard ; si, au contraire, dans le roman, les héros se trouvent dans *cette* tour, dans *cette* prison, s'ils se promènent dans *ce* jardin, il s'agit à la fois de la restitution de séries causales indépendantes (le personnage avait un certain état d'âme dû à une succession d'événements psychologiques et sociaux ; d'autre part, il se rendait en un lieu déterminé et la configuration de la ville l'obligeait à traverser un certain parc) et de l'expression d'une finalité plus profonde, car le parc n'est venu à l'existence que *pour* s'harmoniser avec un certain état d'âme, pour l'exprimer au moyen de choses ou pour le mettre en relief par un vif contraste ; et l'état d'âme lui-même, il a été conçu en liaison avec le paysage. Ici c'est la causalité qui est l'apparence et qu'on pourrait nommer « causalité sans cause », et c'est la finalité qui est la réalité profonde. Mais si je puis ainsi mettre en toute confiance l'ordre des fins sous l'ordre des causes, c'est que j'affirme en ouvrant le livre que l'objet tire sa source de la liberté humaine. Si je devais soupçonner l'artiste d'avoir écrit par passion et dans la passion, ma confiance s'évanouirait aussitôt, car il ne servirait à rien d'avoir étayé l'ordre des causes par l'ordre des fins ; celui-ci serait supporté à son tour par une causalité psychique et, pour finir, l'œuvre d'art rentrerait dans la chaîne du déterminisme. Je ne nie pas, certes, lorsque je lis, que l'auteur ne puisse être passionné, ni même qu'il ait pu concevoir le premier dessin de son ouvrage sous l'empire de la passion. Mais sa décision d'écrire suppose qu'il prenne du recul par rapport à ses affections ; en un mot, qu'il ait transformé ses émotions en émotions libres, comme je fais des miennes en le lisant, c'est-à-dire qu'il soit en attitude de générosité. Ainsi la lecture est un pacte de générosité entre l'auteur et le lecteur; chacun fait confiance à l'autre, chacun compte sur l'autre, exige de l'autre autant qu'il exige de lui-même. Car cette confiance est elle-même générosité : nul ne peut obliger l'auteur à croire que son lecteur usera de sa liberté; nul ne peut obliger le lecteur à croire que l'auteur a usé de la sienne. C'est une décision libre qu'ils prennent l'un et l'autre. Il s'établit alors un va-et-vient dialectique; quand je lis, j'exige; ce que je lis alors, si mes exigences sont remplies, m'incite à exiger davantage de l'auteur, ce qui signifie : à exiger de l'auteur qu'il exige davantage de moi-même. Et réciproquement l'exigence de l'auteur c'est que je porte au plus haut degré mes exigences. Ainsi ma liberté en se manifestant dévoile la liberté de l'autre.

Il importe peu que l'objet esthétique soit le produit d'un art « réaliste » (ou prétendu tel) ou d'un art « formel ». De toute façon, les rapports naturels sont inversés : cet arbre, au premier plan du tableau de Cézanne, apparaît d'abord comme le produit d'un enchaînement causal. Mais la causalité est une illusion; elle demeurera sans doute comme une proposition tant que nous regarderons le tableau, mais elle sera supportée par une finalité profonde : si l'arbre est ainsi placé, c'est parce que le reste du tableau *exigeait* qu'on plaçât au premier plan cette forme et ces couleurs. Ainsi à travers la causalité phénoménale, notre regard atteint la finalité, comme la structure profonde de l'objet et, au delà de la finalité, il atteint la liberté humaine comme sa source et son fondement originel. Le réalisme de Ver Meer est si poussé qu'on pourrait croire d'abord qu'il est photographique. Mais si l'on vient à considérer la splendeur de sa matière, la gloire rose et veloutée de ses petits murs de brique, l'épaisseur bleue d'une

branche de chèvrefeuille, l'obscurité vernie de ses
vestibules, la chair orangée de ses visages polis
comme la pierre des bénitiers, on sent tout à coup
au plaisir qu'on éprouve, que la finalité n'est pas
tant dans les formes ou dans les couleurs que dans
son imagination matérielle; c'est la substance même
et la pâte des choses qui est ici la raison d'être de
leurs formes; avec ce réaliste nous sommes peut-être
le plus près de la création absolue puisque c'est
dans la passivité même de la matière que nous
rencontrons l'insondable liberté de l'homme.

Or, ce n'est jamais à l'objet peint, sculpté ou raconté
que l'œuvre se limite; de même qu'on ne perçoit
les choses que sur le fond du monde, de même les
objets représentés par l'art paraissent sur le fond de
l'univers. A l'arrière-plan des aventures de Fabrice,
il y a l'Italie de 1820, l'Autriche et la France, et
le ciel avec ses astres que consulte l'abbé Blanès et
finalement la terre entière. Si le peintre nous présente un champ ou un vase de fleurs, ses tableaux
sont des fenêtres ouvertes sur le monde entier; ce
chemin rouge qui s'enfonce entre les blés, nous le
suivons bien plus loin que Van Gogh ne l'a peint,
entre d'autres champs de blé, sous d'autres nuages,
jusqu'à une rivière qui se jette dans la mer; et nous
prolongeons à l'infini, jusqu'à l'autre bout du monde
la terre profonde qui soutient l'existence des champs
et de la finalité. En sorte que, à travers les quelques
objets qu'il produit ou reproduit, c'est à une reprise
totale du monde que vise l'acte créateur. Chaque
tableau, chaque livre est une récupération de la
totalité de l'être; chacun d'eux présente cette totalité à la liberté du spectateur. Car c'est bien le but
final de l'art : récupérer ce monde-ci en le donnant
à voir tel qu'il est, mais comme s'il avait sa source
dans la liberté humaine. Mais, comme ce que l'auteur
crée ne prend de réalité objective qu'aux yeux du

spectateur, c'est par la cérémonie du spectacle
— et singulièrement de la lecture — que cette récupération est consacrée. Nous sommes déjà mieux
en mesure de répondre à la question que nous posions
tout à l'heure : l'écrivain choisit d'en appeler à la
liberté des autres hommes pour que, par les implications réciproques de leurs exigences, ils réappro-
prient la totalité de l'être à l'homme et referment
l'humanité sur l'univers.

Si nous voulons aller plus loin, il faut nous rappeler
que l'écrivain, comme tous les autres artistes, vise
à donner à ses lecteurs une certaine affection que l'on
a coutume de nommer plaisir esthétique et que je
nommerais plus volontiers, pour ma part, joie esthétique; et que cette affection, lorsqu'elle paraît, est
signe que l'œuvre est accomplie. Il convient donc
de l'examiner à la lumière des considérations qui
précèdent. Cette joie, en effet, qui [est refusée au
créateur en tant qu'il crée, ne fait qu'un avec la
conscience esthétique du spectateur, c'est-à-dire, dans
le cas qui nous occupe, du lecteur. C'est un sentiment complexe mais dont les structures se conditionnent les unes les autres et sont inséparables.
Il ne fait qu'un, d'abord avec la reconnaissance
d'une fin transcendante et absolue qui suspend
pour un moment la cascade utilitaire des fins-
moyens et des moyens-fins [2], c'est-à-dire d'un appel
ou, ce qui revient au même, d'une valeur. Et la
conscience positionnelle que je prends de cette
valeur s'accompagne nécessairement de la conscience non positionnelle de ma liberté, puisque c'est
par une exigence transcendante que la liberté se
manifeste à elle-même. La reconnaissance de la
liberté par elle-même est joie, mais cette structure
de la conscience non-thétique en implique une
autre : puisque, en effet, la lecture est création,
ma liberté ne s'apparaît pas seulement comme pure

autonomie, mais comme activité créatrice, c'est-à-
dire qu'elle ne se borne pas à se donner sa propre
loi, mais qu'elle se saisit comme constitutive de
l'objet. A ce niveau se manifeste le phénomène
proprement esthétique, c'est-à-dire une création où
l'objet créé est donné *comme objet* à son créateur;
c'est le cas unique où le créateur a jouissance de
l'objet qu'il crée. Et le mot de jouissance qui s'applique à la conscience positionnelle de l'œuvre lue
indique assez que nous sommes en présence d'une
structure essentielle de la joie esthétique. Cette jouissance positionnelle s'accompagne de la conscience
non positionnelle d'être essentiel par rapport à un
objet saisi comme essentiel; je nommerai cet aspect
de la conscience esthétique : sentiment de sécurité;
c'est lui qui empreint d'un calme souverain les émotions esthétiques les plus fortes; il a pour origine la
constatation d'une harmonie rigoureuse entre la
subjectivité et l'objectivité. Comme d'autre part
l'objet esthétique est proprement le monde en tant
qu'il est visé à travers des imaginaires, la joie esthétique accompagne la conscience positionnelle que
le monde est une valeur, c'est-à-dire une tâche
proposée à la liberté humaine. Et c'est ce que je
nommerai modification esthétique du projet humain,
car à l'ordinaire le monde apparaît comme l'horizon de
notre situation, comme la distance infinie qui nous
sépare de nous-mêmes, comme la totalité synthétique du donné, comme l'ensemble indifférencié des
obstacles et des ustensiles — mais jamais comme
une exigence qui s'adresse à notre liberté. Ainsi la
joie esthétique provient-elle à ce niveau de la conscience que je prends de récupérer et d'intérioriser ce
qui est le non-moi par excellence, puisque je transforme le donné en impératif et le fait en valeur :
le monde est *ma* tâche, c'est-à-dire que la fonction
essentielle et librement consentie de ma liberté est

précisément de faire venir à l'être dans un mouvement inconditionné l'objet unique et absolu qu'est l'univers. Et, troisièmement, les structures précédentes impliquent un pacte entre les libertés humaines, car, d'une part, la lecture est reconnaissance confiante et exigeante de la liberté de l'écrivain, et, d'autre part, le plaisir esthétique, comme il est ressenti lui-même sous l'aspect d'une valeur, enveloppe une exigence absolue à l'égard d'autrui ; celle que tout homme, en tant qu'il est liberté, éprouve le même plaisir en lisant le même ouvrage. Ainsi l'humanité tout entière est présente dans sa plus haute liberté, elle soutient à l'être un monde qui est à la fois *son* monde et le monde « extérieur ». Dans la joie esthétique, la conscience positionnelle est conscience *imageante* du monde dans sa totalité comme être et devoir être à la fois, à la fois comme totalement nôtre et totalement étranger, et d'autant plus nôtre qu'il est plus étranger. La conscience non positionnelle enveloppe *réellement* la totalité harmonieuse des libertés humaines en tant qu'elle fait l'objet d'une confiance et d'une exigence universelles.

Écrire, c'est donc à la fois dévoiler le monde et le proposer comme une tâche à la générosité du lecteur. C'est recourir à la conscience d'autrui pour se faire reconnaître comme *essentiel* à la totalité de l'être ; c'est vouloir vivre cette essentialité par personnes interposées ; mais comme d'autre part le monde réel ne se révèle qu'à l'action, comme on ne peut s'y sentir qu'en le dépassant pour le changer, l'univers du romancier manquerait d'épaisseur si on ne le découvrait dans un mouvement pour le transcender. On l'a souvent remarqué : un objet, dans un récit, ne tire pas sa densité d'existence du nombre et de la longueur des descriptions qu'on y consacre, mais de la complexité de ses liens avec les différents personnages ; il paraîtra d'autant plus

réel qu'il sera plus souvent manié, pris et reposé,
bref dépassé par les personnages vers leurs propres
fins. Ainsi du monde romanesque, c'est-à-dire de la
totalité des choses et des hommes : pour qu'il offre
son maximum de densité, il faut que le dévoilement-
création par quoi le lecteur le découvre soit aussi
engagement imaginaire dans l'action; autrement dit,
plus on aura de goût à le changer et plus il sera vivant.
L'erreur du réalisme a été de croire que le réel se
révélait à la contemplation et que, en conséquence,
on en pouvait faire une peinture impartiale. Comment serait-ce possible, puisque la perception même
est partiale, puisque, à elle seule, la nomination
est déjà modification de l'objet ? Et comment l'écrivain, qui se veut essentiel à l'univers pourrait-il
vouloir l'être aux injustices que cet univers renferme ?
Il faut qu'il le soit pourtant; mais s'il accepte d'être
créateur d'injustices, c'est dans un mouvement qui
les dépasse vers leur abolition. Quant à moi qui
lis, si je crée et maintiens à l'existence un monde
injuste, je ne puis faire que je ne m'en rende responsable. Et tout l'art de l'auteur est pour m'obliger
à *créer* ce qu'il *dévoile*, donc à me compromettre.
A nous deux, voilà que nous portons la responsabilité de l'univers. Et, précisément parce que cet
univers est soutenu par l'effort conjugué de nos
deux libertés, et que l'auteur a tenté par mon intermédiaire de l'intégrer à l'humain, il faut qu'il appa-
raisse vraiment *en lui-même*, dans sa pâte la plus
profonde, comme traversé de part en part et soutenu
par une liberté qui a pris pour fin la liberté humaine,
et, s'il n'est pas vraiment la cité des fins qu'il doit
être, il faut au moins qu'il soit une étape vers elle,
en un mot, il faut qu'il soit un devenir et qu'on le
considère et présente toujours, non comme une
masse écrasante qui pèse sur nous, mais du point
de vue de son dépassement vers cette cité des fins;

il faut que l'ouvrage, si méchante et si désespérée
que soit l'humanité qu'il peint, ait un air de générosité. Non certes que cette générosité se doive
exprimer par des discours édifiants ou par des personnages vertueux : elle ne doit pas même être pré-
méditée et il est bien vrai qu'on ne fait pas de bons
livres avec de bons sentiments. Mais elle doit être
la trame même du livre, l'étoffe où sont taillés les
gens et les choses : quel que soit le sujet, une sorte
de légèreté essentielle doit paraître partout et rappeler que l'œuvre n'est jamais une donnée naturelle,
mais une *exigence* et un *don*. Et si l'on me donne
ce monde avec ses injustices, ce n'est pas pour que
je contemple celles-ci avec froideur, mais pour que
je les anime de mon indignation et que je les dévoile
et les crée avec leur nature d'injustices, c'est-à-dire
d'abus-devant-être-supprimés. Ainsi l'univers de
l'écrivain ne se dévoilera dans toute sa profondeur
qu'à l'examen, à l'admiration, à l'indignation du
lecteur; et l'amour généreux est serment de maintenir, et l'indignation généreuse est serment de changer,
et l'admiration serment d'imiter; bien que la littérature soit une chose et la morale une tout autre
chose, au fond de l'impératif esthétique nous discer-
nons l'impératif moral. Car puisque celui qui écrit
reconnaît, par le fait même qu'il se donne la peine
d'écrire, la liberté de ses lecteurs, et puisque celui
qui lit, du seul fait qu'il ouvre le livre, reconnaît
la liberté de l'écrivain, l'œuvre d'art, de quelque
côté qu'on la prenne, est un acte de confiance dans
la liberté des hommes. Et puisque les lecteurs comme
l'auteur ne reconnaissent cette liberté que pour
exiger qu'elle se manifeste, l'œuvre peut se définir
comme une présentation imaginaire du monde en
tant qu'il exige la liberté humaine. De quoi résulte
d'abord qu'il n'y a pas de littérature noire, puisque
si sombres que soient les couleurs dont on peint

le monde, on le peint pour que des hommes libres
éprouvent devant lui leur liberté. Ainsi n'y a-t-il que
de bons et de mauvais romans. Et le mauvais roman
est celui qui vise à plaire en flattant au lieu que le
bon est une exigence et un acte de foi. Mais surtout
l'unique aspect sous lequel l'artiste peut présenter
le monde à ces libertés dont il veut réaliser l'accord,
c'est celui d'un monde à imprégner toujours davantage de liberté. Il ne serait pas concevable que ce
déchaînement de générosité que l'écrivain provoque
fût employé à consacrer une injustice et que le
lecteur jouisse de sa liberté en lisant un ouvrage
qui approuve ou accepte ou simplement s'abstienne
de condamner l'asservissement de l'homme par
l'homme. On peut imaginer qu'un bon roman soit
écrit par un Noir américain même si la haine des
Blancs s'y étale parce que, à travers cette haine,
c'est la liberté de sa race qu'il réclame. Et comme
il m'invite à prendre l'attitude de la générosité, je
ne saurais souffrir, au moment où je m'éprouve
comme liberté pure, de m'identifier avec une race
d'oppression. C'est donc contre la race blanche et
contre moi-même en tant que j'en fais partie que
je réclame de toutes les libertés qu'elles revendiquent
la libération des hommes de couleur. Mais personne
ne saurait supposer un instant qu'on puisse écrire
un bon roman à la louange de l'antisémitisme[3]. Car
on ne peut exiger de moi, dans le moment où j'éprouve
que ma liberté est indissolublement liée à celle de
tous les autres hommes, que je l'emploie à approuver
l'asservissement de quelques-uns d'entre eux. Ainsi
qu'il soit essayiste, pamphlétaire, satiriste ou romancier, qu'il parle seulement des passions individuelles
ou qu'il s'attaque au régime de la société, l'écrivain,
homme libre s'adressant à des hommes libres, n'a
qu'un seul sujet : la liberté.

Dès lors, toute tentative d'asservir ses lecteurs

le menace dans son art même. Un forgeron, c'est dans sa vie d'homme que le fascisme l'atteindra mais pas nécessairement dans son métier : un écrivain, c'est dans l'une et dans l'autre, plus encore dans le métier que dans la vie. J'ai vu des auteurs qui, avant la guerre appelaient le fascisme de tous leurs vœux, frappés de stérilité dans le moment même que les Nazis les comblaient d'honneurs. Je pense surtout à Drieu la Rochelle : il s'est trompé, mais il était sincère, il l'a prouvé. Il avait accepté de diriger une revue inspirée. Les premiers mois il admonestait, chapitrait, sermonnait ses compatriotes. Personne ne lui répondit : c'est parce qu'on n'était plus libre de le faire. Il en témoigna de l'humeur, il ne *sentait* plus ses lecteurs. Il se montra plus pressant mais aucun signe ne vint lui prouver qu'il avait été compris. Aucun signe de haine, ni de colère non plus : rien. Il parut désorienté, en proie à une agitation grandissante, il se plaignit amèrement aux Allemands ; ses articles étaient superbes, ils devinrent aigres ; le moment arriva où il se frappa la poitrine : nul écho, sauf chez des journalistes vendus qu'il méprisait. Il offrit sa démission, la reprit, parla encore, toujours dans le désert. Finalement il se tut, bâillonné par le silence des autres. Il avait réclamé leur asservissement mais, dans sa tête folle, il avait dû l'imaginer volontaire, libre encore ; il vint ; l'homme en lui s'en félicita bien haut, mais l'écrivain ne put le supporter. Au même moment d'autres, qui furent heureusement le plus grand nombre, comprenaient que la liberté d'écrire implique la liberté du citoyen. On n'écrit pas pour des esclaves. L'art de la prose est solidaire du seul régime où la prose garde un sens : la démocratie. Quand l'une est menacée, l'autre l'est aussi. Et ce n'est pas assez que de les défendre par la plume. Un jour vient où la plume est contrainte de s'arrêter et il faut alors

que l'écrivain prenne les armes. Ainsi de quelque
façon que vous y soyez venu, quelles que soient les
opinions que vous ayez professées, la littérature
vous jette dans la bataille; écrire c'est une certaine
façon de vouloir la liberté; si vous avez commencé,
de gré ou de force vous êtes engagé.

Engagé à quoi ? demandera-t-on. Défendre la
liberté, c'est vite dit. S'agit-il de se faire le gardien
des valeurs idéales, comme le clerc de Benda avant
la trahison, ou bien est-ce la liberté concrète et
quotidienne qu'il faut protéger, en prenant parti
dans les luttes politiques et sociales ? La question
est liée à une autre, fort simple en apparence mais
qu'on ne se pose jamais : « Pour qui écrit-on ? »

NOTES

1. Il en est de même à des degrés divers pour l'attitude du spectateur en face des autres œuvres d'art (tableaux, symphonies, statues, etc.)

2. Dans la *vie pratique*, chaque moyen est susceptible d'être pris pour fin, dès lors qu'on le recherche, et chaque fin se révèle moyen d'atteindre une autre fin.

3. On s'est ému de cette dernière remarque. Je demande donc qu'on me cite un seul bon roman dont le propos exprès fut de servir à l'oppression, un seul qui fut écrit contre les Juifs, contre les Noirs, contre les ouvriers, contre les peuples colonisés. « S'il n'y en a pas, dira-t-on, ce n'est pas une raison pour qu'on n'en écrive pas un jour. » Mais vous avouez alors que vous êtes un théoricien abstrait. Vous, pas moi. Car c'est au nom de votre conception abstraite de l'art que vous affirmez la possibilité d'un fait qui ne s'est jamais produit, au lieu que je me borne à proposer une explication pour un fait reconnu.

III

POUR QUI ÉCRIT-ON?

A première vue, cela ne fait pas de doute : on écrit
pour le lecteur universel ; et nous avons vu, en effet,
que l'exigence de l'écrivain s'adresse en principe à
tous les hommes. Mais les descriptions qui précèdent sont idéales. En fait l'écrivain sait qu'il
parle pour des libertés enlisées, masquées, indis-
ponibles ; et sa liberté même n'est pas si pure, il
faut qu'il la nettoie ; il écrit aussi pour la nettoyer.
Il est dangereusement facile de parler trop vite des
valeurs éternelles : les valeurs éternelles sont fort
décharnées. La liberté même, si on la considère
sub specie æternitatis, paraît un rameau desséché :
car elle est, comme la mer, toujours recommencée ;
elle n'est rien d'autre que le mouvement par quoi
perpétuellement on s'arrache et se libère. Il n'y a
pas de liberté donnée ; il faut se conquérir sur les
passions, sur la race, sur la classe, sur la nation et
conquérir avec soi les autres hommes. Mais ce qui
compte, en ce cas, c'est la figure singulière de l'obs-
tacle à enlever, de la résistance à vaincre, c'est elle
qui donne, en chaque circonstance, sa figure à la
liberté. Si l'écrivain a choisi, comme le veut Benda,

de radoter, il peut parler en belles périodes de cette liberté éternelle que réclament à la fois le national-socialisme, le communisme stalinien et les démocraties capitalistes. Il ne gênera personne : il ne s'adressera à personne : on lui a accordé d'avance tout ce qu'il demande. Mais c'est un rêve abstrait, qu'il le veuille ou non et même s'il guigne des lauriers éternels, l'écrivain parle à ses contemporains, à ses compatriotes, à ses frères de race ou de classe. On n'a pas assez remarqué, en effet, qu'un ouvrage de l'esprit est naturellement *allusif*. Même si le propos de l'auteur est de donner la représentation la plus complète de son objet, il n'est jamais question qu'il raconte *tout*, il sait plus de choses encore qu'il n'en dit. C'est que le langage est ellipse. Si je veux signaler à mon voisin qu'une guêpe est entrée par la fenêtre, il n'y faut pas de longs discours. « Attention ! » ou « là ! » — un mot suffit, un geste — dès qu'il la voit, tout est fait. A supposer qu'un disque nous reproduisît sans commentaires les conversations quotidiennes d'un ménage de Provins ou d'Angoulême, nous n'y entendrions rien : il y manquerait le *contexte*, c'est-à-dire les souvenirs communs et les perceptions communes, la situation du couple et ses entreprises, bref le monde tel que chacun des interlocuteurs sait qu'il apparaît à l'autre. Ainsi de la lecture : les gens d'une même époque et d'une même collectivité, qui ont vécu les mêmes événements, qui se posent ou qui éludent les mêmes questions, ont un même goût dans la bouche, ils ont les uns avec les autres une même complicité et il y a entre eux les mêmes cadavres. C'est pourquoi il ne faut pas tant écrire : il y a des mots-clés. Si je raconte l'occupation allemande à un public américain, il faudra beaucoup d'analyses et de précautions ; je perdrai vingt pages à dissiper des préventions, des préjugés, des légendes ; après il faudra que j'assure mes positions à chaque pas, que je cherche dans l'histoire des États-Unis des images et des symboles qui permettent de comprendre la nôtre, que je garde tout le temps présente à mon esprit la différence entre notre pessimisme de vieux et leur optimisme d'enfants. Si j'écris du même sujet pour des Français, nous sommes entre nous : il suffit de ces mots, par exemple : « un concert de musique militaire allemande dans le kiosque d'un jardin public », tout est là : un aigre printemps, un parc de province, des hommes au crâne rasé qui soufflent dans des cuivres, des passants aveugles et sourds qui pressent le pas, deux ou trois auditeurs renfrognés sous les arbres, cette aubade inutile à la France qui se perd dans le ciel, notre honte et notre angoisse, notre colère, notre fierté aussi. Ainsi le lecteur auquel je m'adresse n'est ni Micromégas ni l'Ingénu, ni non plus Dieu le père. Il n'a pas l'ignorance du bon sauvage, à qui l'on doit tout expliquer à partir des principes, ce n'est pas un esprit ni une table rase. Il n'a pas non plus l'omniscience d'un ange ou du Père Éternel, je lui dévoile certains aspects de l'univers, je profite de ce qu'il sait pour tenter de lui apprendre ce qu'il ne sait pas. Suspendu entre l'ignorance totale et la toute-connaissance, il possède un bagage défini qui varie d'un moment à l'autre et qui suffit à révéler son *historicité*. Ce n'est point, en effet, une conscience instantanée, une pure affirmation intemporelle de liberté et il ne survole pas non plus l'histoire : il y est engagé. Les auteurs aussi sont historiques ; et c'est précisément pour cela que certains d'entre eux souhaitent échapper à l'histoire par un saut dans l'éternité. Entre ces hommes qui sont plongés dans une même histoire et qui contribuent pareillement à la faire, un contact historique s'établit par le truchement du livre. Écriture et lecture sont les deux

faces d'un même fait d'histoire et la liberté à laquelle
l'écrivain nous convie, ce n'est pas une pure conscience abstraite d'être libre. Elle n'*est pas*, à proprement parler, elle se conquiert dans une situation
historique; chaque livre propose une libération
concrète à partir d'une aliénation particulière. Aussi
y a-t-il en chacun un recours implicite à des institutions, à des mœurs, à certaines formes d'oppression
et de conflit, à la sagesse et à la folie du jour, à des
passions durables et à des obstinations passagères,
à des superstitions et à des conquêtes récentes du
bon sens, à des évidences et à des ignorances, à des
façons particulières de raisonner, que les sciences
ont mises à la mode et qu'on applique dans tous les
domaines, à des espoirs, à des craintes, à des habi-
tudes de la sensibilité, de l'imagination et même de
la perception, à des mœurs enfin et à des valeurs
reçues, à tout un monde que l'auteur et le lecteur
ont en commun. C'est ce monde bien connu que
l'auteur anime et pénètre de sa liberté, c'est à partir
de lui que le lecteur doit opérer sa libération concrète :
il est l'aliénation, la situation, l'histoire, c'est lui
que je dois reprendre et assumer, c'est lui que je
dois changer ou conserver, pour moi et pour les
autres. Car si l'aspect immédiat de la liberté est
négativité, on sait qu'il ne s'agit pas de la puissance
abstraite de dire non, mais d'une négativité concrète qui retient en elle-même ce qu'elle nie et s'en
colore tout entière. Et puisque les libertés de l'auteur
et du lecteur se cherchent et s'affectent à travers
un monde, on peut dire aussi bien que c'est le choix
fait par l'auteur d'un certain aspect du monde qui
décide du lecteur et réciproquement que c'est en
choisissant son lecteur que l'écrivain décide de son
sujet. Ainsi tous les ouvrages de l'esprit contiennent
en eux-mêmes l'image du lecteur auquel ils sont
destinés. Je pourrais faire le portrait de Nathanaël

d'après les *Nourritures terrestres :* l'aliénation dont on l'invite à se libérer, je vois que c'est la famille, les biens immeubles qu'il possède ou possédera par héritage, le projet utilitaire, un moralisme appris, un théisme étroit; je vois aussi qu'il a de la culture et des loisirs puisqu'il serait absurde de proposer Ménalque en exemple à un manœuvre, à un chômeur, à un Noir des États-Unis, je sais qu'il n'est menacé par aucun péril extérieur, ni par la faim, ni par la guerre, ni par l'oppression d'une classe ou d'une race; l'unique péril qu'il court c'est d'être victime de son propre milieu, donc c'est un Blanc, un Aryen, un riche, l'héritier d'une grande famille bourgeoise qui vit à une époque relativement stable et facile encore, où l'idéologie de la classe possédante commence à peine de décliner : précisément ce Daniel de Fontanin que Roger Martin du Gard nous a présenté plus tard comme un admirateur enthousiaste d'André Gide.

Pour prendre un exemple plus proche encore, il est frappant que le *Silence de la Mer*, ouvrage qui fut écrit par un résistant de la première heure et dont le but est manifeste à nos yeux, n'ait rencontré que de l'hostilité dans les milieux émigrés de New-York, de Londres, parfois même d'Alger et qu'on ait été jusqu'à taxer son auteur de collaborationnisme. C'est que Vercors ne visait pas *ce* public-*là*. Dans la zone occupée, au contraire, personne n'a douté des intentions de l'auteur ni de l'efficacité de son écrit : il écrivait pour nous. Je ne pense pas, en effet, que l'on puisse défendre Vercors en disant que son Allemand est vrai, vrais son vieillard français et sa jeune fille française. Kœstler a écrit là-dessus de très bonnes pages : le silence des deux Français n'a pas de vraisemblance psychologique; il a même un goût léger d'anachronisme : il rappelle le mutisme têtu des paysans patriotes de Maupassant

pendant une autre occupation; une *autre* occupation
avec d'autres espoirs, d'autres angoisses, d'autres
mœurs. Quant à l'officier allemand, son portrait
ne manque pas de vie, mais, comme il va de soi,
Vercors, qui, dans le même temps, refusait tout
contact avec l'armée d'occupation, l'a fait « de chic »
en combinant les éléments probables de ce caractère. Ainsi n'est-ce pas au nom de la *vérité* que l'on
doit préférer ces images à celles que la propagande
des Anglo-Saxons forgeait chaque jour. Mais pour
un Français de la métropole le roman de Vercors en
1941 était le plus *efficace*. Quand l'ennemi est séparé
de vous par une barrière de feu, vous devez le juger
en bloc comme l'incarnation du mal : toute guerre
est un manichéisme. Il est donc compréhensible
que les journaux d'Angleterre ne perdissent pas leur
temps à distinguer le bon grain de l'ivraie dans
l'armée allemande. Mais, inversement, les popula-
tions vaincues et occupées, mélangées à leurs vainqueurs, réapprennent, par l'accoutumance, par les
effets d'une propagande habile, à les considérer
comme des hommes. Des hommes bons ou mauvais;
bons *et* mauvais à la fois. Une œuvre qui leur eût
présenté les soldats allemands en 41 comme des
ogres eût fait rire et manqué son but. Dès la fin
de 42, le *Silence de lo Mer*, avait perdu son efficace :
c'est que la guerre recommençait sur notre terri-
toire : d'un côté, propagande clandestine, sabotages,
déraillements, attentats; de l'autre, couvre-feu,
déportations, emprisonnements, tortures, exécutions
d'otages. Une invisible barrière de feu séparait à
nouveau les Allemands des Français; nous ne voulions plus savoir si les Allemands qui arrachaient
les yeux et les ongles à nos amis étaient des complices
ou des victimes du nazisme; en face d'eux il ne suffisait plus de garder un silence hautain, ils ne l'eussent
pas toléré d'ailleurs : à ce tournant de la guerre, il

fallait être avec eux ou contre eux; au milieu des
bombardements et des massacres, des villages brûlés,
des déportations, le roman de Vercors semblait une
idylle : il avait perdu son public. Son public c'était
l'homme de 41, humilié par la défaite, mais surpris
par la courtoisie apprise de l'occupant, sincèrement
désireux de la paix, terrifié par le fantôme du bol-
chevisme, égaré par les discours de Pétain. A cet
homme-là, il était vain de présenter les Allemands
comme des brutes sanguinaires, il fallait lui concéder,
au contraire, qu'ils puissent être polis et même
sympathiques, et puisqu'il avait découvert avec surprise que la plupart d'entre eux étaient « des hommes
comme nous », il fallait lui remontrer que, même
en ce cas, la fraternité était impossible, que les
soldats étrangers étaient d'autant plus malheureux
et plus impuissants qu'ils semblaient plus sympathiques et qu'il faut lutter contre un régime et contre
une idéologie néfastes même si les hommes qui
nous les apportent ne nous paraissent pas mauvais. Et comme on s'adressait en somme à une
foule passive, comme il y avait encore assez peu
d'organisations importantes et qu'elles se montraient fort précautionneuses quant à leur recru-
tement, la seule forme d'opposition qu'on pouvait
réclamer de la population, c'était le silence, le
mépris, l'obéissance forcée et qui témoigne de l'être.
Ainsi le roman de Vercors définit son public; en
le définissant, il se définit lui-même : il veut combattre dans l'esprit de la bourgeoisie française de 41,
les effets de l'entrevue de Montoire. Un an et demi
après la défaite, il était vivant, virulent, efficace.
Dans un demi-siècle il ne passionnera plus personne. Un public mal renseigné le lira encore comme
un conte agréable et un peu languissant sur la
guerre de 1939. Il paraît que les bananes ont meilleur goût quand on vient de les cueillir : les ou-

vrages de l'esprit, pareillement, doivent se consommer sur place.

On sera tenté de reprocher sa vaine subtilité et son caractère indirect à tout essai pour expliquer un ouvrage de l'esprit par le public auquel il s'adresse. N'est-il pas plus simple, plus direct, plus rigoureux de prendre pour facteur déterminant la condition même de l'auteur ? Ne convient-il pas de s'en tenir à la notion tainienne du « milieu » ? Je répondrai que l'explication par le milieu est en effet *déterminante :* le milieu *produit* l'écrivain ; c'est pour cela que je n'y crois pas. Le public l'appelle au contraire, c'est-à-dire qu'il pose des questions à sa liberté. Le milieu est une *vis a tergo ;* le public au contraire est une attente, un vide à combler, une *aspiration,* au figuré et au propre. En un mot, c'est *l'autre.* Et je suis si loin de repousser l'explication de l'œuvre par la situation de l'homme que j'ai toujours considéré le projet d'écrire comme le libre dépassement d'une certaine situation humaine et *totale.* En quoi d'ailleurs, il n'est pas différent des autres entreprises. « J'allais, écrit Étiemble dans un article plein d'esprit mais un peu superficiel [1], reviser mon petit dictionnaire, quand le hasard me mit sous le nez trois lignes de Jean-Paul Sartre : « Pour nous, en « effet, l'écrivain n'est ni Vestale, ni Ariel. Il est dans « le coup quoi qu'il fasse, marqué, compromis jusque « dans sa plus lointaine retraite. » Être dans le coup, dans le bain. Je reconnaissais à peu près le mot de Blaise Pascal : « Nous sommes embarqués. » Mais du coup je voyais l'engagement perdre toute valeur, réduit soudain au fait le plus banal, au fait du prince et de l'esclave, à la condition humaine. »

Je ne dis pas autre chose. Seulement Étiemble fait l'étourdi. Si tout homme est embarqué cela ne veut point dire qu'il en ait pleine conscience ; la plupart passent leur temps à se dissimuler leur

engagement. Cela ne signifie pas nécessairement
qu'ils tentent des évasions dans le mensonge, les
paradis artificiels ou la vie imaginaire : il leur suffit
d'obscurcir leur lanterne, de voir les tenants sans
les aboutissants ou l'inverse, d'assumer la fin en
passant les moyens sous silence, de refuser la solidarité avec leurs pareils, de se réfugier dans l'esprit
de sérieux, d'ôter à la vie toute valeur en la considé-
rant du point de vue de la mort, et en même temps,
toute horreur à la mort en la fuyant dans la bana-
lité de la vie quotidienne, de se persuader, s'ils sont
d'une classe d'oppresseurs, qu'on échappe à sa
classe par la grandeur des sentiments et, s'ils sont
parmi les opprimés, de se dissimuler leur complicité avec les oppresseurs en soutenant qu'on peut
rester libre dans les chaînes si l'on a du goût pour
la vie intérieure. A tout cela les écrivains peuvent
avoir recours comme les autres. Il y en a, et c'est
le plus grand nombre, qui fournissent tout un
arsenal de ruses au lecteur qui veut dormir tranquille. Je dirai qu'un écrivain est engagé lorsqu'il
tâche à prendre la conscience la plus lucide et la
plus entière d'être embarqué, c'est-à-dire lorsqu'il
fait passer pour lui et pour les autres l'engagement
de la spontanéité immédiate au réfléchi. L'écrivain
est médiateur par excellence et son engagement
c'est la médiation. Seulement s'il est vrai qu'il
faut demander des comptes à son œuvre à partir
de sa condition, il faut se rappeler aussi que sa
condition n'est pas seulement celle d'un homme en
général mais précisément aussi d'un écrivain. Il
est Juif peut-être, et Tchèque et de famille paysanne,
mais c'est un *écrivain* juif, un *écrivain* tchèque et de
souche rurale. Lorsque j'ai tenté, dans un autre
article, de définir la situation du Juif, je n'ai trouvé
que ceci : « le Juif est un homme que les autres
hommes considèrent comme juif et qui a pour obli-

gation de se choisir lui-même à partir de la situation
qui lui est faite ». Car il y a des qualités qui nous
viennent uniquement par les jugements d'autrui.
Dans le cas de l'écrivain, le cas est plus complexe,
car nul n'est obligé de se choisir écrivain. Aussi la
liberté est-elle à l'origine : je suis auteur d'abord
par mon libre projet d'écrire. Mais tout aussitôt
vient ceci : c'est que je deviens un homme que les
autres hommes considèrent comme écrivain c'est-
à-dire qui doit répondre à une certaine demande et
que l'on pourvoit de gré ou de force d'une certaine
fonction sociale. Quelle que soit la partie qu'il veuille
jouer, il faut la jouer à partir de la représentation
que les autres ont de lui. Il peut vouloir modifier
le personnage que l'on attribue à l'homme de lettres
dans une société donnée; mais pour le changer il
faut qu'il s'y coule d'abord. Aussi le public intervient, avec ses mœurs, sa vision du monde, sa conception de la société et de la littérature au sein de
la société; il cerne l'écrivain, il l'investit et ses
exigences impérieuses ou sournoises, ses refus, ses
fuites sont les données de fait à partir de quoi l'on
peut construire une œuvre. Prenons le cas du grand
écrivain noir Richard Wright. Si nous considérons
seulement sa condition d'*homme*, c'est-à-dire de
« négro » du Sud des États-Unis transporté dans
le Nord, nous concevrons tout de suite, qu'il ne
puisse écrire que des Noirs ou des Blancs *vus par
les yeux des Noirs.* Peut-on supposer un instant qu'il
accepte de passer sa vie dans la contemplation du
Vrai, du Beau et du Bien éternel, quand 90 p. 100 des
nègres du Sud sont pratiquement privés du droit
de vote ? Et si l'on parle ici de trahison de clerc,
je réponds qu'il n'y a pas de clercs chez les opprimés.
Les clercs sont nécessairement les parasites des
classes ou des races qui oppriment. Si donc un Noir
des États-Unis se découvre une vocation d'écrivain,

il découvre en même temps son sujet : il est l'homme qui voit les Blancs du dehors, qui s'assimile la culture blanche du dehors et dont chaque livre montrera l'aliénation de la race noire au sein de la société américaine. Non pas objectivement, à la manière des réalistes, mais passionnément et de manière à compromettre son lecteur. Mais cet examen laisse indéterminée la nature de son œuvre : il pourrait être un pamphlétaire, un auteur de blues, le Jérémie des nègres du Sud. Si nous voulons aller plus loin, il faut considérer son public. A qui donc Richard Wright s'adresse-t-il ? Certainement pas à l'homme universel : il entre dans la notion d'homme universel cette caractéristique essentielle qu'il n'est engagé dans aucune époque particulière et qu'il ne s'émeut ni plus ni moins sur le sort des nègres de Louisiane que sur celui des esclaves romains du temps de Spartacus. L'homme universel ne saurait penser autre chose que les valeurs universelles, il est affirmation pure et abstraite des droits imprescriptibles de l'homme. Mais Wright ne peut songer non plus à destiner ses livres aux racistes blancs de Virginie ou de Caroline, dont le siège est fait d'avance et qui ne les ouvriront pas. Ni aux paysans noirs des bayous, qui ne savent pas lire. Et s'il se montre heureux de l'accueil que l'Europe réserve à ses livres, il est manifeste, cependant, qu'il n'a pas songé d'abord, en les écrivant, au public européen. L'Europe est loin, ses indignations sont inefficaces et hypocrites. On ne peut pas attendre beaucoup des nations qui ont asservi les Indes, l'Indochine, l'Afrique noire. Il suffit de ces considérations pour définir ses lecteurs : il s'adresse aux Noirs cultivés du Nord et aux Américains blancs de bonne volonté (intellectuels, démocrates de gauche, radicaux, ouvriers syndiqués du C. I. O.).

Ce n'est pas qu'il ne vise à travers eux tous les

hommes : mais il les vise *à travers eux :* de même que
la liberté éternelle se laisse entrevoir à l'horizon de
la libération historique et concrète qu'il poursuit,
de même l'universalité du genre humain est à l'horizon du groupe concret et historique de ses lecteurs.
Les paysans noirs analphabètes et les planteurs du
Sud représentent une marge de possibilités abstraites autour de son public réel : après tout un
illettré peut apprendre à lire; *Black Boy* peut tomber
entre les mains du plus obstiné des négrophobes
et lui dessiller les yeux. Cela signifie seulement que
tout projet humain dépasse ses limites de fait et
s'étend de proche en proche jusqu'à l'infini. Or il
est à remarquer qu'il existe au sein de ce *public
de fait* une cassure prononcée. Pour Wright les
lecteurs noirs représentent la subjectivité. Même
enfance, mêmes difficultés, mêmes complexes : ils
comprennent à demi-mot, avec leur cœur. En cherchant à s'éclairer sur sa situation personnelle, il
les éclaire sur eux-mêmes. La vie qu'ils mènent au
jour le jour, dans l'immédiat, et qu'ils souffrent sans
trouver de mots pour formuler leurs souffrances,
il la médiatise, il la nomme, il la leur montre : il
est leur conscience et le mouvement par lequel il
s'élève de l'immédiat à la reprise réflexive de sa
condition est celui de toute sa race. Mais, quelle
que soit la bonne volonté des lecteurs blancs, ceux-
ci représentent l'*Autre* pour un auteur noir. Ils
n'ont pas vécu ce qu'il a vécu, ils ne peuvent comprendre la condition des nègres qu'à la limite d'un
effort extrême et en s'appuyant sur des analogies
qui risquent à chaque instant de les trahir. D'autre
part, Wright ne les connaît pas tout à fait : c'est
du dehors seulement qu'il conçoit leur orgueilleuse
sécurité et cette tranquille certitude, commune à
tous les Aryens blancs, que le monde est blanc et
qu'ils en sont les propriétaires. Pour les Blancs,

les mots qu'il trace sur le papier n'ont pas le même contexte que pour les Noirs : il faut les choisir au jugé, puisqu'il ignore les résonances qu'ils trouveront dans ces consciences étrangères. Et, quand il leur parle, son but même est changé : il s'agit de les compromettre et de leur faire mesurer leurs responsabilités, il faut les indigner et leur faire honte. Ainsi chaque ouvrage de Wright contient ce que Baudelaire eût appelé « une double postulation simultanée », chaque mot renvoie à deux contextes ; à chaque phrase deux forces s'appliquent à la fois, qui déterminent la tension incomparable de son récit. Eût-il parlé aux Blancs seuls, il se fût peut-être montré plus prolixe, plus didactique, plus injurieux aussi ; aux Noirs, plus elliptique encore, plus complice, plus élégiaque. Dans le premier cas, son œuvre se fût rapprochée de la satire ; dans le second, des lamentations prophétiques : Jérémie ne parlait qu'aux Juifs. Mais Wright, écrivant pour un public déchiré, a su maintenir, à la fois, et dépasser cette déchirure : il en a fait le prétexte d'une œuvre d'art.

L'écrivain consomme et ne produit pas, même s'il a décidé de servir par la plume les intérêts de la communauté. Ses œuvres restent gratuites, donc inestimables ; leur valeur marchande est arbitrairement fixée. A certaines époques on le pensionne, à d'autres il touche un pourcentage sur le prix de vente de ses livres. Mais pas plus qu'entre le poème et la pension royale sous l'ancien régime, il n'y a, dans la société actuelle, de commune mesure entre l'ouvrage de l'esprit et sa rémunération au pourcentage. Au fond on ne paie pas l'écrivain : on le nourrit, bien ou mal selon les époques. Il ne peut en aller différemment, car son activité est *inutile :* il n'est pas du tout *utile*, il est parfois *nuisible* que la société prenne conscience d'elle-même. Car précisément l'utile se définit dans les cadres d'une société constituée et par rapport à des institutions, des valeurs et des fins déjà fixées. Si la société se voit et surtout si elle se voit *vue*, il y a, par le fait même, contestation des valeurs établies et du régime : l'écrivain lui présente son image, il la somme de l'assumer ou de se changer. Et, de toute façon, elle change; elle perd l'équilibre que lui donnait l'ignorance, elle oscille entre la honte et le cynisme, elle pratique la mauvaise foi; ainsi l'écrivain donne à la société *une conscience malheureuse*, de ce fait il est en perpétuel antagonisme avec les forces conservatrices qui maintiennent l'équilibre qu'il tend à rompre. Car le passage au médiat qui ne peut se faire que par négation de l'immédiat est une perpétuelle révolution. Seules les classes dirigeantes peuvent se permettre le luxe de rétribuer une activité aussi improductive et aussi dangereuse, et si elles le font, c'est à la fois tactique et malentendu. Malentendu pour la plupart : dégagés des soucis matériels, les membres de l'élite dirigeante sont suffisamment libérés pour désirer prendre d'eux-mêmes une connaissance réflexive; ils veulent se récupérer et chargent l'artiste de leur présenter leur image sans se rendre compte qu'il leur faudra ensuite l'assumer. Tactique chez quelques-uns, qui, ayant reconnu le danger, pensionnent l'artiste pour contrôler sa puissance destructrice. Ainsi l'écrivain est-il un parasite de « l'élite » dirigeante. Mais, fonctionnellement, il va à l'encontre des intérêts de ceux qui le font vivre [2]. Tel est le conflit originel qui définit sa condition. Parfois le conflit est manifeste. On parle encore de ces courtisans qui firent le succès du *Mariage de Figaro* quoiqu'il sonnât le glas du régime. D'autres fois il est masqué, mais il existe toujours parce que nommer c'est montrer et que montrer c'est changer.

Et comme cette activité de contestation, qui nuit aux intérêts établis, risque, pour sa très modeste part, de concourir à un changement de régime, comme, d'autre part, ces classes opprimées n'ont ni le loisir ni le goût de lire, l'aspect objectif du conflit peut s'exprimer comme un antagonisme entre les forces conservatrices ou public réel de l'écrivain et les forces progressistes ou public virtuel. Dans une société sans classes et dont la structure interne serait la révolution permanente, l'écrivain pourrait être médiateur *pour tous* et sa contestation de principe pourrait précéder ou accompagner les changements de fait. C'est à mon avis le sens profond qu'on doit donner à la notion *d'autocritique*. L'élargissement de son public réel jusqu'aux limites de son public virtuel opérerait dans sa conscience une réconciliation des tendances ennemies, la littérature, entièrement libérée, représenterait la *négativité*, en tant que moment nécessaire de la construction. Mais ce type de société, à ma connaissance, n'existe pas pour le moment et l'on peut douter qu'il soit possible. Le conflit demeure donc, il est à l'origine de ce que je nommerais les avatars de l'écrivain et de sa mauvaise conscience.

Il se réduit à sa plus simple expression lorsque le public virtuel est pratiquement nul et que l'écrivain au lieu de rester en marge de la classe privilégiée est absorbé par elle. En ce cas la littérature s'identifie avec l'idéologie des dirigeants, la méditation s'opère au sein de la classe, la contestation porte sur le détail et se fait au nom de principes incontestés. C'est par exemple ce qui se produit en Europe aux environs du xiie siècle : le clerc écrit exclusivement pour les clercs. Mais il peut garder une bonne conscience parce qu'il y a divorce entre le spirituel et le temporel. La Révolution chrétienne a amené l'avènement du spirituel, c'est-à-dire de l'esprit lui-même, comme négativité, contestation et trans-

cendance, perpétuelle construction, par delà le
règne de la Nature, de la cité *antinaturelle* des libertés.
Mais il était nécessaire que ce pouvoir universel de
dépasser l'objet fût rencontré d'abord comme un
objet, que cette négation perpétuelle de la Nature
apparût en premier lieu comme nature, que cette
faculté de créer perpétuellement des idéologies et
de les laisser derrière soi sur la route s'incarnât
pour commencer dans une idéologie particulière. Le
spirituel, dans les premiers siècles de notre ère, est
captif du christianisme ou, si l'on préfère, le christianisme c'est le spirituel lui-même mais *aliéné*.
C'est l'esprit qui est fait objet. On conçoit dès lors,
qu'au lieu d'apparaître comme l'entreprise commune
et toujours recommencée de tous les hommes, il se
manifeste d'abord comme la spécialité de quelques-
uns. La société du moyen âge a des besoins spiri-
tuels et elle a constitué pour les desservir un corps
de spécialistes qui se recrutent par cooptation. Nous
considérons aujourd'hui la lecture et l'écriture comme
des droits de l'homme et, en même temps, comme des
moyens de communiquer avec l'Autre, presque aussi
naturels et spontanés que le langage oral; c'est pourquoi le paysan le plus inculte est un lecteur en puissance. Du temps des clercs, ce sont des techniques strictement réservées aux professionnels. Elles ne sont
pas pratiquées pour elles-mêmes, comme des exer-
cices de l'esprit, elles n'ont pas pour but de faire
accéder à cet humanisme large et vague qu'on appel-
lera plus tard « les humanités »; elles sont uniquc-
ment des moyens de conserver et de transmettre
l'idéologie chrétienne. Savoir lire c'est avoir l'outil
nécessaire pour acquérir les connaissances des textes
sacrés et de leurs innombrables commentaires;
savoir écrire c'est savoir commenter. Les autres
hommes n'aspirent pas plus à posséder ces techniques
professionnelles que nous n'aspirons aujourd'hui à

acquérir celle du menuisier ou du chartiste, si nous
exerçons d'autres métiers. Les barons se reposent
sur les clercs du soin de produire et de garder la
spiritualité. Par eux-mêmes ils sont incapables
d'exercer un contrôle sur les écrivains, comme fait
aujourd'hui le public, et ils ne sauraient distinguer
l'hérésie des croyances orthodoxes, s'ils étaient laissés
sans secours. Ils s'émeuvent seulement quand le
pape recourt au bras séculier. Alors ils pillent et
brûlent tout, mais c'est seulement parce qu'ils font
confiance au pape et qu'ils ne dédaignent jamais
une occasion de piller. Il est vrai que l'idéologie leur
est finalement destinée, à eux et au peuple, mais on
la leur communique oralement par les prêches et
puis l'Église a disposé de bonne heure d'un langage
plus simple que l'écriture : c'est l'image. Les sculp-
tures des cloîtres et des cathédrales, les vitraux,
les peintures, les mosaïques parlent de Dieu et de
l'Histoire Sainte. En marge de cette vaste entreprise d'illustration de la foi, le clerc écrit ses chroniques, ses ouvrages philosophiques, ses commentaires, ses poèmes; il les destine à ses pairs, ils sont
contrôlés par ses supérieurs. Il n'a pas à se préoccu-
per des effets que ses ouvrages produiront sur les
masses puisqu'il est assuré d'avance qu'elles n'en
auront aucune connaissance; il ne saurait non plus
vouloir introduire le remords dans la conscience d'un
féodal pillard ou félon : la violence est illettrée. Il
ne s'agit donc pas pour lui de renvoyer au temporel
son image, ni de prendre parti, ni de dégager le
spirituel de l'expérience historique par un effort
continu. Mais, tout au contraire, comme l'écrivain
est d'Église, comme l'Église est un immense collège
spirituel qui prouve sa dignité par sa résistance au
changement, comme l'histoire et le temporel ne
font qu'un et que la spiritualité se distingue radicalement du temporel, comme le but de la cléricature

est de maintenir cette distinction, c'est-à-dire de se
maintenir comme corps spécialisé en face du siècle,
comme en outre l'économie est si fragmentée et les
moyens de communication si rares et si lents que
les événements qui se déroulent en une province
ne touchent aucunement la province voisine et qu'un
monastère peut jouir de sa paix particulière, tout
de même que le héros des *Acharniens*, pendant que
son pays est en guerre, l'écrivain a pour mission
de prouver son autonomie en se livrant à la contemplation exclusive de l'Éternel ; il affirme sans relâche
que l'Éternel existe et le démontre précisément par
le fait que son unique souci est de le regarder. En
ce sens il réalise en effet l'idéal de Benda, mais on
voit à quelles conditions : il faut que la spiritualité
et la littérature soient aliénées, qu'une idéologie
particulière triomphe, qu'un pluralisme féodal rende
l'isolement des clercs possible, que la quasi-totalité
de la population soit analphabète, que le seul public
de l'écrivain soit le collège des autres écrivains. Il
n'est pas concevable qu'on puisse à la fois exercer
sa liberté de penser, écrire pour un public qui déborde
la collectivité restreinte des spécialistes et se borner
à décrire le contenu de valeurs éternelles et d'idées
a priori. La bonne conscience du clerc médiéval
fleurit sur la mort de la littérature.

Il n'est pourtant pas tout à fait nécessaire, pour
que les écrivains conservent cette conscience heureuse, que leur public se réduise à un corps constitué
de professionnels. Il suffit qu'ils baignent dans l'idéologie des classes privilégiées, qu'ils en soient totalement imprégnés et qu'ils n'en puissent même pas
concevoir d'autres. Mais, dans ce cas, leur fonction
se modifie : on ne leur demande plus d'être les
gardiens des dogmes, mais seulement de ne pas
s'en faire les détracteurs. Comme second exemple
de l'adhésion des écrivains à l'idéologie constituée,

on peut choisir, je crois, le xviie siècle français.

A cette époque la laïcisation de l'écrivain et de son public est en voie d'achèvement. Elle a certainement pour origine la force expansive de la chose écrite, son caractère monumental et l'appel à la liberté que recèle toute œuvre de l'esprit. Mais des circonstances extérieures y contribuent telles que le développement de l'instruction, l'affaiblissement du pouvoir spirituel, l'apparition d'idéologies nouvelles expressément destinées au temporel. Cependant laïcisation ne veut pas dire universalisation. Le public de l'écrivain reste strictement limité. Pris dans son ensemble, on l'appelle *la société* et ce nom désigne une fraction de la cour, du clergé, de la magistrature et de la bourgeoisie riche. Considéré singulièrement, le lecteur s'appelle « honnête homme » et il exerce une certaine fonction de censure que l'on nomme *le goût*. En un mot, c'est à la fois un membre des classes supérieures et un spécialiste. S'il critique l'écrivain, c'est qu'il sait lui-même écrire. Le public de Corneille, de Pascal, de Descartes, c'est Madame de Sévigné, le chevalier de Méré, Madame de Grignan, Madame de Rambouillet, Saint-Évremond. Aujourd'hui le public est, par rapport à l'écrivain, en état de passivité : il attend qu'on lui impose des idées ou une forme d'art nouvelle. Il est la masse inerte dans laquelle l'idée va prendre corps. Son moyen de contrôle est indirect et négatif; on ne saurait dire qu'il donne son avis; simplement, il achète ou n'achète pas le livre; le rapport de l'auteur au lecteur est analogue à celui du mâle à la femelle : c'est que la lecture est devenue un simple moyen d'information et l'écriture un moyen très général de communication. Au xviie siècle savoir écrire c'est déjà savoir bien écrire. Non que la Providence ait également partagé le don du style entre tous les hommes, mais parce que le lecteur, s'il ne s'identifie plus rigoureusement à l'écrivain, est demeuré écrivain en puissance. Il fait partie d'une élite parasitaire pour qui l'art d'écrire est, sinon un métier, du moins la marque de sa supériorité. On lit parce qu'on sait écrire; avec un peu de chance, on aurait pu écrire ce qu'on lit. Le public est actif : on lui *soumet* vraiment les productions de l'esprit; il les juge au nom d'une table de valeurs qu'il contribue à maintenir. Une révolution analogue au romantisme n'est même pas concevable à l'époque, parce qu'il y faut le concours d'une masse indécise qu'on surprend, qu'on bouleverse, qu'on anime soudain en lui révélant des idées ou des sentiments qu'elle ignorait et qui, faute de convictions fermes, réclame perpétuellement qu'on la viole et qu'on la féconde. Au XVIIe siècle, les convictions sont inébranlables : l'idéologie religieuse s'est doublée d'une idéologie politique que le temporel a sécrétée lui-même : personne ne met publiquement en doute l'existence de Dieu, ni le droit divin du monarque. La « société » a son langage, ses grâces, ses cérémonies qu'elle entend retrouver dans les livres qu'elle lit. Sa conception du temps, aussi. Comme les deux faits historiques qu'elle médite sans relâche — la faute originelle et la rédemption — appartiennent à un passé lointain; comme c'est aussi de ce passé que les grandes familles dirigeantes tirent leur orgueil et la justification de leurs privilèges; comme l'avenir ne saurait rien apporter de neuf, puisque Dieu est trop parfait pour changer et puisque les deux grandes puissances terrestres, l'Église et la Monarchie, n'aspirent qu'à l'immuabilité, l'élément actif de la temporalité c'est le passé, qui est lui-même une dégradation phénoménale de l'Éternel; le présent est un péché perpétuel qui ne peut se trouver d'excuse que s'il reflète, le moins mal possible, l'image d'une époque révolue; une idée, pour être reçue, doit prouver son ancienneté; une œuvre d'art, pour plaire, doit s'inspirer d'un modèle antique. Cette idéologie, nous trouvons encore des écrivains qui s'en font expressément les gardiens. Il y a encore de grands clercs qui sont d'Église et qui n'ont d'autre souci que de défendre le dogme. A eux s'ajoutent les « chiens de garde » du temporel, historiographes, poètes de cour, juristes et philosophes qui se préoccupent d'établir et de maintenir l'idéologie de la monarchie absolue. Mais nous voyons paraître à leur côté une troisième catégorie d'écrivains, proprement laïcs, qui, pour la plus grande part, *acceptent* l'idéologie religieuse et politique de l'époque sans se croire tenus de la prouver ni de la conserver. Ils n'en écrivent pas; ils l'adoptent implicitement; pour eux c'est ce que nous appelions tout à l'heure le contexte ou ensemble des présuppositions communes aux lecteurs et à l'auteur et qui sont nécessaires pour rendre intelligible à ceux-là ce qu'écrit celui-ci. Ils appartiennent en général à la bourgeoisie; ils sont pensionnés par la noblesse; comme ils consomment sans produire et que la noblesse ne produit pas non plus mais vit du travail des autres, ils sont parasitaires d'une classe parasite. Ils ne vivent plus en collège, mais, dans cette société fortement intégrée, ils forment une corporation implicite et, pour leur rappeler sans cesse leur origine collégiale et l'ancienne cléricature, le pouvoir royal choisit certains d'entre eux et les groupe en une sorte de collège symbolique : l'Académie. Nourris par le roi, lus par une élite, ils se soucient uniquement de répondre à la demande de ce public restreint. Ils ont aussi bonne conscience ou presque que les clercs du XIIe siècle; il est impossible à cette époque de mentionner un public virtuel distinct du public réel. Il arrive à La Bruyère de parler *des* paysans mais il ne *leur* parle pas et s'il fait état de leur misère, ce n'est pas pour en tirer un argument contre l'idéologie

qu'il accepte, mais c'est au nom de cette idéologie :
c'est une honte pour des monarques éclairés, pour
de bons chrétiens. Ainsi s'entretient-on des masses
par-dessus leur tête et sans qu'il soit même concevable qu'un écrit puisse les aider à prendre conscience
d'elles-mêmes. Et l'homogénéité du public a banni
toute contradiction de l'âme des auteurs. Ils ne sont
point écartelés entre des lecteurs réels mais déte-
stables et des lecteurs virtuels, souhaitables, mais
hors d'atteinte; ils ne se posent pas de questions
sur le rôle qu'ils ont à jouer dans le monde, car
l'écrivain ne s'interroge sur sa mission que dans les
époques où elle n'est pas clairement tracée et où
il doit l'inventer ou la réinventer, c'est-à-dire lorsqu'il
aperçoit, par delà les lecteurs d'élite, une masse
amorphe de lecteurs possibles qu'il peut choisir ou
non de gagner et lorsqu'il doit, au cas où il lui
serait donné de les atteindre, décider lui-même de ses
rapports avec eux. Les auteurs du xviie siècle ont
une fonction définie parce qu'ils s'adressent à un
public éclairé, rigoureusement délimité et actif, qui
exerce sur eux un contrôle permanent; ignorés du
peuple, ils ont pour métier de renvoyer son image à
l'élite qui les entretient. Mais il est plusieurs façons
de renvoyer une image : certains portraits sont par
eux-mêmes des contestations; c'est qu'ils sont faits du
dehors et sans passion par un peintre qui refuse toute
complicité avec son modèle. Seulement, pour qu'un
écrivain conçoive seulement l'idée de tracer un por-
trait-contestation de son lecteur réel, il faut qu'il
ait pris concience d'une contradiction entre lui-même
et son public, c'est-à-dire qu'il vienne *du dehors* à
ses lecteurs et qu'il les considère avec étonnement
ou qu'il sente peser sur la petite société qu'il forme
avec eux le regard étonné de consciences étrangères (minorités ethniques, classes opprimées, etc.).
Mais, **au xviie siècle**, puisque le public virtuel

n'existe pas, puisque l'artiste accepte sans la critiquer
l'idéologie de l'élite, il se fait complice de son public;
nul regard étranger ne vient le troubler dans ses
jeux. Ni le prosateur n'est maudit, ni même le poète.
Ils n'ont point à décider à chaque ouvrage du sens
et de la valeur de la littérature, puisque ce sens
et cette valeur sont fixés par la tradition; fortement
intégrés dans une société hiérarchisée, ils ne connaissent ni l'orgueil ni l'angoisse de la singularité;
en un mot ils sont *classiques*. Il y a classicisme en
effet lorsqu'une société a pris une forme relativement stable et qu'elle s'est pénétrée du mythe de
sa pérennité, c'est-à-dire lorsqu'elle confond le présent avec l'éternel et l'historicité avec le traditiona-
lisme, lorsque la hiérarchie des classes est telle que
le public virtuel ne déborde jamais le public réel et
que chaque lecteur est, pour l'écrivain, un critique
qualifié et un censeur, lorsque la puissance de l'idéologie religieuse et politique est si forte et les interdits
si rigoureux, qu'il ne s'agit en aucun cas de découvrir
des terres nouvelles à la pensée, mais seulement
de mettre en forme *les lieux communs* adoptés par
l'élite, de façon que la lecture — qui est, nous l'avons
vu, la relation concrète entre l'écrivain et son public —
soit une cérémonie de *reconnaissance* analogue au
salut, c'est-à-dire l'affirmation cérémonieuse qu'auteur et lecteur sont du même monde et ont sur toute
chose les mêmes opinions. Ainsi chaque production
de l'esprit est en même temps un acte de politesse
et le style est la suprême politesse de l'auteur envers
son lecteur; et le lecteur, de son côté, ne se lasse
pas de retrouver les mêmes pensées dans les livres
les plus divers, parce que ces pensées sont les siennes
et qu'il ne demande point à en acquérir d'autres,
mais seulement qu'on lui présente avec magnificence celles qu'il a déjà. Dès lors le portrait que
l'auteur présente à son lecteur est nécessairement

abstrait et complice; s'adressant à une classe parasitaire, il ne saurait montrer l'homme au travail ni,
en général, les rapports de l'homme avec la nature
extérieure. Comme, d'autre part, des corps de spécialistes s'occupent, sous le contrôle de l'Église et
de la Monarchie, de maintenir l'idéologie spirituelle
et temporelle, l'écrivain ne soupçonne même pas
l'importance des facteurs économiques, religieux,
métaphysiques et politiques dans la constitution de
la personne; et comme la société où il vit confond le
présent avec l'éternel, il ne peut même imaginer le
plus léger changement dans ce qu'il nomme la nature
humaine; il conçoit l'histoire comme une série d'accidents qui affectent l'homme éternel en surface sans
le modifier profondément et s'il devait assigner un
sens à la durée historique il y verrait à la fois une
éternelle répétition, telle que les événements antérieurs puissent et doivent fournir des leçons à ses
contemporains, et, à la fois, un processus de légère
involution, puisque les événements capitaux de
l'histoire sont *passés* depuis longtemps et puisque,
la perfection dans les lettres ayant été atteinte dès
l'Antiquité, ses modèles anciens lui paraissent iné-
galables. Et, en tout cela, derechef, il s'accorde pleinement à son public qui considère le travail comme
une malédiction, qui *n'éprouve* pas sa situation dans
l'histoire et dans le monde par cette simple raison
qu'elle est privilégiée et dont l'unique affaire est
la foi, le respect du monarque, la passion, la guerre,
la mort et la politesse. En un mot l'image de l'homme
classique est purement psychologique parce que le
public classique n'a conscience que de sa psychologie.
Encore faut-il entendre que cette psychologie est,
elle-même, traditionaliste; elle n'a pas souci de
découvrir des vérités profondes et neuves sur le
cœur humain, ni d'échafauder des hypothèses :
c'est dans les sociétés instables et quand le public

s'étage sur plusieurs couches sociales, que l'écrivain,
déchiré et mécontent, invente des explications à ses
angoisses. La psychologie du XVIIᵉ siècle est purement
descriptive; elle ne se base pas tant sur l'expérience
personnelle de l'auteur, qu'elle n'est l'expression
esthétique de ce que l'élite pense sur elle-même.
La Rochefoucauld emprunte la forme et le contenu
de ses maximes aux divertissements des salons;
la casuistique des Jésuites, l'étiquette des Précieuses,
le jeu des portraits, la morale de Nicole, la conception religieuse des passions sont à l'origine de cent
autres ouvrages; les comédies s'inspirent de la psychologie antique et du gros bon sens de la haute
bourgeoisie. La société s'y mire avec ravissement
parce qu'elle reconnaît les pensées qu'elle forme sur
elle-même; elle ne demande pas qu'on lui révèle
ce qu'elle est mais qu'on lui reflète ce qu'elle croit
être. Sans doute se permet-on quelques satires, mais
à travers les pamphlets et les comédies, c'est l'élite
tout entière qui opère, au nom de sa morale, les
nettoyages et les purges nécessaires à sa santé; ce
n'est jamais d'un point de vue *extérieur* à la classe
dirigeante qu'on moque les marquis ridicules ou
les plaideurs ou les Précieuses; il s'agit toujours de
ces originaux inassimilables par une société policée
et qui vivent en marge de la vie collective. Si l'on
raille le Misanthrope c'est qu'il manque de politesse;
Cathos et Madelon, c'est qu'elles en ont trop. Phila-
minte va à l'encontre des idées reçues sur la femme;
le bourgeois gentilhomme est odieux aux riches
bourgeois qui ont la modestie altière et qui connaissent la grandeur et l'humilité de leur condition
et, à la fois, aux gentilhommes, parce qu'il veut
forcer l'accès de la noblesse. Cette satire interne et
pour ainsi dire physiologique, est sans rapport avec
la grande satire de Beaumarchais, de P.-L. Courier,
de J. Vallès, de Céline : elle est moins courageuse et

beaucoup plus dure car elle traduit l'action répressive
que la collectivité exerce sur le faible, le malade,
l'inadapté; c'est le rire impitoyable d'une bande de
gamins devant les maladresses de leur souffre-
douleur.

D'origine et de mœurs bourgeoises, plus semblable,
en son foyer, à Oronte et à Chrysale qu'à ses confrères
brillants et agités de 1780 ou de 1830, reçu pourtant
dans la société des grands et pensionné par eux,
légèrement déclassé par en haut, convaincu pourtant que le talent ne remplace pas la naissance,
docile aux admonestations des prêtres, respectueux
du pouvoir royal, heureux d'occuper une place
modeste dans l'immense édifice dont l'Église et la
Monarchie sont les piliers, quelque part au-dessus
des commerçants et des universitaires, au-dessous
des nobles et du clergé, l'écrivain fait son métier
avec une bonne conscience, convaincu qu'il vient
trop tard, que tout est dit et qu'il convient seulement
de redire agréablement; il conçoit la gloire qui
l'attend comme une image affaiblie des titres héré-
ditaires et s'il compte qu'elle sera éternelle c'est
parce qu'il ne soupçonne même pas que la société
de ses lecteurs puisse être bouleversée par des changements sociaux; ainsi la permanence de la maison
royale lui semble une garantie de celle de son renom.

Pourtant, presque en dépit de lui-même, le miroir
qu'il présente modestement à ses lecteurs est magique :
il captive et compromet. Quand même tout a été
fait pour ne leur offrir qu'une image flatteuse et
complice, plus subjective qu'objective, plus intérieure qu'extérieure, cette image n'en demeure pas
moins une œuvre d'art, c'est-à-dire qu'elle a son
fondement dans la liberté de l'auteur et qu'elle est
un appel à la liberté du lecteur. Puisqu'elle est
belle, elle est de glace, le recul esthétique la met
hors de portée. Impossible de s'y complaire, d'y

retrouver une chaleur confortable, une indulgence
discrète; bien qu'elle soit faite des lieux communs
de l'époque et de ces complaisances chuchotées qui
unissent les contemporains comme un lien ombilical,
elle est soutenue par une liberté et, de ce fait, elle
gagne une autre espèce d'objectivité. C'est bien *elle-
même* que l'élite retrouve dans le miroir : mais elle-
même telle qu'elle se verrait si elle se portait aux
extrêmes de la sévérité. Elle n'est pas figée en objet
par le regard de l'Autre, car ni le paysan, ni l'artisan
ne sont encore l'*Autre* pour elle, et l'acte de présentation réflexive qui caractérise l'art du xviie siècle
est un processus strictement interne : seulement il
pousse aux limites l'effort de chacun pour voir clair
en soi; il est un cogito perpétuel. Sans doute ne
met-il en question ni l'oisiveté, ni l'oppression, ni
le parasitisme; c'est que ces aspects de la classe
dirigeante ne se révèlent qu'aux observateurs qui se
sont placés en dehors d'elle; aussi l'image qu'on
lui renvoie est-elle strictement psychologique. Mais
les conduites spontanées en passant à l'état réflexif
perdent leur innocence et l'excuse de l'immédiateté :
il faut les assumer ou les changer. Et c'est bien un
monde de politesse et de cérémonies qu'on offre au
lecteur, mais déjà il émerge hors de ce monde puisqu'on l'invite à le connaître, à s'y reconnaître. En
ce sens Racine n'a pas tort, quand il dit à propos
de Phèdre que « les passions n'y sont présentées
aux yeux que pour montrer tout le désordre dont
elles sont cause ». A la condition que l'on n'entende
point par là que son propos fût expressément d'inspirer l'horreur de l'amour. Mais peindre la passion,
c'est la dépasser déjà, déjà s'en dépouiller. Ce n'est
pas un hasard si, vers le même temps, les philosophes
se proposaient de s'en guérir par la connaissance.
Et comme on décore ordinairement du nom de
morale l'exercice réfléchi de la liberté en face des

passions, il faut avouer que l'art du xviie siècle est éminemment moralisateur. Non qu'il ait le dessein avoué d'enseigner la vertu, ni qu'il soit empoisonné par les bonnes intentions qui font la mauvaise littérature, mais, du seul fait qu'il propose en silence au lecteur son image, il la lui rend insupportable. Moralisateur : c'est à la fois une définition et une limitation. Il n'est *que* moralisateur; s'il propose à l'homme de transcender le psychologique vers le moral, c'est qu'il prend pour résolus les problèmes religieux, métaphysiques, politiques et sociaux; mais son action n'en est pas moins « catholique ». Comme il confond l'homme universel avec les hommes singuliers qui détiennent le pouvoir, il ne se dévoue à la libération d'aucune catégorie concrète d'opprimés; pourtant l'écrivain, bien que totalement assimilé par la classe d'oppression, n'en est aucunement complice; son œuvre est incontestablement libératrice puisqu'elle a pour effet, à l'intérieur de cette classe, de libérer l'homme de lui-même.

Nous avons envisagé jusqu'ici le cas où le public virtuel de l'écrivain était nul ou à peu près et où nul conflit ne déchirait son public réel. Nous avons vu qu'il pouvait alors accepter avec une bonne conscience l'idéologie en cours et qu'il lançait ses appels à la liberté à l'intérieur même de cette idéologie. Si le public virtuel apparaît soudain ou si le public réel se fragmente en factions ennemies, tout change. Il nous faut envisager à présent ce qu'il advient de la littérature quand l'écrivain est amené à refuser l'idéologie des classes dirigeantes.

Le xviiie siècle reste la chance, unique dans l'histoire, et le paradis bientôt perdu des écrivains français. Leur condition sociale n'a pas changé : originaires, à peu d'exceptions près, de la classe bourgeoise, les faveurs des grands les déclassent. Le cercle de leurs lecteurs réels s'est sensiblement

élargi, parce que la bourgeoisie s'est mise à lire,
mais les classes « inférieures » les ignorent toujours
et, s'ils en parlent plus souvent que La Bruyère et
Fénelon, ils ne s'adressent jamais à elles, même en
esprit. Pourtant un bouleversement profond a cassé
leur public en deux; il faut à présent qu'ils satis-
fassent à des demandes contradictoires; c'est la
tension qui caractérise, dès l'origine, leur situation.
Cette tension se manifeste d'une façon très parti-
lière. La classe dirigeante, en effet, a perdu confiance en son idéologie. Elle s'est mise en position
de défense; elle essaie, dans une certaine mesure,
de retarder la diffusion des idées nouvelles mais elle
ne peut faire qu'elle n'en soit pénétrée. Elle a compris
que ses principes religieux et politiques étaient les
meilleurs outils pour asseoir sa puissance, mais
justement, comme elle n'y voit que des outils, elle
a cessé d'y croire tout à fait; la vérité *pragmatique*
a remplacé la vérité révélée. Si la censure et les
interdits sont plus visibles, ils dissimulent une
faiblesse secrète et un cynisme de désespoir. Il n'y
a plus de *clercs;* la littérature d'église est une vaine
apologétique, un poing serré sur des dogmes qui
s'échappent; elle se fait contre la liberté, elle s'adresse
au respect, à la crainte, à l'intérêt et, en cessant
d'être un libre appel aux hommes libres, elle cesse
d'être littérature. Cette élite égarée se tourne vers
le véritable écrivain et lui demande l'impossible :
qu'il ne lui ménage pas, s'il y tient, sa sévérité mais
qu'il insuffle au moins un peu de liberté à une idéologie qui s'étiole, qu'il s'adresse à la raison de ses
lecteurs et qu'il la persuade d'adopter des dogmes
qui sont, avec le temps, devenus irrationnels. Bref
qu'il se fasse propagandiste sans cesser d'être écrivain. Mais elle joue perdant : puisque ses principes
ne sont plus des évidences immédiates et informulées
et qu'elle doit les *proposer* à l'écrivain pour qu'il

prenne leur défense, puisqu'il ne s'agit plus de les
sauver pour eux-mêmes mais pour maintenir l'ordre,
elle conteste leur validité par l'effort même qu'elle
fait pour les rétablir. L'écrivain qui consent à raffer-
mir cette idéologie branlante, du moins y *consent-
il* : et cette adhésion volontaire à des principes qui
gouvernaient autrefois les esprits sans être aperçus,
le délivre d'eux; déjà il les dépasse, il émerge, en
dépit de lui-même, dans la solitude et dans la liberté.
La bourgeoisie, d'autre part, qui constitue ce qu'on
nomme en termes marxistes la classe montante,
aspire simultanément à se dégager de l'idéologie qu'on
lui impose et à s'en constituer une qui lui soit propre.
Or cette « classe montante » qui revendiquera bientôt
de participer aux affaires de l'État ne subit qu'une
oppression *politique*. En face d'une noblesse ruinée,
elle est en train d'acquérir tout doucement la prééminence économique; elle possède déjà l'argent, la
culture, les loisirs. Ainsi, pour la première fois, une
classe opprimée se présente à l'écrivain comme un
public réel. Mais la conjoncture est plus favorable
encore : car cette classe qui s'éveille, qui lit et qui
cherche à penser n'a pas produit de parti révolutionnaire organisé et sécrétant sa propre idéologie
comme l'Église sécrétait la sienne au moyen âge.
L'écrivain n'est pas encore, comme nous verrons
qu'il sera plus tard, coincé entre l'idéologie en voie
de liquidation d'une classe descendante et l'idéologie
rigoureuse de la classe montante. La bourgeoisie
souhaite des lumières; elle sent obscurément que sa
pensée est aliénée et elle voudrait prendre conscience
d'elle-même. Sans doute peut-on découvrir en elle
quelques traces d'organisation : sociétés matérialistes,
sociétés de pensée, franc-maçonnerie. Mais ce sont
surtout des associations de recherches qui attendent
les idées plutôt qu'elles ne les produisent. Sans
doute voit-on se répandre une forme d'écriture popu-

laire et spontanée : le tract clandestin et anonyme.
Mais cette littérature d'amateurs, plutôt qu'elle ne
concurrence l'écrivain professionnel, l'aiguillonne et
le sollicite en le renseignant sur les aspirations confuses de la collectivité. Ainsi, en face d'un public
de demi-spécialistes qui se maintient encore péniblement et qui se recrute toujours à la Cour et dans
les hautes sphères de la société, la bourgeoisie offre
l'ébauche d'un public de masse : elle est, par rapport
à la littérature, en état de *passivité* relative puisqu'elle ne pratique aucunement l'art d'écrire, qu'elle
n'a pas d'opinion préconçue sur le style et les genres
littéraires, qu'elle attend tout, fond et forme, du
génie de l'écrivain.

Sollicité de part et d'autre l'écrivain se trouve
entre les deux fractions ennemies de son public et
comme l'arbitre de leur conflit. Ce n'est plus un clerc;
la classe dirigeante n'est pas seule à l'entretenir :
il est vrai qu'elle le pensionne encore mais la bourgeoisie achète ses livres, il touche des deux côtés.
Son père était bourgeois, son fils le sera : on pourrait
donc être tenté de voir en lui un bourgeois mieux
doué que les autres mais pareillement opprimé, parvenu à la connaissance de son état sous la pression
des circonstances historiques, bref un miroir intérieur
à travers lequel la bourgeoisie tout entière prend
conscience d'elle-même et de ses revendications.
Mais ce serait une vue superficielle : on n'a pas
assez dit qu'une classe ne pouvait acquérir sa conscience de classe que si elle se voyait à la fois du
dedans et du dehors; autrement dit, si elle bénéfi-
ciait de concours extérieurs : c'est à quoi servent
les intellectuels, perpétuels déclassés. Et justement
le caractère essentiel de l'écrivain du xviiie siècle
c'est un déclassement objectif et subjectif. S'il garde
le souvenir de ses attaches bourgeoises, la faveur
des grands l'a tiré hors de son milieu : **il ne se sent**

plus de solidarité concrète avec son cousin l'avocat, son frère, le curé de village, parce qu'il a des privilèges qu'ils n'ont pas. C'est à la cour, à la noblesse qu'il emprunte ses manières et jusqu'aux grâces de son style. La gloire, son espoir le plus cher et sa consécration, est devenue pour lui une notion glissante et ambiguë : une jeune idée de gloire se lève, selon laquelle la véritable récompense d'un écrivain c'est qu'un obscur médecin de Bourges, c'est qu'un avocat sans causes de Reims dévorent presque secrètement ses livres. Mais la reconnaissance diffuse de ce public qu'il connaît mal ne le touche qu'à demi : il a reçu de ses aînés une conception traditionnelle de la célébrité. Selon cette conception, c'est le monarque qui doit consacrer son génie. Le signe visible de sa réussite, c'est que Catherine ou Frédéric l'invitent à leur table; les récompenses qu'on lui donne, les dignités qu'on lui confère d'en haut n'ont pas encore l'impersonnalité officielle des prix et des décorations de nos républiques : elles gardent le caractère quasi féodal des relations d'homme à homme. Et puis surtout, consommateur éternel dans une société de producteurs, parasite d'une classe parasitaire, il en use avec l'argent comme un parasite. Il ne le *gagne* pas, puisqu'il n'y a pas de commune mesure entre son travail et sa rémunération : il le *dépense* seulement. Donc, même s'il est pauvre, il vit dans le luxe. Tout lui est un luxe, même et surtout ses écrits. Pourtant, jusque dans la chambre du roi, il garde une force fruste, une vulgarité puissante : Diderot, dans le feu d'un entretien philosophique, pinçait au sang les cuisses de l'impératrice de Russie. Et puis, s'il va trop loin, on peut lui faire sentir qu'il n'est qu'un grimaud : depuis sa bastonnade, son embastillement, sa fuite à Londres jusqu'aux insolences du roi de Prusse, la vie de Voltaire est une suite de ritomphes et d'humiliations. L'écrivain jouit parfois

des bontés passagères d'une marquise mais il épouse
sa bonne, ou la fille d'un maçon. Aussi sa conscience,
comme son public, est-elle déchirée. Mais il n'en
souffre pas ; il tire son orgueil, au contraire, de cette
contradiction originelle : il pense qu'il n'a partie liée
avec personne, qu'il peut choisir ses amis et ses
adversaires, et qu'il lui suffit de prendre la plume
pour s'arracher au conditionnement des milieux,
des nations et des classes. Il plane, il survole, il
est pensée pure et pur regard : il choisit d'écrire
pour revendiquer son déclassement, qu'il assume
et transforme en solitude ; il contemple les grands du
dehors, avec les yeux des bourgeois et du dehors
les bourgeois avec les yeux de la noblesse et il conserve assez de complicité avec les uns et les autres
pour les comprendre également de l'intérieur. Du
coup la littérature, qui n'était jusque-là qu'une
fonction conservatrice et purificatrice d'une société
intégrée, prend conscience en lui et par lui de son
autonomie. Placée, par une chance extrême, entre
des aspirations confuses et une idéologie en ruines,
comme l'écrivain entre la bourgeoisie, l'Église et
la Cour, elle affirme soudain son indépendance :
elle ne reflétera plus les lieux communs de la collectivité, elle s'identifie à l'Esprit, c'est-à-dire au
pouvoir permanent de former et de critiquer des
idées. Naturellement cette reprise de la littérature
par elle-même est abstraite et presque purement
formelle, puisque les œuvres littéraires ne sont l'expression concrète d'aucune classe ; et même, comme
les écrivains commencent par repousser toute solidarité profonde avec le milieu dont ils émanent aussi
bien qu'avec celui qui les adopte, la littérature se
confond avec la Négativité, c'est-à-dire avec le
doute, le refus, la critique, la contestation. Mais,
de ce fait même, elle aboutit à poser, contre la spiritualité ossifiée de l'Église, les droits d'une spiritua-

lité nouvelle, en mouvement, qui ne se confond plus
avec aucune idéologie et se manifeste comme le pouvoir de dépasser perpétuellement le donné, quel
qu'il soit. Lorsqu'elle imitait de merveilleux modèles,
bien à l'abri dans l'édifice de la monarchie très
chrétienne, le souci de la vérité ne la tracassait
guère parce que la vérité n'était qu'une qualité
très grossière et très concrète de l'idéologie qui la
nourrissait : être vrais ou tout simplement *être*,
c'était tout un pour les dogmes de l'Église et l'on ne
pouvait concevoir la vérité à part du système. Mais
à présent que la spiritualité est devenue ce mouvement abstrait qui traverse et laisse ensuite sur sa
route, comme des coquilles vides, toutes les idéologies, la vérité se dégage à son tour de toute philosophie concrète et particulière, elle se révèle dans
son indépendance abstraite, c'est elle qui devient
l'idée régulatrice de la littérature et le terme lointain
du mouvement critique. Spiritualité, littérature,
vérité : ces trois notions sont liées dans ce moment
abstrait et négatif de la prise de conscience; leur
instrument c'est l'analyse, méthode négative et
critique qui dissout perpétuellement les données
concrètes en éléments abstraits et les produits de
l'histoire en combinaisons de concepts universels.
Un adolescent choisit d'écrire pour échapper à une
oppression dont il souffre et à une solidarité qui lui
fait honte; aux premiers mots qu'il trace, il croit
échapper à son milieu et à sa classe, à tous les milieux
et à toutes les classes et faire éclater sa situation
historique par le seul fait d'en prendre une connaissance réflexive et critique : au-dessus de la mêlée
de ces bourgeois et de ces nobles que leurs préjugés
enferment dans une époque particulière, il se découvre,
dès qu'il prend la plume, comme conscience sans
date et sans lieu, bref comme *l'homme universel*.
Et la littérature, qui le délivre, est une fonction

abstraite et un pouvoir *a priori* de la nature humaine ;
elle est le mouvement par lequel, à chaque instant,
l'homme se libère de l'histoire : en un mot c'est
l'exercice de la liberté. Au xviie siècle, en choisissant
d'écrire, on embrassait un métier défini avec ses
recettes, ses règles et ses usages, son rang dans
la hiérarchie des professions. Au xviiie, les moules
sont brisés, tout est à faire, les ouvrages de l'esprit,
au lieu d'être confectionnés avec plus ou moins
de bonheur et selon des normes établies, sont chacun
une invention particulière et comme une décision
de l'auteur touchant la nature, la valeur et la portée
des Belles-Lettres ; chacun apporte avec lui ses propres
règles et les principes sur lesquels il veut être jugé ;
chacun prétend engager la littérature tout entière
et lui frayer de nouveaux chemins. Ce n'est pas
par hasard que les pires ouvrages de l'époque sont
aussi ceux qui se réclament le plus de la tradition :
la tragédie et l'épopée étaient les fruits exquis d'une
société intégrée ; dans une collectivité déchirée, elle
ne peuvent subsister qu'à titre de survivances et
de pastiches.

Ce que l'écrivain du xviiie siècle revendique inlassablement dans ses œuvres, c'est le droit d'exercer
contre l'histoire une raison antihistorique et, en
ce sens, il ne fait que mettre au jour les exigences
essentielles de la littérature abstraite. Il n'a cure de
donner à ses lecteurs une conscience plus claire de
leur classe : tout au contraire, l'appel pressant qu'il
adresse à son public bourgeois, c'est une invite à
oublier les humiliations, les préjugés, les craintes ;
celui qu'il lance à son public noble, c'est une sollici-
tation à dépouiller son orgueil de caste et ses privilèges. Comme il s'est fait universel, il ne peut avoir
que des lecteurs universels et ce qu'il réclame de
la liberté de ses contemporains, c'est qu'ils brisent
leurs attaches historiques pour le rejoindre dans

l'universalité. D'où vient donc ce miracle que, dans le moment même où il dresse la liberté abstraite contre l'oppression concrète et la Raison contre l'Histoire, il aille dans le sens même du développement historique ? C'est d'abord que la bourgeoisie, par une tactique qui lui est propre et qu'elle renouvellera en 1830, et en 1848, a fait cause commune, à la veille de prendre le pouvoir, avec celles des classes opprimées qui ne sont pas encore en état de le revendiquer. Et comme les liens qui peuvent unir des groupes sociaux si différents ne sauraient être que fort généraux et fort abstraits, elle n'aspire pas tant à prendre une conscience claire d'elle-même, ce qui l'opposerait aux artisans et aux paysans, qu'à se faire reconnaître le droit de diriger l'opposition parce qu'elle est mieux placée pour faire connaître aux pouvoirs constitués les revendications de la nature humaine universelle. D'autre part la révolution qui se prépare est *politique;* il n'y a pas d'idéologie révolutionnaire, pas de parti organisé, la bourgeoisie veut qu'on l'éclaire, qu'on liquide au plus vite l'idéologie qui, des siècles durant, l'a mystifiée et aliénée : il sera temps plus tard de la remplacer. Pour l'instant elle aspire à la liberté d'opinion comme à un degré d'accès vers le pouvoir politique. Dès lors en réclamant *pour lui* et *en tant qu'écrivain* la liberté de penser et d'exprimer sa pensée l'auteur sert nécessairement les intérêts de la classe bourgeoise. On ne lui demande pas plus et il ne peut faire davantage; à d'autres époques, nous le verrons, l'écrivain peut réclamer sa liberté d'écrire avec une mauvaise conscience, il peut se rendre compte que les classes opprimées souhaitent tout autre chose que cette liberté-là : alors la liberté de penser peut apparaître comme un privilège, passer aux yeux de certains pour un moyen d'oppression et la position de l'écrivain risque de devenir intenable.

Mais, à la veille de la Révolution, il jouit de cette chance extraordinaire qu'il lui suffit de défendre son métier pour servir de guide aux aspirations. de la classe montante.

Il le sait. Il se considère comme un guide et un chef spirituel, il prend ses risques. Comme l'élite au pouvoir, de plus en plus nerveuse, lui prodigue un jour ses grâces pour le faire embastiller le jour suivant, il ignore la tranquillité, la médiocrité fière dont jouissaient ses prédécesseurs. Sa vie glorieuse et traversée, avec des crêtes ensoleillées et des chutes vertigineuses, est celle d'un aventurier. Je lisais, l'autre soir, ces mots que Blaise Cendrars met en exergue à *Rhum* : « Aux jeunes gens d'aujourd'hui fatigués de la littérature pour leur prouver qu'un roman peut être aussi un acte » et je pensais que nous sommes bien malheureux et bien coupables puisqu'il nous faut prouver aujourd'hui ce qui allait de soi au xviiie siècle. Un ouvrage de l'esprit était alors un acte doublement puisqu'il produisait des idées qui devaient être à l'origine de bouleversements sociaux et puisqu'il mettait en danger son auteur. Et cet acte, quel que soit le livre considéré, se définit toujours de la même manière : il est *libérateur*. Et, sans doute, au xviie siècle aussi la littérature a une fonction libératrice mais qui demeure voilée et implicite. Au temps des encyclopédistes, il ne s'agit plus de libérer l'honnête homme de ses passions en les lui reflétant sans complaisance, mais de contribuer par sa plume à la libération politique de l'homme tout court. L'appel que l'écrivain adresse à son public bourgeois, c'est, qu'il le veuille ou non, une incitation à la révolte; celui qu'il lance dans le même temps à la classe dirigeante c'est une invite à la lucidité, à l'examen critique de soi-même, à l'abandon de ses privilèges. La condition de Rousseau ressemble beaucoup à celle de Richard Wright écrivant à la fois pour les Noirs éclairés et pour les Blancs : devant la noblesse il *témoigne* et dans le même temps il invite ses frères roturiers à prendre conscience d'eux-mêmes. Ses écrits et ceux de Diderot, de Condorcet, ce n'est pas seulement la prise de la Bastille qu'ils ont préparée de longue main : c'est aussi la nuit du 4 Août.

Et comme l'écrivain croit avoir brisé les liens qui l'unissaient à sa classe d'origine, comme il parle à ses lecteurs du haut de la nature humaine universelle, il lui paraît que l'appel qu'il leur lance et la part qu'il prend à leurs malheurs sont dictés par la pure générosité. Écrire, c'est donner. C'est par là qu'il assume et sauve ce qu'il y a d'inacceptable dans sa situation de parasite d'une société laborieuse, par là aussi qu'il prend conscience de cette liberté absolue, de cette gratuité qui caractérisent la création littéraire. Mais, bien qu'il ait perpétuellement en vue l'homme universel et les droits abstraits de la nature humaine, il ne faudrait pas croire qu'il incarne le clerc tel que Benda l'a décrit. Car, puisque sa position est *critique* par essence, il faut bien qu'il ait *quelque chose* à critiquer ; et les objets qui s'offrent d'abord à ses critiques ce sont les institutions, les superstitions, les traditions, les actes d'un gouvernement traditionnel. En d'autres termes, comme les murs de l'Éternité et du Passé qui soutenaient l'édifice idéologique du xviie siècle, se lézardent et s'écroulent, l'écrivain perçoit dans sa pureté une nouvelle dimension de la temporalité : le Présent. Le Présent que les siècles antérieurs concevaient tantôt comme une figuration sensible de l'Éternel, et tantôt comme une émanation dégradée de l'Antiquité. De l'avenir, il ne possède encore qu'une notion confuse mais cette heure-ci, qu'il est en train de vivre et qui fuit, il sait qu'elle est unique et qu'elle est à lui, qu'elle ne le cède en rien aux heures les

plus magnifiques de l'Antiquité attendu que celles-ci
ont commencé comme elle par être présentes : il
sait qu'elle est sa chance et qu'il ne faut pas qu'il
la laisse perdre; c'est pourquoi il n'envisage pas
tant le combat qu'il doit mener comme une préparation de la société future que comme une entreprise
à court terme et d'immédiate efficacité. C'est cette
institution-ci qu'il faut dénoncer — et sur l'heure —
cette superstition-ci qu'il faut détruire tout de
suite; c'est cette injustice particulière qu'il faut
réparer. Ce sens passionné du présent le préserve
de l'idéalisme : il ne se borne pas à contempler les
idées éternelles de la Liberté ou de l'Égalité : pour la
première fois depuis la Réforme, les écrivains interviennent dans la vie publique, protestent contre
un décret inique, demandent la révision d'un procès,
décident en un mot que le spirituel est dans la rue,
à la foire, au marché, au tribunal et qu'il ne s'agit
point de se détourner du temporel, mais d'y revenir
sans cesse, au contraire, et de le dépasser en chaque
circonstance particulière.

Ainsi le bouleversement de son public et la crise
de la conscience européenne ont investi l'écrivain
d'une fonction nouvelle. Il conçoit la littérature
comme l'exercice permanent de la générosité. Il se
soumet encore au contrôle étroit et rigoureux de
ses pairs mais il entrevoit, au-dessous de lui, une
attente informe et passionnée, un désir plus féminin,
plus indifférencié qui le délivre de leur censure;
il a désincarné le spirituel et a séparé sa cause de
celle d'une idéologie agonisante; ses livres sont de
libres appels à la liberté des lecteurs.

Le triomphe politique de la bourgeoisie, que les
écrivains avaient appelé de tous leurs vœux, bouleverse leur condition de fond en comble et remet en

question jusqu'à l'essence de la littérature; on dirait
qu'ils n'ont fait tant d'efforts que pour préparer
plus sûrement leur perte. En assimilant la cause des
belles-lettres à celle de la démocratie politique, ils
ont sans aucun doute aidé la bourgeoisie à s'emparer
du pouvoir, mais du même coup ils s'exposaient,
en cas de victoire, à voir disparaître l'objet de leurs
revendications, c'est-à-dire le sujet perpétuel et
presque unique de leurs écrits. En un mot, l'harmonie
miraculeuse qui unissait les exigences propres de la
littérature à celles de la bourgeoisie opprimée s'est
rompue dès que les unes et les autres se sont réalisées.
Tant que des millions d'hommes enrageaient de ne
pouvoir exprimer leur sentiment, il était beau de
réclamer le droit d'écrire librement et de tout examiner, mais dès que la liberté de pensée, de confession et l'égalité des droits politiques sont acquises,
la défense de la littérature devient un jeu purement
formel qui n'amuse plus personne; il faut trouver
autre chose. Or, dans le même moment les écrivains
ont perdu leur situation privilégiée : elle avait son
origine dans la cassure qui déchirait leur public et
qui leur permettait de jouer sur deux tableaux.
Ces deux moitiés se sont recollées; la bourgeoisie a
absorbé la noblesse ou peu s'en faut. Les auteurs
doivent répondre aux demandes d'un public unifié.
Tout espoir est perdu pour eux de sortir de leur
classe d'origine. Nés de parents bourgeois, lus et
payés par des bourgeois, il faudra qu'ils restent
bourgeois, la bourgeoisie, comme une prison, s'est
refermée sur eux. De la classe parasitaire et folle
qui les nourrissait par caprice et qu'ils minaient sans
remords, de leur rôle d'agent double, ils gardent
un regret cuisant dont ils mettront un siècle à se
guérir; il leur semble qu'ils ont tué la poule aux
œufs d'or. La bourgeoisie inaugure des formes d'oppression nouvelles; cependant elle n'est pas para-

sitaire : sans doute elle s'est approprié les instruments de travail, mais elle est fort diligente à régler l'organisation de la production et la répartition des produits. Elle ne conçoit pas l'œuvre littéraire comme une création gratuite et désintéressée, mais comme un service payé.

Le mythe justificateur de cette classe laborieuse et improductive c'est *l'utilitarisme :* d'une manière ou d'une autre le bourgeois fait fonction d'intermédiaire entre le producteur et le consommateur, il est le *moyen terme* élevé à la toute-puissance; il a donc dans le couple indissoluble du moyen et de la fin, choisi de donner la première importance au moyen. La fin est sous-entendue, on ne la regarde jamais en face, on la passe sous silence; le but et la dignité d'une vie humaine c'est de se consumer dans l'agencement des moyens; il n'est pas *sérieux* de s'employer sans intermédiaire à produire une fin absolue; c'est comme si l'on prétendait voir Dieu face à face sans le secours de l'Église. On ne fera crédit qu'aux entreprises dont la fin est l'horizon en perpétuel recul d'une série infinie de moyens. Si l'œuvre d'art entre dans la ronde utilitaire, si elle prétend qu'on la prenne au sérieux, il faudra qu'elle descende du ciel des fins inconditionnées et qu'elle se résigne à devenir utile à son tour, c'est-à-dire qu'elle se présente comme un moyen d'agencer des moyens. En particulier, comme le bourgeois n'est pas tout à fait sûr de soi, parce que sa puissance n'est pas assise sur un décret de la Providence, il faudra que la littérature l'aide à se sentir bourgeois de droit divin. Ainsi risque-t-elle, après avoir été, au XVIIIe siècle, la mauvaise conscience des privilégiés, de devenir, au XIXe siècle, la bonne conscience d'une classe d'oppression. Passe encore si l'écrivain pouvait garder cet esprit de libre critique qui fit sa fortune et son orgueil au siècle précédent. Mais son

public s'y oppose : tant que la bourgeoisie luttait
contre le privilège de la noblesse, elle s'accommodait
de la négativité destructrice. A présent qu'elle a le
pouvoir, elle passe à la construction et demande
qu'on l'aide à construire. Au sein de l'idéologie
religieuse, la contestation demeurait possible parce
que le croyant rapportait ses obligations et les
articles de sa foi à la volonté de Dieu. Par là il éta-
blissait entre lui et le Tout-Puissant un lien concret
et féodal de personne à personne. Ce recours au
libre arbitre divin introduisait, encore que Dieu fût
tout parfait et enchaîné à sa perfection, un élément
de gratuité dans la morale chrétienne et, en conséquence, un peu de liberté dans la littérature. Le
héros chrétien, c'est toujours Jacob en lutte avec
l'ange, le saint *conteste* la volonté divine, même
si c'est pour s'y soumettre encore plus étroitement.
Mais l'éthique bourgeoise ne dérive pas de la Providence : ses règlements universels et abstraits sont
inscrits dans les choses; ils ne sont pas l'effet d'une
volonté souveraine et tout aimable, mais personnelle,
ils ressembleraient plutôt aux lois incréées de la
physique. Du moins on le suppose, car il n'est pas
prudent d'y regarder de si près. Précisément parce
que leur origine est obscure, l'homme sérieux se
défend de les examiner. L'art bourgeois sera moyen
ou il ne sera pas; il s'interdira de toucher aux principes de peur qu'ils ne s'effondrent [3] et de sonder trop
avant le cœur humain de peur d'y trouver le désordre.
Son public ne redoute rien tant que le talent, folie
menaçante et heureuse, qui découvre le fond inquiétant des choses par des mots imprévisibles et, par
des appels répétés à la liberté, remue le fond plus
inquiétant encore des hommes. La *facilité* se vend
mieux : c'est le talent enchaîné, tourné contre lui-
même, l'art de rassurer par des discours harmonieux
et prévus, de montrer, sur le ton de la bonne compa-

gnie, que le monde et l'homme sont médiocres,
transparents, sans surprises, sans menaces et sans
intérêt.

Il y a plus : comme le bourgeois n'a de rapport avec
les forces naturelles que par personnes interposées,
comme la réalité matérielle lui apparaît sous forme
de produits manufacturés, comme il est entouré, à
perte de vue, d'un monde déjà humanisé qui lui
renvoie sa propre image, comme il se borne à glaner
à la surface des choses les significations que d'autres
hommes y ont déposées, comme sa tâche consiste
essentiellement à manier des symboles abstraits,
mots, chiffres, schémas, diagrammes pour déterminer par quelles méthodes ses salariés répartiront
les biens de consommation, comme sa culture tout
aussi bien que son métier le disposent à penser sur
de la pensée, il s'est convaincu que l'univers était
réductible à un système d'idées; il dissout en idées
l'effort, la peine, les besoins, l'oppression, les guerres :
il n'y a pas de mal, mais seulement un pluralisme;
certaines idées vivent à l'état libre, il faut les intégrer
au système. Ainsi conçoit-il le progrès humain comme
un vaste mouvement d'assimilation : les idées s'assimilent entre elles et les esprits entre eux. Au terme
de cet immense processus digestif, la pensée trouvera
son unification et la société son intégration totale.
Un tel optimisme est à l'extrême opposé de la conception que l'écrivain se fait de son art : l'artiste a besoin
d'une matière inassimilable parce que la beauté ne
se résout pas en idées ; même s'il est prosateur et
s'il assemble des signes, il n'y aura ni grâce ni force
dans son style s'il n'est sensible à la matérialité du
mot et à ses résistances irrationnelles. Et s'il veut
fonder l'univers dans son œuvre et le soutenir par
une inépuisable liberté, c'est précisément parce qu'il
distingue radicalement les choses de la pensée; sa
liberté n'est homogène à la chose qu'en ceci que toutes

deux sont insondables et, s'il veut réapproprier le désert ou la forêt vierge à l'Esprit, ce n'est pas en les transformant en idées de désert et de forêt, mais en faisant éclairer l'Être en tant qu'Être, avec son opacité, et son coefficient d'adversité, par la spontanéité indéfinie de l'Existence. C'est pourquoi l'œuvre d'art ne se réduit pas à l'idée : d'abord parce qu'elle est production ou reproduction d'un *être*, c'est-à-dire de quelque chose qui ne se laisse jamais tout à fait *penser;* ensuite parce que cet être est totalement pénétré par une *existence*, c'est-à-dire par une liberté qui décide du sort même et de la valeur de la pensée. C'est pourquoi aussi l'artiste a toujours eu une compréhension particulière du Mal, qui n'est pas l'isolement provisoire et remédiable d'une idée, mais l'irréductibilité du monde et de l'homme à la Pensée.

On reconnaît le bourgeois à ce qu'il nie l'existence des classes sociales et singulièrement de la bourgeoisie. Le gentilhomme veut commander parce qu'il appartient à une caste. Le bourgeois fonde sa puissance et son droit de gouverner sur la maturation exquise que donne la possession séculaire des biens de ce monde. Il n'admet d'ailleurs de rapports synthétiques qu'entre le propriétaire et la chose possédée; pour le reste il démontre par l'analyse que tous les hommes sont semblables parce qu'ils sont les éléments invariants des combinaisons sociales et parce que chacun d'eux, quel que soit le rang qu'il occupe, possède entièrement la *nature humaine.* Dès lors les inégalités apparaissent comme des accidents fortuits et passagers qui ne peuvent altérer les caractères permanents de l'atome social. Il n'y a pas de prolétariat, c'est-à-dire pas de classe synthétique dont chaque ouvrier soit un mode passager; il y a seulement des prolétaires, isolés chacun dans sa nature humaine, et qui ne sont pas unis entre eux par une solidarité

interne, mais seulement par des liens externes de
ressemblance. Entre les individus que sa propagande
analytique a circonvenus et séparés le bourgeois ne
voit que des relations *psychologiques*. Cela se conçoit :
comme il n'a pas de prise directe sur les choses,
comme son travail s'exerce essentiellement sur
des hommes, il s'agit uniquement pour lui de plaire
et d'intimider; la cérémonie, la discipline et la politesse règlent ses conduites, il tient ses semblables
pour des marionnettes et s'il veut acquérir quelque
connaissance de leurs affections et de leur caractère,
c'est que chaque passion lui semble une ficelle qu'on
peut tirer, le bréviaire du bourgeois ambitieux et
pauvre, c'est un « Art de Parvenir », le bréviaire
du riche c'est « l'Art de Commander ». La bourgeoisie considère donc l'écrivain comme un expert;
s'il se lance dans des méditations sur l'ordre social,
il l'ennuie et l'effraie : elle lui demande seulement
de lui faire partager son expérience pratique du
cœur de l'homme. Voilà la littérature réduite,
comme au XVIIe siècle, à la psychologie. Encore
la psychologie de Corneille, de Pascal, de Vauve-
nargues, était-elle un appel cathartique à la liberté.
Mais le commerçant se méfie de la liberté de ses
pratiques et le préfet de celle du sous-préfet. Ils
souhaitent seulement qu'on leur fournisse des recettes
infaillibles pour séduire et pour dominer. Il faut
que l'homme soit gouvernable à coup sûr et par de
petits moyens, en un mot il faut que les lois du cœur
soient rigoureuses et sans exceptions. Le chef bourgeois ne croit pas plus à la liberté humaine que le
savant ne croit au miracle. Et comme sa morale est
utilitaire, le ressort principal de sa psychologie
sera l'intérêt. Il ne s'agit plus pour l'écrivain d'adresser son œuvre, comme un appel, à des libertés absolues, mais d'exposer les lois psychologiques qui le
déterminent à des lecteurs déterminés comme lui.

Idéalisme, psychologisme, déterminisme, utilitarisme, esprit de sérieux, voilà ce que l'écrivain bourgeois doit refléter d'abord à son public. On ne lui demande plus de restituer l'étrangeté et l'opacité du monde mais de le dissoudre en impressions élémentaires et subjectives qui en rendent la digestion plus aisée — ni de retrouver au plus profond de sa liberté les plus intimes mouvements du cœur, mais de confronter son « expérience » avec celle de ses lecteurs. Ses ouvrages sont tout à la fois des inventaires de la propriété bourgeoise, des expertises psychologiques tendant invariablement à fonder les droits de l'élite et à montrer la sagesse des institutions, des manuels de civilité. Les conclusions sont arrêtées d'avance; d'avance on a établi le degré de profondeur permis à l'investigation, les ressorts psychologiques ont été sélectionnés, le style même est réglementé. Le public ne craint aucune surprise, il peut acheter les yeux fermés. Mais la littérature est assassinée. D'Émile Augier à Marcel Prévost et à Edmond Jaloux en passant par Dumas fils, Pailleron, Ohnet, Bourget, Bordeaux, il s'est trouvé des auteurs pour conclure l'affaire et, si j'ose dire, faire honneur jusqu'au bout à leur signature. Ce n'est pas par hasard qu'ils ont écrit de mauvais livres : s'ils ont eu du talent, il a fallu le cacher.

Les meilleurs ont refusé. Ce refus sauve la littérature mais il en fixe les traits pour cinquante ans. A partir de 1848, en effet, et jusqu'à la guerre de 1914, l'unification radicale de son public amène l'auteur à écrire par principe *contre tous ses lecteurs*. Il vend pourtant ses productions, mais il méprise ceux qui les achètent et s'efforce de décevoir leurs vœux; c'est chose entendue qu'il vaut mieux être méconnu que célèbre, que le succès, s'il va jamais à l'artiste de son vivant, s'explique par un malentendu. Et si d'aventure le livre qu'on publie ne heurte

pas assez, on y ajoutera une préface pour insulter.
Ce conflit fondamental entre l'écrivain et son
public est un phénomène sans précédent dans
l'histoire littéraire. Au xviie siècle l'accord entre
littérateur et lecteurs est parfait; au xviiie siècle,
l'auteur dispose de deux publics également réels et
peut à son gré s'appuyer sur l'un ou sur l'autre; le
romantisme a été, à ses débuts, une vaine tentative
pour éviter la lutte ouverte en restaurant cette
dualité et en s'appuyant sur l'aristocratie contre la
bourgeoisie libérale. Mais après 1850 il n'y a plus
moyen de dissimuler la contradiction profonde qui
oppose l'idéologie bourgeoise aux exigences de la
littérature. Vers le même moment un public virtuel
se dessine déjà dans les couches profondes de la
société : déjà il attend qu'on le révèle à lui-même;
c'est que la cause de l'instruction gratuite et obliga-
toire a fait des progrès : bientôt la troisième République consacrera pour tous les hommes le droit de
lire et d'écrire. Que va faire l'écrivain ? Optera-t-il
pour la masse contre l'élite et tentera-t-il de recréer
à son profit la dualité des publics ?

Il le semblerait à première vue. A la faveur du
grand mouvement d'idées qui brasse de 1830 à 1848
les zones marginales de la bourgeoisie, certains auteurs ont la révélation de leur public virtuel. Ils
le parent, sous le nom de « Peuple », de grâces mystiques : le salut viendra par lui. Mais, pour autant
qu'ils l'aiment, ils ne le connaissent guère et surtout
ils n'émanent pas de lui. Sand est baronne Dudevant,
Hugo, fils d'un général d'Empire. Même Michelet,
fils d'un imprimeur, est encore bien éloigné des canuts
lyonnais ou des tisseurs de Lille. Leur socialisme
— quand ils sont socialistes — est un sous-produit
de l'idéalisme bourgeois. Et puis surtout le peuple
est bien plutôt le sujet de certaines de leurs œuvres
que le public qu'ils ont élu. Hugo, sans doute, a eu

la rare fortune de pénétrer partout ; c'est un des seuls, peut-être le seul de nos écrivains qui soit vraiment populaire. Mais les autres se sont attiré l'inimitié de la bourgeoisie sans se créer, en contre-partie, un public ouvrier. Pour s'en convaincre il n'est que de comparer l'importance que l'Université bourgeoise accorde à Michelet, génie authentique et prosateur de grande classe, et à Taine, qui ne fut qu'un cuistre ou à Renan dont le « beau style » offre tous les exemples souhaitables de bassesse et de laideur. Ce purgatoire où la classe bourgeoise laisse végéter Michelet est sans compensation : le « peuple », qu'il aimait, l'a lu pendant quelque temps et puis le succès du marxisme l'a rejeté dans l'oubli. En somme la plupart de ces auteurs sont les vaincus d'une révolution ratée; ils y ont attaché leur nom et leur destin. Aucun d'eux, sauf Hugo, n'a vraiment marqué la littérature.

Les autres, tous les autres, ont reculé devant la perspective d'un déclassement par en bas, qui les eût fait couler à pic, comme une pierre à leur cou. Ils ne manquent pas d'excuses : il était trop tôt, aucun lien réel ne les attachait au prolétariat, cette classe opprimée ne pouvait pas les absorber, elle ne connaissait pas le besoin qu'elle avait d'eux; leur décision de la défendre fût restée abstraite ; quelle qu'eût été leur sincérité; ils se fussent « penchés » sur des malheurs qu'ils eussent compris avec leur tête sans les ressentir dans leur cœur. Déchus de leur classe d'origine, hantés par la mémoire d'une aisance qu'ils eussent dû s'interdire, ils couraient le risque de constituer, en marge du vrai prolétariat, un « prolétariat en faux col », suspect aux ouvriers, honni par les bourgeois, dont les revendications eussent été dictées par l'aigreur et le ressentiment plutôt que par la générosité, et qui se fût, pour finir, tourné à la fois contre les uns et contre les autres [4]. En outre,

au xviiie siècle, les libertés nécessaires que réclame
la littérature ne se distinguent pas des libertés politiques que le citoyen veut conquérir, il suffit à l'écrivain d'explorer l'essence arbitraire de son art et
de se faire l'interprète de ses exigences formelles
pour devenir révolutionnaire : la littérature est
naturellement révolutionnaire, quand la révolution
qui se prépare est bourgeoise, parce que la première
découverte qu'elle fait de soi lui révèle ses liens avec
la démocratie politique. Mais les libertés formelles
que défendront l'essayiste, le romancier, le poète,
n'ont plus rien de commun avec les exigences profondes du prolétariat. Celui-ci ne songe pas à réclamer la liberté politique, dont il jouit après tout
et qui n'est qu'une mystification[5]; de la liberté de
penser, il n'a que faire, pour l'instant; ce qu'il
demande est fort différent de ces libertés abstraites :
il souhaite l'amélioration matérielle de son sort et,
plus profondément, plus obscurément aussi, la fin
de l'exploitation de l'homme par l'homme. Nous
verrons plus tard que ces revendications sont homo-
gènes à celles que pose l'art d'écrire conçu comme
phénomène historique et concret, c'est-à-dire comme
l'appel singulier et daté qu'un homme, en acceptant
de s'historialiser, lance à propos de l'homme tout
entier à tous les hommes de son époque. Mais, au
xixe siècle, la littérature vient de se dégager de
l'idéologie religieuse et refuse de servir l'idéologie
bourgeoise. Elle se pose donc comme indépendante
par principe de toute espèce d'idéologie. De ce fait,
elle garde son aspect abstrait de pure négativité.
Elle n'a pas encore compris qu'elle *est elle-même*
l'idéologie; elle s'épuise à affirmer son autonomie,
que personne ne lui conteste. Cela revient à dire
qu'elle prétend n'avoir aucun sujet privilégié et
pouvoir traiter de toute matière également : il n'est
pas douteux qu'on puisse écrire avec bonheur de la

condition ouvrière; mais le choix de ce sujet dépend
des circonstances, d'une libre décision de l'artiste; un
autre jour on parlera d'une bourgeoise de province,
un autre jour des mercenaires carthaginois. De temps
en temps, un Flaubert affirmera l'identité du fond
et de la forme, mais il n'en tirera aucune conclusion
pratique. Comme tous ses contemporains, il reste tri-
butaire de la définition que les Winckelmann et les
Lessing, près d'un siècle plus tôt, ont donnée de la
beauté et qui, d'une manière ou d'une autre, revient
à la présenter comme la multiplicité dans l'unité. Il
s'agit de capter le chatoiement du divers et de lui
imposer une unification rigoureuse par le style.
Le « style artiste » des Goncourt n'a pas d'autre
signification : c'est une méthode formelle pour unifier
et embellir toutes les matières, même les plus belles.
Comment pourrait-on concevoir alors qu'il puisse y
avoir un rapport interne entre les revendications
des classes inférieures et les principes de l'art
d'écrire ? Proudhon semble être le seul à l'avoir
deviné. Et Marx bien entendu. Mais ils n'étaient pas
littérateurs. La littérature, tout absorbée encore
par la découverte de son autonomie, est à elle-même
son propre objet. Elle est passée à la période réflexive ;
elle éprouve ses méthodes, brise ses anciens cadres,
tente de déterminer expérimentalement ses propres
lois et de forger des techniques nouvelles. Elle
avance tout doucement vers les formes actuelles
du drame et du roman, le vers libre, la critique du
langage. Si elle se découvrait un contenu spécifique,
il lui faudrait s'arracher à sa méditation sur soi et
dégager ses normes esthétiques de la nature de ce
contenu. En même temps les auteurs, en choisissant
d'écrire pour un public virtuel, devraient adapter
leur art à l'ouverture des esprits, ce qui revient à
le déterminer d'après des exigences extérieures et
non d'après son essence propre; il faudrait renoncer

à des formes de récit, de poésie, de raisonnement
même, pour le seul motif qu'elles ne seraient pas
accessibles aux lecteurs sans culture. Il semble donc
que la littérature courrait le risque de retomber
dans l'aliénation. Aussi l'écrivain refuse-t-il, de
bonne foi, d'asservir la littérature à un public et à
un sujet déterminés. Mais il ne s'aperçoit pas du
divorce qui s'opère entre la révolution concrète qui
tente de naître et les jeux abstraits auxquels il
se livre. Cette fois, ce sont les masses qui veulent le
pouvoir et comme les masses n'ont pas de culture ni
de loisirs, toute prétendue révolution littéraire, en
raffinant sur la technique, met hors de leur portée
les ouvrages qu'elle inspire et sert les intérêts du
conservatisme social.

Il faut donc en revenir au public bourgeois. L'écrivain se vante d'avoir rompu tout commerce avec
lui, mais, en refusant le déclassement par en bas,
il condamne sa rupture à rester symbolique : il la
joue sans relâche, il l'indique par son vêtement, son
alimentation, son ameublement, les mœurs qu'il se
donne, mais il ne la fait pas. C'est la bourgeoisie qui
le lit, c'est elle seule qui le nourrit et qui décide
de sa gloire. En vain fait-il semblant de prendre du
recul pour la considérer d'ensemble : s'il veut la
juger, il faudrait d'abord qu'il en sorte et il n'est pas
d'autre façon d'en sortir que d'éprouver les intérêts
et la manière de vivre d'une autre classe. Comme il
ne s'y décide pas, il vit dans la contradiction et dans
la mauvaise foi puisqu'il sait à la fois et ne veut pas
savoir *pour qui* il écrit. Il parle volontiers de sa *solitude* et, plutôt que d'assumer le public qu'il s'est
sournoisement choisi, il invente qu'on écrit pour
soi seul ou pour Dieu, il fait de l'écriture une occupation métaphysique, une prière, un examen de
conscience, tout sauf une communication. Il s'assimile fréquemment à un possédé, parce que, s'il

vomit les mots sous l'empire d'une nécessité intérieure, au moins ne les *donne*-t-il pas. Mais cela n'empêche qu'il corrige soigneusement ses écrits. Et
d'autre part il est si loin de vouloir du mal à la bourgeoisie qu'il ne lui conteste même pas le droit de
gouverner. Bien au contraire. Flaubert le lui a reconnu
nommément et sa correspondance abonde, après
la Commune qui lui fit si grand'peur, en injures
ignobles contre les ouvriers [6]. Et comme l'artiste,
enfoncé dans son milieu, ne peut le juger du dehors,
comme ses refus sont des états d'âme sans effet, il
ne s'aperçoit pas même que la bourgeoisie est classe
d'oppression ; au vrai il ne la tient pas du tout pour
une classe mais pour une espèce naturelle et, s'il
se risque à la décrire, il le fera en termes strictement
psychologiques. Ainsi l'écrivain bourgeois et l'écrivain maudit se meuvent sur le même plan ; leur seule
différence c'est que le premier fait de la psychologie
blanche et le second de la psychologie noire. Lorsque
Flaubert déclare, par exemple, qu'il « appelle bourgeois tout ce qui pense bassement », il définit le
bourgeois en termes psychologiques et idéalistes,
c'est-à-dire dans la perspective de l'idéologie qu'il
prétend refuser. Du coup il rend un signalé service
à la bourgeoisie : il ramène au bercail les révoltés,
les désadaptés qui risqueraient de passer au prolétariat, en les persuadant qu'on peut dépouiller le
bourgeois en soi-même par une simple discipline
intérieure : si seulement ils s'exercent dans le privé
à penser noblement, ils peuvent continuer à jouir,
la conscience en paix, de leurs biens et de leurs pré-
rogatives ; ils habitent encore bourgeoisement,
jouissent encore bourgeoisement de leurs revenus et
fréquentent des salons bourgeois, mais tout cela
n'est plus qu'une apparence, ils se sont élevés au-
dessus de leur espèce par la noblesse de leurs sentiments. Du même coup il donne à ses confrères le

truc qui leur permettra de garder en tout cas une
bonne conscience : car la magnanimité trouve son
application privilégiée dans l'exercice des arts.

La solitude de l'artiste est truquée doublement :
elle dissimule non seulement un rapport réel au grand
public mais encore la reconstitution d'un public de
spécialistes. Puisqu'on abandonne au bourgeois le
gouvernement des hommes et des biens, le spirituel
se sépare à nouveau du temporel, on voit renaître
une sorte de cléricature. Le public de Stendhal c'est
Balzac, celui de Baudelaire, c'est Barbey d'Aurevilly
et Baudelaire à son tour se fait public de Poe. Les
salons littéraires ont pris un vague aspect collégial,
on y « parle littérature » à mi-voix, avec un infini
respect, on y débat si le musicien tire plus de jouissance esthétique de sa musique que l'écrivain de
ses livres ; à mesure qu'il se détourne de la vie, l'art
redevient sacré. Il s'est même institué une sorte de
communion des saints : on donne la main par-dessus
les siècles à Cervantès, à Rabelais, à Dante, on
s'intègre à cette société monastique; la cléricature
au lieu d'être un organisme concret et, pour ainsi
dire, géographique, devient une institution suc-
cessive, un club dont tous les membres sont morts,
sauf un, le dernier en date qui représente les autres
sur terre et résume en lui tout le collège. Ces nouveaux
croyants, qui ont leurs saints dans le passé, ont aussi
leur vie future. Le divorce du temporel et du spirituel
amène une modification profonde de l'idée de gloire :
du temps de Racine, elle n'était pas tant la revanche
de l'écrivain méconnu que le prolongement naturel du
succès dans une société immuable. Au XIXe siècle,
elle fonctionne comme un mécanisme de surcompen-
sation. « Je serai compris en 1880 », « Je gagnerai
mon procès en appel », ces mots fameux prouvent
que l'écrivain n'a pas perdu le désir d'exercer une
action directe et universelle dans le cadre d'une

collectivité intégrée. Mais comme cette action n'est pas possible dans le présent, on projette, dans un avenir indéfini, le mythe compensateur d'une réconciliation entre l'écrivain et son public. Tout cela reste d'ailleurs fort vague : aucun de ces amateurs de gloire ne s'est demandé dans quelle espèce de société il pourrait trouver sa récompense; ils se plaisent seulement à rêver que leurs petits-neveux bénéficieront d'une amélioration intérieure, pour être venus plus tard et dans un monde plus vieux. C'est ainsi que Baudelaire, qui ne s'embarrasse pas des contradictions, panse souvent les plaies de son orgueil par la considération de sa renommée posthume, quoiqu'il tienne que la société soit entrée dans une période de décadence qui ne se terminera qu'avec la disparition du genre humain.

Pour le présent donc, l'écrivain recourt à un public de spécialistes; pour le passé il conclut un pacte mystique avec les grands morts; pour le futur il use du mythe de la gloire. Il n'a rien négligé pour s'arracher symboliquement à sa classe. Il est en l'air, étranger à son siècle, dépaysé, maudit. Toutes ces comédies n'ont qu'un but : l'intégrer à une société symbolique qui soit comme une image de l'aristocratie d'ancien régime. La psychanalyse est familière avec ces processus d'identification dont la pensée autistique offre de nombreux exemples : le malade qui, pour s'évader, a besoin de la clé de l'asile, arrive à croire qu'il est lui-même cette clé. Ainsi l'écrivain qui a besoin de la faveur des grands pour se déclasser finit par se prendre pour l'incarnation de toute la noblesse. Et comme celle-ci se caractérisait par son parasitisme, c'est l'ostentation de parasitisme qu'il choisira pour style de vie. Il se fera le martyr de la consommation pure. Il ne voit, nous l'avons dit, aucun inconvénient à user des biens de la bourgeoisie, mais c'est à condition de les dépen-

ser, c'est-à-dire de les transformer en objets impro-
ductifs et inutiles ; il les brûle, en quelque sorte, parce
que le feu purifie tout. Comme, d'ailleurs, il n'est
pas toujours riche et qu'il faut bien vivre, il se compose une vie étrange, prodigue et besogneuse à la
fois, où une imprévoyance calculée symbolise la
folle générosité qui lui demeure interdite. En dehors
de l'art, il ne trouve de noblesse qu'en trois sortes
d'occupations. Dans l'amour d'abord, parce que c'est
une inutile passion et parce que les femmes sont,
comme dit Nietzsche, le jeu le plus dangereux. Dans
les voyages aussi, parce que le voyageur est un
perpétuel témoin, qui passe d'une société à une
autre sans jamais demeurer dans aucune et parce
que, consommateur *étranger* dans une collectivité
laborieuse, il est l'image même du parasitisme.
Parfois aussi dans la guerre, parce que c'est une
immense consommation d'hommes et de biens.

Le discrédit où l'on tenait les métiers dans les
sociétés aristocratiques et guerrières, on le retrouve
chez l'écrivain : il ne lui suffit pas d'être inutile,
comme les courtisans de l'Ancien Régime, il veut
pouvoir fouler aux pieds le travail utilitaire, casser,
brûler, détériorer, imiter la désinvolture des sei-
gneurs qui faisaient passer leurs chasses à travers
les blés mûrs. Il cultive en lui ces impulsions destructrices dont Baudelaire a parlé dans *le Vitrier.* Un
peu plus tard, il aimera entre tous les ustensiles
malfaçonnés, ratés ou hors d'usage, déjà à moitié
repris par la nature, et qui sont comme des caricatures de l'ustensilité. Sa propre vie, il n'est pas rare
qu'il la considère comme un outil à détruire, il la
risque en tout cas et joue à perdre : l'alcool,
les drogues, tout lui est bon. La perfection dans
l'inutile, bien entendu, c'est la beauté. De « l'art
pour l'art » au symbolisme, en passant par le réalisme
et le Parnasse, toutes les écoles sont d'accord en ceci

que l'art est la forme la plus élevée de la consommation pure. Il n'enseigne rien, il ne reflète aucune idéologie, il se défend surtout d'être moralisateur : bien avant que Gide l'ait écrit, Flaubert, Gautier, les Goncourt, Renard, Maupassant ont dit à leur manière que « c'est avec les bons sentiments qu'on fait la mauvaise littérature. » Pour les uns la littérature est la subjectivité portée à l'absolu, un feu de joie où se tordent les sarments noirs de leurs souffrances et de leurs vices; gisant au fond du monde comme dans un cachot, ils le dépassent et le dissipent par leur insatisfaction révélatrice des « ailleurs ». Il leur paraît que leur cœur est assez singulier pour que la peinture qu'ils en font demeure résolument stérile. D'autres se constituent les témoins impartiaux de leur époque. Mais ils ne témoignent aux yeux de personne; ils élèvent à l'absolu témoignage et témoins; ils présentent au ciel vide le tableau de la société qui les entoure. Circonvenus, transposés, unifiés, pris au piège d'un style artiste, les événements de l'univers sont neutralisés et, pour ainsi dire, mis entre parenthèses; le réalisme est une « époché ». L'impossible vérité rejoint ici l'inhumaine Beauté « belle comme un rêve de pierre ». Ni l'auteur, tant qu'il écrit, ni le lecteur, tant qu'il lit, ne sont plus de ce monde; ils se sont mués en pur regard; ils considèrent l'homme du dehors, ils s'efforcent de prendre sur lui le point de vue de Dieu, ou, si l'on veut, du vide absolu. Mais après tout je puis encore me reconnaître dans la description que le plus pur des lyriques fait de ses particularités; et, si le roman expérimental imite la science, n'est-il pas utilisable comme elle, ne peut-il avoir, lui aussi, ses *applications* sociales ? Les extrémistes souhaitent, par terreur de servir, que leurs ouvrages ne puissent pas même éclairer le lecteur sur son propre cœur, ils refusent de transmettre leur expérience. A la

limite l'œuvre ne sera tout à fait gratuite que si
elle est tout à fait inhumaine. Au bout de cela, il
y a l'espoir d'une création absolue, quintessence du
luxe et de la prodigalité, inutilisable en ce monde
parce qu'elle *n'est pas du monde* et qu'elle n'en
rappelle rien : l'imagination est conçue comme faculté
inconditionnée de *nier* le réel et l'objet d'art s'édifie
sur l'effondrement de l'univers. Il y a l'artificia-
lisme exaspéré de Des Esseintes, le dérèglement
systématique de tous les sens et, pour finir, la destruction concertée du langage. Il y a aussi le silence :
ce silence de glace, l'œuvre de Mallarmé, — ou celui
de M. Teste pour qui toute communication est impure.

L'extrême pointe de cette littérature brillante et
mortelle, c'est le néant. Sa pointe extrême et son
essence profonde : le nouveau spirituel n'a rien de
positif, il est négation pure et simple du temporel ;
au moyen âge c'est le temporel qui est l'Inessentiel
par rapport à la Spiritualité ; au xixe siècle l'inverse
se produit : le Temporel est premier, le spirituel est
le parasite inessentiel qui le ronge et tente de le
détruire. Il s'agit de nier le monde ou de le consommer. De le nier en le consommant. Flaubert écrit
pour se débarrasser des hommes et des choses. Sa
phrase cerne l'objet, l'attrape, l'immobilise et lui
casse les reins, se referme sur lui, se change en pierre
et le pétrifie avec elle. Elle est aveugle et sourde,
sans artères ; pas un souffle de vie, un silence profond
la sépare de la phrase qui suit ; elle tombe dans le
vide, éternellement, et entraîne sa proie dans cette
chute infinie. Toute réalité, une fois décrite, est
rayée de l'inventaire : on passe à la suivante. Le réalisme n'est rien d'autre que cette grande chasse
morne. Il s'agit de se tranquilliser avant tout. Partout où il a passé, l'herbe ne pousse plus. Le déterminisme du roman naturaliste écrase la vie, remplace
l'action humaine par des mécanismes à sens unique.

Il n'a guère qu'un sujet : la lente désagrégation
d'un homme, d'une entreprise, d'une famille, d'une
société; il faut retourner à zéro, on prend la nature
en état de déséquilibre productif et l'on efface ce
déséquilibre, on revient à un équilibre de mort
par l'annulation des forces en présence. Lorsqu'il
nous montre, par hasard, la réussite d'un ambitieux,
c'est une apparence : Bel Ami ne prend pas d'assaut
les redoutes de la bourgeoisie, c'est un ludion dont
la montée témoigne seulement de l'effondrement d'une
société. Et lorsque le symbolisme découvre l'étroite
parenté de la beauté et de la mort, il ne fait qu'expliciter le thème de toute la littérature du demi-
siècle. Beauté du passé, parce qu'il n'est plus, beauté
des jeunes mourantes et des fleurs qui se fanent,
beauté de toutes les érosions et de toutes les ruines,
suprême dignité de la consommation, de la maladie
qui mine, de l'amour qui dévore, de l'art qui tue;
la mort est partout, devant nous, derrière nous,
jusque dans le soleil et les parfums de la terre. L'art
de Barrès est une méditation de la mort : une chose
n'est belle que lorsqu'elle est « consommable »,
c'est-à-dire qu'elle meurt quand on en jouit. La
structure temporelle qui convient particulièrement à
ces jeux de princes, c'est l'instant. Parce qu'il passe
et parce qu'il est, en lui-même, l'image de l'éternité,
il est la négation du temps humain, ce temps à
trois dimensions du travail et de l'histoire. Il faut
beaucoup de temps pour édifier, un instant suffit
à tout jeter par terre. Lorsqu'on considère dans cette
perspective l'œuvre de Gide, on ne peut s'empêcher
d'y voir une éthique, strictement réservée à l'écrivain-consommateur. Son acte gratuit, qu'est-il,
sinon l'aboutissement d'un siècle de comédie bourgeoise et l'impératif de l'auteur-gentilhomme. Il est
frappant que les exemples en soient tous empruntés
à la consommation : Philoctète donne son arc, le

millionnaire dilapide ses billets de banque, Bernard
vole, Lafcadio tue, Ménalque vend ses meubles.
Ce mouvement destructeur ira jusqu'à ses conséquences extrêmes : « L'acte surréaliste le plus simple,
écrira Breton, vingt ans plus tard, consiste, revolver
au poing, à descendre dans la rue et à tirer au hasard,
tant qu'on peut, dans la foule. » C'est le terme dernier
d'un long processus dialectique : au XVIIIe siècle la
littérature était négativité; sous le règne de la bourgeoisie, elle passe à l'état de Négation absolue et
hypostasiée, elle devient un processus multicolore
et chatoyant d'anéantissement. « Le surréalisme
n'est pas intéressé à tenir grand compte... de tout
ce qui n'a pas pour fin l'anéantissement de l'être
en un brillant intérieur et aveugle qui ne soit pas
plus l'âme de la glace que celle du feu », écrit encore
Breton. A la limite il ne reste plus à la littérature
qu'à se contester elle-même. C'est ce qu'elle fait
sous le nom de surréalisme : on a écrit pendant
soixante-dix ans pour consommer le monde; on écrit
après 1918 pour consommer la littérature; on dilapide
les traditions littéraires, on gaspille les mots, on les
jette les uns contre les autres pour les faire éclater.
La littérature comme Négation absolue devient
l'Anti-littérature; jamais elle n'a été plus *littéraire*:
la boucle est bouclée.

Dans le même temps l'écrivain, pour imiter la
légèreté gaspilleuse d'une aristocratie de naissance,
n'a pas de plus grand souci que d'établir son irresponsabilité. Il a commencé par poser les droits du
génie, qui remplacent le droit divin de la monarchie
autoritaire. Puisque la Beauté, c'est le luxe porté
à l'extrême, puisqu'elle est un bûcher aux flammes
froides qui éclaire et consume toute chose, puisqu'elle
se nourrit de toutes les formes de l'usure et de la
destruction, en particulier de la souffrance et de
la mort, l'artiste, qui est son prêtre, a le droit d'exi-

ger en son nom et de provoquer au besoin le malheur
de ses proches. Quant à lui, depuis longtemps il
brûle, il est en cendres; il faut d'autres victimes
pour alimenter la flamme. Des femmes en particulier ;
elles le feront souffrir et il le leur rendra bien; il
souhaite pouvoir porter malheur à tout ce qui l'entoure. Et s'il n'a pas le moyen de provoquer les
catastrophes, il se contentera d'accepter les offrandes.
Admirateurs, admiratrices sont là pour qu'il incendie
leurs cœurs ou qu'il dépense leur argent sans grati-
tude ni remords. Maurice Sachs rapporte que son
grand-père maternel, qui avait pour Anatole France
une admiration maniaque, dépensa une fortune à
meubler la villa Saïd. A sa mort, France prononça
cet éloge funèbre : « Dommage ! Il était meublant. »
En prenant l'argent du bourgeois l'écrivain exerce
son sacerdoce puisqu'il distrait une part des richesses
pour l'anéantir en fumée. Et, du même coup, il se
place au-dessus de toutes les responsabilités : devant
qui donc serait-il responsable ? Et au nom de quoi ?
Si son œuvre visait à construire, on pourrait lui
demander des comptes. Mais puisqu'elle s'affirme destruction pure, il échappe au jugement. Tout cela
demeure, à la fin du siècle, passablement confus et
contradictoire. Mais lorsque la littérature, avec le
surréalisme, se fera provocation au meurtre, on verra
l'écrivain, par un enchaînement paradoxal mais
logique, poser explicitement le principe de sa totale
irresponsabilité. A vrai dire, il n'en donne pas clairement les raisons, il se réfugie dans les maquis de
l'écriture automatique. Mais les motifs sont évidents :
une aristocratie parasitaire de pure consommation
dont la fonction est de brûler sans relâche les biens
d'une société laborieuse et productive ne saurait
être justiciable de la collectivité qu'elle détruit. Et
comme cette destruction systématique ne va jamais
plus loin que le *scandale*, cela revient à dire, au fond,

que l'écrivain a pour premier devoir de provoquer
le scandale et pour droit imprescriptible d'échapper
à ses conséquences.

La bourgeoisie laisse faire; elle sourit de ces étour-
deries. Peu lui importe que l'écrivain la méprise :
ce mépris n'ira pas loin, puisqu'elle est son seul
public; il n'en parle qu'à elle, il lui en fait la confi-
dence; c'est en quelque sorte le lien qui les unit.
Et même s'il obtenait l'audience populaire, quelle
apparence qu'il puisse attiser le mécontentement des
masses en leur exposant que le bourgeois pense
bassement ? Il n'y a aucune chance qu'une doctrine
de la consommation absolue puisse circonvenir les
classes laborieuses. Au reste la bourgeoisie sait bien
que l'écrivain a pris secrètement son parti : il a
besoin d'elle pour justifier son esthétique d'opposition et de ressentiment; c'est d'elle qu'il reçoit les
biens qu'il consomme; il souhaite conserver l'ordre
social pour pouvoir s'y sentir un étranger à demeure :
en bref c'est un révolté, non pas un révolutionnaire.
Des révoltés, elle fait son affaire. En un sens, même,
elle se fait leur complice : il vaut mieux contenir les
forces de négation dans un vain esthétisme, dans
une révolte sans effet; libres, elles pourraient s'employer au service des classes opprimées. Et puis les
lecteurs bourgeois entendent à leur façon ce que
l'écrivain nomme la *gratuité* de son œuvre : pour
celui-ci c'est l'essence même de la spiritualité et la
manifestation héroïque de sa rupture avec le temporel; pour ceux-là un ouvrage gratuit est foncièrement inoffensif, c'est un divertissement; ils préfére-
ront sans doute la littérature de Bordeaux, de
Bourget, mais ils ne trouvent pas mauvais qu'il y
ait des livres inutiles qui détournent l'esprit des
préoccupations sérieuses et lui donnent la récréa-
tion dont il a besoin pour se refaire. Ainsi, même en
reconnaissant que l'œuvre d'art ne peut servir à

rien, le public bourgeois trouve encore moyen de l'utiliser. Le succès de l'écrivain est bâti sur ce malentendu : comme il se réjouit d'être méconnu, il est normal que ses lecteurs se méprennent. Puisque la littérature, entre ses mains, est devenue cette négation abstraite, qui se nourrit d'elle-même, il doit s'attendre à ce qu'ils sourient de ses plus vives insultes en disant : « Ce n'est que de la littérature »; et puisqu'elle est pure contestation de l'esprit de sérieux, il doit trouver bon qu'ils refusent par principe de le prendre au sérieux. Enfin ils se retrouvent, fût-ce même avec scandale et sans s'en rendre tout à fait compte, dans les œuvres les plus « nihilistes » de l'époque. C'est que l'écrivain, eût-il mis tous ses soins à se masquer ses lecteurs, n'échappera jamais complètement à leur insidieuse influence. Bourgeois honteux, écrivant pour les bourgeois sans se l'avouer, il peut bien lancer les idées les plus folles : les idées ne sont souvent que des bulles qui naissent à la surface de l'esprit. Mais sa technique le trahit, parce qu'il ne la sur-veille pas avec le même zèle, elle exprime un choix plus profond et plus vrai, une obscure métaphysique, une relation authentique avec la société contempo-raine. Quel que soit le cynisme, quelle que soit l'amertume du sujet choisi, la technique romanesque du xixe siècle offre au public français une image rassurante de la bourgeoisie. A vrai dire, nos auteurs l'ont héritée, mais c'est à eux qu'il revient de l'avoir mise au point. Son apparition, qui remonte à la fin du moyen âge, a coïncidé avec la première médiation réflexive par laquelle le romancier a pris connaissance de son art. Au commencement il racontait sans se mettre en scène ni méditer sur sa fonction, parce que les sujets de ses récits étaient presque tous d'origine folklorique ou, en tout cas, collective et qu'il se bornait à les mettre en œuvre;

le caractère social de la matière qu'il travaillait
comme aussi le fait qu'elle existât avant qu'il
vînt à s'en occuper lui conféraient un rôle d'intermédiaire et suffisaient à le justifier : il était l'homme
qui savait les plus belles histoires et qui, au lieu
de les conter oralement, les couchait par écrit;
il inventait peu, il fignolait, il était l'historien
de l'imaginaire. Quand il s'est mis à forger lui-
même les fictions qu'il publiait, il s'est vu : il a découvert à la fois sa solitude presque coupable et la
gratuité injustifiable, la subjectivité de la création
littéraire. Pour les masquer aux yeux de tous et
à ses propres yeux, pour fonder son droit d'écrire,
il a voulu donner à ses inventions les apparences
du vrai. Faute de pouvoir garder à ses récits l'opacité presque matérielle qui les caractérisait quand
ils émanaient de l'imagination collective, il a feint
tout au moins qu'ils ne vinssent pas de lui et il a
tenu à les donner comme des souvenirs. Pour cela,
il s'est fait représenter dans ses ouvrages par un narrateur de tradition orale, en même temps qu'il y
introduisait un auditoire fictif qui représentait son
public réel. Tels ces personnages du *Décaméron*,
que leur exil temporaire rapproche curieusement de
la condition des clercs et qui tiennent tour à tour le
rôle de narrateurs, d'auditeurs, de critiques. Ainsi,
après le temps du réalisme objectif et métaphysique
où les mots du récit étaient pris pour les choses
mêmes qu'ils nommaient et où sa substance était
l'univers, vient celui de l'idéalisme littéraire où le
mot n'a d'existence que dans une bouche ou sous une
plume et renvoie par essence à un parleur dont il
atteste la présence, où la substance du récit est la
subjectivité qui perçoit et pense l'univers, et où le
romancier, au lieu de mettre le lecteur directement
en contact avec l'objet, est devenu conscient de son
rôle de médiateur et incarne la médiation dans un

récitant fictif. Dès lors l'histoire qu'on livre au public
a pour caractère principal d'être déjà pensée, c'est-
à-dire classée, ordonnée, émondée, clarifiée, ou plutôt de ne se livrer qu'à travers les pensées qu'on
forme rétrospectivement sur elle. C'est pourquoi,
alors que le temps de l'épopée, qui est d'origine collective, est fréquemment le présent, celui du roman
est presque toujours le passé. En passant de Boccace
à Cervantès puis aux romans français du XVIIe
et du XVIIIe siècle, le procédé se complique et devient
à tiroirs, parce que le roman ramasse en route et
s'incorpore la satire, la fable et le portrait [7] : le
romancier apparaît au premier chapitre, il annonce,
il interpelle ses lecteurs, les admoneste, les assure
de la vérité de son histoire; c'est ce que je nommerai
la subjectivité première; puis, en cours de route,
des personnages secondaires interviennent, que le
premier narrateur a rencontrés et qui interrompent
le cours de l'intrigue pour raconter leurs propres
infortunes : ce sont les subjectivités secondes, sou-
tenues et restituées par la subjectivité première; ainsi
certaines histoires sont repensées et intellectualisées
au second degré [8]. Les lecteurs ne sont jamais débordés par l'événement : si le narrateur en a été surpris
au moment qu'il s'est produit, il ne leur *communique*
pas sa surprise; il leur en *fait part*, simplement. Quant
au romancier, comme il est persuadé que la seule
réalité du mot est d'être dit, comme il vit en un
siècle poli où il existe encore un art de causer, il
introduit des causeurs dans son livre pour justifier
les mots qu'on y lit; mais comme il figure par des
mots les personnages dont la fonction est de parler,
il n'échappe pas au cercle vicieux [9]. Et, certes, les
auteurs du XIXe siècle ont fait porter leur effort sur
la narration de l'événement, ils ont tenté de rendre à
celui-ci une partie de sa fraîcheur et de sa violence,
mais ils ont pour la plupart repris la technique

idéaliste qui correspondait parfaitement à l'idéalisme
bourgeois. Des auteurs aussi dissemblables que Barbey
d'Aurevilly et Fromentin l'emploient constamment.
Dans *Dominique*, par exemple, on trouve une subjectivité première qui étaye une subjectivité seconde
et c'est cette dernière qui fait le récit. Nulle part le
procédé n'est plus manifeste que chez Maupassant.
La structure de ses nouvelles est presque immuable :
on nous y présente d'abord l'auditoire, en général
société brillante et mondaine qui s'est réunie dans
un salon, à l'issue d'un dîner. C'est la nuit, qui abolit
tout, fatigues et passions. Les opprimés dorment, les
révoltés aussi; le monde est enseveli, l'histoire
reprend haleine. Il reste, dans une bulle de lumière
entourée de néant, cette élite qui veille, tout occupée
de ses cérémonies. S'il existe des intrigues entre ses
membres, des amours, des haines, on ne nous le
dit pas et, d'ailleurs, les désirs et les colères se sont
tus : ces hommes et ces femmes sont occupés à
conserver leur culture et leurs manières et à se *reconnaître* par les rites de la politesse. Ils figurent l'ordre
dans ce qu'il a de plus exquis : le calme de la nuit,
le silence des passions, tout concourt à symboliser
la bourgeoisie stabilisée de la fin du siècle, qui pense
que rien n'arrivera plus et qui croit à l'éternité de
l'organisation capitaliste. Là-dessus, le narrateur est
introduit : c'est un homme d'âge, qui a « beaucoup
vu, beaucoup lu et beaucoup retenu », un professionnel de l'expérience, médecin, militaire, artiste ou
Don Juan. Il est parvenu à ce moment de la vie où,
selon un mythe respectueux et commode, l'homme
est libéré des passions et considère celles qu'il a
eues avec une indulgente lucidité. Son cœur est
calme comme la nuit; l'histoire qu'il raconte, il
en est dégagé; s'il en a souffert, il a fait du miel
avec sa souffrance, il se retourne sur elle et la considère en vérité, c'est-à-dire *sub specie æternitalis*.

Il y a eu trouble, c'est vrai, mais ce trouble a pris fin depuis longtemps : les acteurs sont morts ou mariés ou consolés. Ainsi l'aventure est un bref désordre qui s'est annulé. Elle est racontée du point de vue de l'expérience et de la sagesse, elle est écoutée du point de vue de l'ordre. L'ordre triomphe, l'ordre est partout, il contemple un très ancien désordre aboli comme si l'eau dormante d'un jour d'été conservait la mémoire des rides qui l'ont parcourue. D'ailleurs y eût-il même jamais trouble ? L'évocation d'un brusque changement effrayerait cette société bourgeoise. Ni le général ni le docteur ne livrent leurs souvenirs à l'état brut : ce sont des expériences, dont ils ont tiré le suc et ils nous avertissent, dès qu'ils prennent la parole, que leur récit comporte une moralité. Aussi l'histoire est-elle explicative : elle vise à produire sur un exemple une loi psychologique. Une loi, ou, comme dit Hegel, l'image calme du changement. Et le changement lui-même, c'est-à-dire l'aspect individuel de l'anecdote, n'est-ce pas une apparence ? Dans la mesure où on l'explique, on réduit l'effet entier à la cause entière, l'inopiné à l'attendu et le neuf à l'ancien. Le narrateur opère sur l'événement humain ce travail que, selon Meyerson, le savant du xixᵉ siècle a opéré sur le fait scientifique : il réduit le divers à l'identique. Et si, de temps en temps, par malice, il veut garder à son histoire une allure un peu inquiétante, il dose soigneusement l'irréductibilité du changement, comme dans ces nouvelles fantastiques où, derrière l'inexplicable, l'auteur laisse soupçonner tout un ordre causal qui ramènerait la rationalité dans l'univers. Ainsi, pour le romancier issu de cette société stabilisée, le changement est un non-être, comme pour Parménide, comme le Mal pour Claudel. Existât-il d'ailleurs, il ne serait jamais qu'un bouleversement individuel dans une âme inadaptée. Il ne s'agit pas d'étudier dans un système en mouvement — la société, l'univers — les mouvements relatifs de systèmes partiels mais de considérer du point de vue du repos absolu le mouvement absolu d'un système partiel relativement isolé; c'est dire qu'on dispose de repères absolus pour le déterminer et qu'on le connaît, en conséquence, dans son absolue vérité. Dans une société en ordre, qui médite son éternité et la célèbre par des rites, un homme évoque le fantôme d'un désordre passé, le fait miroiter, le pare de grâces surannées et, au moment qu'il va inquiéter, le dissipe d'un coup de baguette magique, lui substitue la hiérarchie éternelle des causes et des lois. On reconnaît en ce magicien, qui s'est délivré de l'histoire et de la vie en les comprenant et qui s'élève par ses connaissances et par son expérience au-dessus de son auditoire, l'aristocrate de survol dont nous parlions plus haut [10].

Si nous nous sommes étendus sur le procédé de narration qu'utilise Maupassant, c'est qu'il constitue la technique de base pour tous les romanciers français de sa génération, de la génération immédiatement antérieure et des générations suivantes. Le narrateur interne est toujours présent. Il peut se réduire à une abstraction, souvent même il n'est pas explicitement désigné, mais, de toute façon, c'est à travers sa subjectivité que nous apercevons l'événement. Quand il ne paraît pas du tout, ce n'est pas qu'on l'ait supprimé comme un ressort inutile : c'est qu'il est devenu la personnalité seconde de l'auteur. Celui-ci, devant sa feuille blanche, voit ses imaginations se transmuer en expériences, il n'écrit plus en son propre nom mais sous la dictée d'un homme mûr et de sens rassis qui fut témoin des circonstances relatées. Daudet, par exemple, est visiblement possédé par l'esprit d'un conteur de salon qui communique à son style les tics et l'aimable

laisser-aller de la conversation mondaine, qui s'ex-
clame, ironise, interroge, interpelle son auditoire :
« Ah ! qu'il était déçu, Tartarin ! Et savez-vous
pourquoi ? Je vous le donne en mille... » Même les
écrivains réalistes qui veulent être les historiens
objectifs de leur temps conservent le schème abstrait de la méthode, c'est-à-dire qu'il y a un milieu
commun, une trame commune à tous leurs romans,
qui n'est pas la subjectivité individuelle et historique du romancier, mais celle, idéale et universelle,
de l'homme d'expérience. D'abord le récit est fait
au passé : passé de cérémonie, pour mettre une distance entre les événements et le public, passé subjectif, équivalant à la mémoire du conteur, passé social
puisque l'anecdote n'appartient pas à l'histoire sans
conclusion qui est en train de se faire mais à l'histoire déjà faite. S'il est vrai, comme le prétend Janet,
que le souvenir se distingue de la résurrection som-
nambulique du passé en ce que celle-ci reproduit
l'événement avec sa durée propre, tandis que celui-là
indéfiniment compressible, peut se raconter en une
phrase ou en un volume, selon les besoins de la cause,
on peut bien dire que les romans de cette espèce,
avec leurs brusques contractions du temps suivies
de longs étalements sont très exactement des souvenirs. Tantôt le narrateur s'attarde à décrire une
minute décisive, tantôt il saute par-dessus plusieurs
années : « Trois ans s'écoulèrent, trois ans de morne
souffrance... » Il ne s'interdit pas d'éclairer le présent de ses personnages au moyen de leur avenir :
« Ils ne se doutaient pas alors que cette brève rencontre aurait des suites funestes » et, de son point
de vue, il n'a pas tort, puisque ce présent et cet
avenir sont tous les deux passés, puisque le temps de
la mémoire a perdu son irréversibilité et qu'on peut
le parcourir d'arrière en avant ou d'avant en arrière.
Au reste les souvenirs qu'il nous livre, déjà travaillés,

repensés, appréciés, nous offrent un enseignement immédiatement assimilable : les sentiments et les actes sont souvent présentés comme des exemples typiques des lois du cœur : « Daniel, comme tous les jeunes gens... » « Ève était bien femme en ceci que... » « Mercier avait ce tic, fréquent chez les bureaucrates... » Et comme ces lois ne peuvent être déduites *a priori*, ni saisies par l'intuition, ni fondées sur une expérimentation scientifique et susceptible d'être reproduite universellement, elles renvoient le lecteur à la subjectivité qui a induit ces recettes des circonstances d'une vie mouvementée. En ce sens on peut dire que la plupart des romans français, sous la Troisième République, prétendent, quel que soit l'âge de leur auteur réel et d'autant plus vivement que cet âge est plus tendre, à l'honneur d'avoir été écrits par des quinquagénaires.

Pendant toute cette période, qui s'étend sur plusieurs générations, l'anecdote est racontée du point de vue de l'absolu, c'est-à-dire de l'ordre; c'est un changement local dans un système en repos; ni l'auteur ni le lecteur ne courent de risques, aucune surprise n'est à craindre : l'événement est passé, catalogué, compris. Dans une société stabilisée, qui n'a pas encore conscience des dangers qui la menacent, qui dispose d'une morale, d'une échelle de valeurs et d'un système d'explications pour intégrer ses changements locaux, qui s'est persuadée qu'elle est au delà de l'Historicité et qu'il n'arrivera plus jamais rien d'important, dans une France bourgeoise, cultivée jusqu'au dernier arpent, découpée en damier par des murs séculaires, figée dans ses méthodes industrielles, sommeillant sur la gloire de sa Révolution, aucune autre technique romanesque ne peut être concevable; les procédés nouveaux qu'on a tenté d'acclimater n'ont eu qu'un succès de curiosité ou sont demeurés sans lendemain : ils n'étaient réclamés ni par les auteurs ni par les lecteurs ni par la structure de la collectivité ni par ses mythes [11].

Ainsi, alors que les lettres, à l'ordinaire, représentent dans la société une fonction intégrée et militante, la société bourgeoise, au XIXᵉ siècle finissant, offre ce spectacle sans antécédents : une collectivité laborieuse et groupée autour du drapeau de la production, d'où émane une littérature qui, loin de la refléter, ne lui parle jamais de ce qui l'intéresse, prend le contre-pied de son idéologie, assimile le Beau à l'improductif, refuse de se laisser intégrer, ne souhaite même pas être lue et pourtant, du sein de sa révolte, reflète encore les classes dirigeantes dans ses structures les plus profondes et dans son « style ».

Il ne faut pas blâmer les auteurs de cette époque : ils ont fait ce qu'ils ont pu et l'on trouve parmi eux quelques-uns de nos écrivains les plus grands et les plus purs. Et puis comme chaque conduite humaine nous découvre un aspect de l'univers, leur attitude nous a enrichis en dépit d'eux-mêmes en nous révélant la gratuité comme une des dimensions infinies du monde et un but possible de l'activité humaine. Et comme ils ont été des artistes, leur œuvre recèle un appel désespéré à la liberté de ce lecteur qu'ils feignent de mépriser. Elle a poussé la contestation jusqu'à l'extrême, jusqu'à se contester elle-même; elle nous a fait entrevoir un silence noir par delà le massacre des mots, et, par delà l'esprit de sérieux, le ciel vide et nu des équivalences; elle nous invite à émerger dans le néant par destruction de tous les mythes et de toutes les tables de valeur, elle nous découvre en l'homme, en place du rapport intime avec la transcendance divine, une relation étroite et secrète avec le Rien; c'est la littérature de l'adolescence, de cet âge où, encore pensionné et nourri par ses

parents, le jeune homme, inutile et sans responsabilité, gaspille l'argent de sa famille, juge son père
et assiste à l'effondrement de l'univers sérieux qui
protégeait son enfance. Si l'on se rappelle que la
fête est, comme Caillois l'a bien montré, un de ces
moments négatifs où la collectivité consume les biens
qu'elle a amassés, viole les lois de sa morale, dépense
pour le plaisir de dépenser, détruit pour le plaisir de
détruire, on verra que la littérature, au XIXᵉ siècle,
fut, en marge d'une société laborieuse qui avait la
mystique de l'épargne, une grande fête somptueuse
et funèbre, une invitation à brûler dans une immora-
lité splendide, dans le feu des passions, jusqu'à
mourir. Quand je dirai qu'elle a trouvé son accom-
plissement tardif et sa fin dans le surréalisme trotz-
kysant, on comprendra mieux la fonction qu'elle
assumait dans une société trop fermée : c'était une
soupape de sûreté. Après tout, de la fête perpétuelle
à la Révolution permanente, il n'y a pas si loin.

Et pourtant le XIXᵉ siècle a été pour l'écrivain le
temps de la faute et de la déchéance. S'il eût accepté
le déclassement par en bas et donné un contenu à
son art, il eût poursuivi avec d'autres moyens et
sur un autre plan l'entreprise de ses prédécesseurs.
Il eût contribué à faire passer la littérature de la
négativité et de l'abstraction à la construction concrète; tout en lui conservant cette autonomie que
le XVIIIᵉ siècle lui avait conquise et qu'il n'était plus
question de lui retirer, il l'eût intégrée de nouveau à
la société, en éclairant et en appuyant les revendications du prolétariat il eût approfondi l'essence de
l'art d'écrire et compris qu'il y a coïncidence, non
seulement entre la liberté formelle de penser et la
démocratie politique, mais aussi entre l'obligation
matérielle de choisir l'homme comme perpétuel sujet
de méditation et la démocratie sociale; son style eût
retrouvé une tension interne parce qu'il se fût adressé

à un public déchiré. Tâchant à éveiller la conscience
ouvrière tandis qu'il témoignait devant les bourgeois
de leur iniquité, ses œuvres eussent reflété le monde
entier ; il eût appris à distinguer la générosité, source
originelle de l'œuvre d'art, appel inconditionné au
lecteur, de la prodigalité, sa caricature, il eût abandonné l'interprétation analytique et psychologique de
la « nature humaine » pour l'appréciation synthétique
des *conditions*. Sans doute était-ce difficile, peut-être
impossible : mais il s'y est mal pris. Il ne fallait pas
se guinder dans un vain effort pour échapper à toute
détermination de classe, ni non plus « se pencher »
sur le prolétaire, mais se penser au contraire comme
un bourgeois au ban de sa classe, uni aux masses
opprimées par une solidarité d'intérêt. La somptuo-
sité des moyens d'expression qu'il a découverts ne
doit pas nous faire oublier qu'il a trahi la littérature.
Mais sa responsabilité s'étend plus loin : si les auteurs
eussent trouvé audience auprès des classes opprimées,
peut-être la divergence de leurs points de vue et
la diversité de leurs écrits eussent contribué à produire dans les masses ce qu'on nomme très heureusement un *mouvement* d'idées, c'est-à-dire une idéologie
ouverte, contradictoire, dialectique. Sans aucun
doute le marxisme eût triomphé, mais il se fût teinté
de mille nuances, il lui eût fallu absorber les doctrines rivales, les digérer, rester ouvert. On sait ce
qui s'est produit : deux idéologies révolutionnaires
au lieu de cent ; les Proudhoniens en majorité
dans l'Internationale ouvrière avant 70, puis écrasés
par l'échec de la Commune, le marxisme triomphant
de son adversaire, non par la puissance de cette négativité hégélienne qui conserve en dépassant, mais
parce que des forces extérieures ont supprimé purement et simplement un des termes de l'antinomie.
On ne saurait trop dire ce que ce triomphe sans
gloire a coûté au marxisme : faute de contradicteurs,

il a perdu la vie. S'il eût été le meilleur, perpétuellement combattu et se transformant pour vaincre et
volant leurs armes à ses adversaires, il se fût identifié
à l'esprit ; seul, il est devenu l'Église, pendant que des
écrivains-gentilshommes, à mille lieues de lui, se
faisaient les gardiens d'une spiritualité abstraite.

Voudra-t-on croire que je sais tout ce que ces
analyses ont de partiel et de contestable ? Les exceptions abondent et je les connais : mais, pour en rendre
compte, il faudrait un gros livre : je suis allé au plus
pressé. Mais surtout il faut comprendre l'esprit dans
lequel j'ai entrepris ce travail : si l'on devait y voir
une tentative, même superficielle, d'explication socio-
logique, il perdrait toute signification. De même que,
pour Spinoza, l'idée d'un segment de droite tournant
autour d'une de ses extrémités demeure abstraite
et fausse si on la considère en dehors de l'idée synthétique, concrète et terminée de circonférence, qui la
contient, la complète et la justifie, de même, ici, ces
considérations demeurent arbitraires si on ne les
replace pas dans la perspective d'une œuvre d'art,
c'est-à-dire d'un appel libre et inconditionné à une
liberté. On ne peut écrire sans public et sans mythe
— sans un *certain* public que les circonstances historiques ont fait, sans un *certain* mythe de la littérature
qui dépend, en une très large mesure, des demandes
de ce public. En un mot l'auteur est en situation,
comme tous les autres hommes. Mais ses écrits,
comme tout projet humain, enferment à la fois,
précisent et dépassent cette situation, l'expliquent
même et la fondent, tout de même que l'idée de
cercle explique et fonde celle de la rotation d'un
segment. C'est un caractère essentiel et nécessaire de
la liberté que d'*être située*. Décrire la situation ne
saurait porter atteinte à la liberté. L'idéologie janséniste, la loi des trois unités, les règles de la prosodie
française ne sont pas de l'art ; au regard de l'art

elles sont même pur néant puisqu'elles ne sauraient en aucun cas produire par une simple combinaison une bonne tragédie, une bonne scène ou même un bon vers. Mais l'art de Racine doit s'inventer *à partir* d'elles; non pas en s'y pliant, comme on l'a dit assez sottement, et en y puisant des gênes, des contraintes nécessaires : en les réinventant, au contraire, en conférant une fonction neuve et proprement racinienne à la division en actes, à la césure, à la rime, à la morale de Port-Royal, de manière qu'il soit impossible de décider s'il a coulé son sujet dans un moule que lui imposait son époque ou s'il a véritablement élu cette *technique* parce que son sujet l'exigeait. Pour comprendre ce que Phèdre ne pouvait pas être, il faut faire appel à toute l'anthropologie. Pour comprendre ce qu'elle *est*, il ne faut que lire ou écouter, c'est-à-dire se faire liberté pure et donner généreusement sa confiance à une générosité. Les exemples que nous avons choisis nous ont servi uniquement à *situer*, en différentes époques, la liberté de l'écrivain, à éclairer par les limites des demandes qui lui sont faites les limites de son appel, à montrer par l'idée que le public se fait de son rôle les bornes nécessaires de l'idée qu'il invente de la littérature. Et, s'il est vrai que l'essence de l'œuvre littéraire, c'est la liberté se découvrant et se voulant totalement elle-même comme appel à la liberté des autres hommes, il est vrai aussi que les différentes formes de l'oppression, en cachant aux hommes qu'ils étaient libres, ont masqué aux auteurs tout ou partie de cette essence. Ainsi les opinions qu'ils se forment de leur métier sont nécessairement tronquées, elles recèlent toujours quelque vérité, mais cette vérité partielle et isolée devient une erreur si l'on s'y arrête, et le mouvement social permet de concevoir les fluctuations de l'idée littéraire, bien que chaque ouvrage particulier dépasse d'une cer-

taine façon toutes les conceptions qu'on peut se
faire de l'art, parce qu'il est toujours en un certain
sens, inconditionné, qu'il vient du néant et qu'il
tient le monde en suspens dans le néant. Comme,
en outre, nos descriptions nous ont permis d'entrevoir une sorte de dialectique de l'idée de littérature,
nous pouvons, sans prétendre le moins du monde
à faire une histoire des belles-lettres, restituer le mouvement de cette dialectique dans les derniers siècles
pour découvrir au bout, fût-ce comme idéal, l'essence
pure de l'œuvre littéraire et, conjointement, le type
de public — c'est-à-dire de société — qu'elle exige.

Je dis que la littérature d'une époque déterminée
est aliénée lorsqu'elle n'est pas parvenue à la conscience explicite de son autonomie et qu'elle se soumet aux puissances temporelles ou à une idéologie,
en un mot lorsqu'elle se considère elle-même comme
un moyen et non comme une fin inconditionnée. Il
n'est pas douteux, en ce cas, que les œuvres dépassent,
dans leur singularité, cette servitude et que chacune
renferme une exigence inconditionnée : mais c'est
seulement à titre implicite. Je dis qu'une littérature est abstraite lorsqu'elle n'a pas encore acquis la
vue plénière de son essence, lorsqu'elle a posé seulement le principe de son autonomie formelle et qu'elle
tient le sujet de l'œuvre pour indifférent. De ce
point de vue le XIIᵉ siècle nous offre l'image d'une
littérature concrète et aliénée. Concrète parce que
le fond et la forme se confondent : on n'apprend à
écrire que pour écrire de Dieu ; le livre est le miroir
du monde en tant que le monde est Son œuvre ; il
est création inessentielle en marge d'une Création
majeure, il est louange, palme, offrande, pur reflet.
Du même coup la littérature tombe dans l'aliénation ;
c'est-à-dire, comme elle est en tout cas la réflexivité
du corps social, qu'elle demeure en l'état de réflexivité non réfléchie : elle médiatise l'univers catho-

lique, mais, pour le clerc, elle demeure l'immédiat;
elle récupère le monde mais en se perdant. Mais
comme l'idée réflexive doit nécessairement *se* réfléchir
sous peine de s'anéantir avec tout l'univers réfléchi,
les trois exemples que nous avons étudiés par la
suite nous ont montré un mouvement de récupération de la littérature par elle-même, c'est-à-dire son
passage de l'état de réflexion irréfléchie et immédiate
à celui de médiation réfléchie. Concrète et aliénée
d'abord, elle se libère par la négativité et passe à l'abstraction; plus exactement elle devient au XVIIIe siècle
la négativité abstraite, avant de devenir, avec le
XIXe siècle vieillissant et le début du XXe siècle,
la négation absolue. A la fin de cette évolution,
elle a tranché tous ses liens avec la société; elle n'a
même plus de public : « chacun sait, écrit Paulhan,
qu'il y a de nos jours deux littératures : la mauvaise,
qui est proprement illisible (on la lit beaucoup); et la
bonne qui ne se lit pas ». Mais cela même est un progrès : au bout de cet isolement hautain, au bout de
ce refus méprisant de toute efficacité, il y a la destruction de la littérature par elle-même : d'abord le
terrible « ce n'est *que* de la littérature », ensuite ce
phénomène littéraire que le même Paulhan nomme
terrorisme, qui naît à peu près en même temps que
l'idée de gratuité parasitaire et comme son antithèse, qui chemine tout au long du XIXe siècle en
contractant avec elle mille mariages irrationnels et
qui éclate enfin peu avant la première guerre. Le
terrorisme ou plutôt le complexe terroriste, car
c'est un nœud de vipères, on pourrait y distinguer :
1° un dégoût si profond du signe en tant que tel qu'il
conduit à préférer en tout cas la chose signifiée
au mot, l'acte à la parole, le mot envisagé comme
objet au mot-signification, c'est-à-dire, au fond, la
poésie à la prose, le désordre spontané à la composi-
tion; 2° un effort pour faire de la littérature une expres-

sion parmi d'autres de la vie, au lieu de sacrifier
la vie à la littérature, et 3° une crise de la conscience
morale de l'écrivain, c'est-à-dire la douloureuse
débâcle du parasitisme. Ainsi, sans que la littérature envisage un instant de perdre son autonomie
formelle, elle se fait négation du formalisme et vient
à poser la question de son contenu essentiel. Aujour-
d'hui, nous sommes au delà du terrorisme et nous
pouvons nous aider de son expérience et des analyses
précédentes pour fixer les traits essentiels d'une littérature concrète et libérée.

Nous avons dit que l'écrivain s'adressait en principe à tous les hommes. Mais, tout de suite après,
nous avons remarqué qu'il était lu seulement de
quelques-uns. De l'écart entre le public idéal et
le public réel est née l'idée d'universalité abstraite.
C'est-à-dire que l'auteur postule la perpétuelle répétition dans un futur indéfini de la poignée de lecteurs dont il dispose dans le présent. La gloire littéraire ressemble singulièrement au retour éternel de
Nietzsche : c'est une lutte contre l'histoire ; ici comme
là le recours à l'infinité du temps cherche à compenser
l'échec dans l'espace (retour à l'infini de l'honnête
homme pour l'auteur du XVIIe siècle, extension à
l'infini du club des écrivains et du public de spécialistes pour celui du XIXe siècle). Mais comme il va
de soi que la projection dans l'avenir du public
réel et présent a pour effet de perpétuer, au moins
dans la représentation de l'écrivain, l'exclusion de
la plus grande partie des hommes, comme, en outre,
cette imagination d'une infinité de lecteurs qui sont
encore à naître revient à prolonger le public en acte
par un public fait d'hommes seulement possibles,
l'universalité visée par la gloire est partielle et
abstraite. Et comme le choix du public conditionne
dans une certaine mesure le choix du sujet, la littérature qui s'est donné la gloire pour but et pour

idée régulatrice doit demeurer abstraite elle aussi. Par l'universalité concrète, il faut entendre au contraire la totalité des hommes vivant dans une société donnée. Si le public de l'écrivain pouvait jamais s'étendre jusqu'à embrasser cette totalité, il n'en résulterait pas que celui-ci doive nécessairement limiter au temps présent le retentissement de son œuvre : mais à l'éternité abstraite de la gloire, rêve impossible et creux d'absolu, il opposerait une durée concrète et finie qu'il déterminerait par le choix même de ses sujets, et qui, loin de l'arracher à l'histoire définirait sa situation dans le temps social. Tout projet humain découpe, en effet, un certain futur par sa maxime même : si j'entreprends de semer, je jette toute une année d'attente en avant de moi-même; si je me marie, mon entreprise fait lever soudain devant moi ma vie entière; si je me lance dans la politique, j'hypothèque un avenir qui s'étendra au delà de ma mort. Ainsi des écrits. Dès aujourd'hui, sous le couvert de l'immortalité laurée qu'il est de bon ton de souhaiter, on découvre des prétentions plus modestes et plus concrètes : *Le Silence de la Mer* se proposait d'incliner au refus les Français que l'ennemi sollicitait de collaborer. Son efficace et par conséquent son public en acte ne pouvaient s'étendre au delà du temps de l'occupation. Les livres de Richard Wright demeureront vivants tant que la question noire se posera aux États-Unis. Il n'est donc pas question que l'écrivain renonce à la survie : bien au contraire c'est lui qui en décide; tant qu'il agit, il survivra. Après, c'est l'honorariat, la retraite. Aujourd'hui, pour vouloir échapper à l'histoire, il commence son honorariat au lendemain de sa mort, quelquefois même de son vivant.

Ainsi le public concret serait une immense interrogation féminine, l'attente d'une société tout entière

7

que l'écrivain aurait à capter et à combler. Mais
pour cela il faudrait que ce public fût libre de demander et que l'auteur fût libre de répondre. Cela signifie
qu'en aucun cas les questions d'un groupe ou d'une
classe ne doivent masquer celles des autres milieux;
autrement nous retomberions dans l'abstrait. Bref,
la littérature en acte ne peut s'égaler à son essence
plénière que dans une société sans classes. Dans cette
société seulement l'écrivain pourrait s'apercevoir
qu'il n'y a aucune différence d'aucune sorte entre
son *sujet* et son *public*. Car le sujet de la littérature
a toujours été l'homme dans le monde. Seulement,
tant que le public virtuel demeurait comme une mer
sombre autour de la petite plage lumineuse du public
réel, l'écrivain risquait de confondre les intérêts et
les soucis de l'homme avec ceux d'un petit groupe
plus favorisé. Mais si le public s'identifiait avec
l'universel concret, c'est vraiment sur la totalité
humaine que l'écrivain aurait à écrire. Non pas sur
l'homme abstrait de toutes les époques et pour un
lecteur sans date, mais sur tout l'homme de son
époque et pour ses contemporains. Du coup l'antinomie littéraire de la subjectivité lyrique et du témoignage objectif se trouverait dépassée. Engagé dans
la même aventure que ses lecteurs et situé comme
eux dans une collectivité sans clivages, l'écrivain,
en parlant d'eux, parlerait de lui-même, en parlant
de lui-même, il parlerait d'eux. Comme aucun orgueil
d'aristocrate ne le pousserait plus à nier qu'il soit
en situation, il ne chercherait plus à survoler son
temps et à en témoigner devant l'éternité; mais
comme sa situation serait universelle, il exprimerait
les espoirs et les colères de tous les hommes et, par
là, s'exprimerait tout entier, c'est-à-dire non pas
comme créature métaphysique, à la manière du
clerc médiéval, ni comme animal psychologique, à
la façon de nos classiques, ni même comme entité

sociale, mais comme une totalité émergeant du monde dans le vide et renfermant en elle toutes ces structures dans l'unité indissoluble de la condition humaine; la littérature serait véritablement anthropologique, au sens plein du terme. Dans une pareille société, il va de soi qu'on ne saurait rien trouver qui rappelle, même de loin, la séparation du temporel et du spirituel. Nous avons vu, en effet, que cette division correspond nécessairement à une aliénation de l'homme et, partant, de la littérature; nos analyses nous ont montré qu'elle tend toujours à opposer aux masses indifférenciées un public de professionnels ou, à tout le moins, d'amateurs éclairés; qu'il se réclame du Bien et de la Perfection divine, du Beau ou du Vrai, un clerc est toujours du côté des oppresseurs. Chien de garde ou bouffon : à lui de choisir. M. Benda a choisi la marotte et M. Marcel la niche; c'est leur droit, mais, si la littérature, un jour, doit pouvoir jouir de son essence, l'écrivain, sans classe, sans collèges, sans salons, sans excès d'honneurs, sans indignité sera jeté dans le monde, parmi les hommes, et la notion même de cléricature paraîtra inconcevable. Le spirituel d'ailleurs repose toujours sur une idéologie et les idéologies sont liberté quand elles se font, oppression quand elles sont faites : l'écrivain parvenu à la pleine conscience de lui-même ne se fera donc le conservateur d'aucun héros spirituel, il ne connaîtra plus le mouvement centrifuge par quoi certains de ses prédécesseurs détournaient leurs yeux du monde pour contempler au ciel des valeurs établies : il saura que son affaire n'est pas l'adoration du spirituel, mais la spiritualisation. Spiritualisation, c'est-à-dire *reprise*. Et il n'y a rien d'autre à spiritualiser, rien d'autre à reprendre que ce monde multicolore et concret, avec sa lourdeur, son opacité, ses zones de généralité et son fourmillement d'anec-

dotes, et ce Mal invincible qui le ronge sans jamais
pouvoir l'anéantir. L'écrivain le reprendra tel quel,
tout cru, tout suant, tout puant, tout quotidien
pour le présenter à des libertés sur le fondement d'une
liberté. La littérature, dans cette société sans classes,
ce serait donc le monde présent à lui-même, en
suspens dans un acte libre et s'offrant au libre jugement de tous les hommes, la présence à soi réflexive
d'une société sans classe; c'est par le livre que les
membres de cette société pourraient à chaque instant faire le point, se voir et voir leur situation.
Mais comme le portrait compromet le modèle, comme
la simple présentation est déjà amorce de changement, comme l'œuvre d'art, prise dans la totalité
de ses exigences, n'est pas simple description du
présent, mais jugement de ce présent au nom d'un
avenir, comme tout livre, enfin, enveloppe un appel,
cette présence à soi est déjà dépassement de soi.
L'univers n'est pas contesté au nom de la simple
consommation, mais au nom des espoirs et des
souffrances de ceux qui l'habitent. Ainsi la littérature concrète sera synthèse de la Négativité, comme
pouvoir d'arrachement au donné, et du Projet,
comme esquisse d'un ordre futur; elle sera la Fête,
le miroir de flamme qui brûle tout ce qui s'y reflète,
et la générosité, c'est-à-dire la libre invention, le
don. Mais si elle doit pouvoir allier ces deux aspects
complémentaires de la liberté, il ne suffit pas d'accorder à l'écrivain la liberté de tout dire : il faut
qu'il écrive pour un public qui ait la liberté de tout
changer, ce qui signifie, outre la suppression des
classes, l'abolition de toute dictature, le perpétuel
renouvellement des cadres, le renversement continu
de l'ordre, dès qu'il tend à se figer. En un mot, la
littérature est, par essence, la subjectivité d'une
société en révolution permanente. Dans une pareille
société elle dépasserait l'antinomie de la parole et

de l'action. En aucun cas, certes, elle ne sera assimilable à un acte : il est faux que l'auteur *agisse* sur ses lecteurs, il fait seulement appel à leurs libertés et, pour que ses ouvrages aient quelque effet, il est nécessaire que le public les reprenne à son compte par une décision inconditionnée. Mais dans une collectivité qui se reprend sans cesse et se juge et se métamorphose, l'œuvre écrite peut être une condition essentielle de l'action, c'est-à-dire le moment de la conscience réflexive.

Ainsi dans une société sans classes, sans dictature et sans stabilité, la littérature achèverait de prendre conscience d'elle-même : elle comprendrait que forme et fond, que public et sujet sont identiques, que la liberté formelle de dire et la liberté matérielle de faire se complètent et qu'on doit utiliser l'une à réclamer l'autre, qu'elle manifeste le mieux la subjectivité de la personne lorsqu'elle traduit le plus profondément les exigences collectives et réciproquement, que sa fonction est d'exprimer l'universel concret à l'universel concret et sa fin d'en appeler à la liberté des hommes pour qu'ils réalisent et maintiennent le règne de la liberté humaine. Bien entendu, il s'agit d'une utopie : il est possible de concevoir cette société mais nous ne disposons d'aucun moyen pratique de la réaliser. Reste qu'elle nous a permis d'entrevoir à quelles conditions l'idée de littérature se manifestait dans sa plénitude et dans sa pureté. Sans doute ces conditions ne sont pas remplies aujourd'hui; et c'est aujourd'hui qu'il faut écrire. Mais si la dialectique de la littérature a été poussée jusqu'au point où nous avons pu entrevoir l'essence de la prose et des écrits, peut-être pouvons-nous tenter de répondre, à présent, à la seule question qui nous presse : quelle est la situation de l'écrivain en 1947, quel est son public, quels sont ses mythes, de quoi peut-il, veut-il et doit-il écrire ?

NOTES

1. Etiemble : « Heureux les Écrivains qui meurent pour quelque chose. » *Combat*, 24 janvier 1947.

2. Aujourd'hui son public est étendu. Il arrive qu'il tire à cent mille. Cent mille exemplaires vendus, c'est quatre cent mille lecteurs, donc pour la France, un sur cent habitants.

3. Le fameux « Si Dieu n'existe pas, tout est permis » de Dostoïewski est la révélation terrible que la bourgeoisie s'est efforcée de se cacher pendant les 150 ans de son règne.

4. C'est un peu le cas de Jules Vallès, encore qu'une générosité naturelle ait perpétuellement lutté chez lui contre l'amertume.

5. Je n'ignore pas que les ouvriers ont défendu, bien plus que le bourgeois, la démocratie politique contre Louis-Napoléon Bonaparte, mais c'est qu'ils croyaient pouvoir réaliser, à travers elle, des réformes de structure.

6. On m'a si souvent reproché d'être injuste pour Flaubert que je ne puis résister au plaisir de citer les textes suivants, que chacun peut vérifier dans la Correspondance :

« Le néo-catholicisme d'une part et le socialisme de l'autre ont abêti la France. Tout se meut entre l'Immaculée Conception et les gamelles ouvrières. » (1868.)

« Le premier remède serait d'en finir avec le suffrage universel, la honte de l'esprit humain. » (8 septembre 1871.)

« Je vaux bien vingt électeurs de Croisset... » (1871.)

« Je n'ai aucune haine pour les communeux, pour la raison que je ne hais pas les chiens enragés. » (Croisset, jeudi 1871.)

« Je crois que la foule, le troupeau, sera toujours haïssable. Il n'y a d'important qu'un petit groupe d'esprits, toujours les mêmes, qui se repassent le flambeau. » (Croisset, 8 septembre 1871.)

« Quant à la Commune, qui est en train de râler, c'est la dernière manifestation du moyen âge.

« Je hais la démocratie (telle du moins qu'on l'entend en France), c'est-à-dire l'exaltation de la grâce au détriment de la justice, la négation du droit, en un mot l'antisociabilité. »

« La Commune réhabilite les assassins... »

« Le peuple est un éternel mineur, et il sera toujours au dernier rang, puisqu'il est le nombre, la masse, l'illimité. »

« Peu importe que beaucoup de paysans sachent lire et n'écoutent plus leur curé, mais il importe infiniment que beaucoup d'hommes comme Renan ou Littré puissent vivre et soient écoutés! Notre salut est maintenant dans une *aristocratie légitime*, j'entends par là une majorité qui se composera d'autre chose que de chiffres. » (1871.)

« Croyez-vous que si la France, au lieu d'être gouvernée, en somme, par la foule, était au pouvoir des mandarins, nous en serions là ? Si, au lieu d'avoir voulu éclairer les basses classes, on se fût occupé d'instruire les hautes... »

(Croisset, mercredi 3 août 1870.)

7. Dans le *Diable boiteux*, par exemple, Le Sage *romance* les caractères de La Bruyère et les maximes de La Rochefoucauld, c'est-à-dire qu'il les relie par le fil ténu d'une intrigue.

8. Le procédé du roman par lettres n'est qu'une variété de celui que je viens d'indiquer. La lettre est récit subjectif d'un événement; elle renvoie à celui qui l'a écrite, qui devient à la fois acteur et subjectivité témoin. Quant à l'événement lui-même, bien qu'il soit récent, il est déjà repensé et expliqué: la lettre suppose toujours un décalage entre le fait (qui appartient à un passé proche) et son récit, qui est fait ultérieurement et dans un moment de loisir.

9. C'est l'inverse du cercle vicieux des surréalistes qui tentent de détruire la peinture par la peinture; ici on veut faire donner par la littérature les lettres de créance de la littérature.

10. Quand Maupassant écrit *Le Horla*, c'est-à-dire quand il parle de la folie qui le menace, le ton change. C'est qu'enfin quelque chose — quelque chose d'horrible — va arriver. L'homme est bouleversé, débordé; il ne comprend plus, il veut entraîner le lecteur dans sa terreur. Mais le pli est pris: faute d'une technique adaptée à la folie, à la mort, à l'histoire, il n'arrive pas à émouvoir.

11. Je citerai d'abord, parmi ces procédés, le recours curieux au style de théâtre qu'on trouve à la fin du siècle dernier et au début de celui-ci chez Gyp, Lavedan, Abel Hermant, etc. Le roman s'écrit en dialogues; les gestes des personnages, leurs actes sont rapportés en italique et entre parenthèses. Il s'agit évidemment de rendre le lecteur contemporain de l'action comme le spectateur l'est pendant la représentation. Ce procédé manifeste certainement la prédominance de l'art dramatique dans la société policée des années 1900; il cherche aussi, à sa manière, à échapper au mythe de la subjectivité première. Mais le fait qu'on y ait renoncé sans retour marque assez qu'il ne donnait pas de solution au problème. D'abord,

c'est un signe de faiblesse que de demander secours à un art voisin : preuve qu'on manque de ressources dans le domaine même de l'art qu'on pratique. Ensuite l'auteur ne se privait pas pour autant d'entrer dans la conscience de ses personnages et d'y faire entrer avec lui son lecteur. Simplement il divulguait le contenu intime de ces consciences entre parenthèses et en italique, avec le style et les procédés typographiques que l'on emploie en général pour les indications de mise en scène. En fait, il s'agit d'une tentative sans lendemain; les auteurs qui l'ont faite, pressentaient obscurément qu'on pouvait renouveler le roman en l'écrivant au présent. Mais ils n'avaient pas encore compris que ce renouvellement n'était pas possible si l'on ne renonçait pas d'abord à l'attitude *explicative*.

Plus sérieuse fut la tentative pour introduire en France le monologue intérieur de Schnitzler (je ne parle pas de celui de Joyce qui a des principes métaphysiques tout différents. Larbaud qui se réclame, je le sais, de Joyce, me paraît s'inspirer surtout de *Les lauriers sont coupés* et de *Mademoiselle Else*). Il s'agit, en somme, de pousser jusqu'au bout l'hypothèse d'une subjectivité première et de passer au réalisme en menant jusqu'à l'absolu l'idéalisme.

La réalité qu'on montre sans intermédiaire au lecteur ce n'est plus la chose elle-même, arbre ou cendrier, mais la conscience qui voit la chose; le « réel » n'est plus qu'une représentation, mais la représentation devient une réalité absolue puisqu'on nous la livre comme donnée immédiate. L'inconvénient de ce procédé c'est qu'il nous enferme dans une subjectivité individuelle et qu'il manque par là l'univers intermonadique, c'est en outre qu'il dilue l'événement et l'action dans la perception de l'un et de l'autre. Or la caractéristique commune du fait et de l'acte, c'est qu'ils échappent à la représentation subjective : elle en saisit les résultats mais non le mouvement vivant. Enfin ce n'est pas sans quelque truquage qu'on peut réduire le fleuve de la conscience à une succession de mots, même déformés. Si le mot est donné comme intermédiaire *signifiant* une réalité transcendante, par essence, au langage rien de mieux : il se fait oublier, il décharge la conscience sur l'objet. Mais s'il se donne comme *la réalité psychique*, si l'auteur, en écrivant, prétend nous donner une réalité ambiguë qui soit signe, en son essence objective, c'est-à-dire en tant qu'elle se rapporte au dehors, et chose en son essence formelle, c'est-à-dire comme donnée psychique immédiate, alors on peut lui reprocher de n'avoir pas pris parti et de méconnaître cette loi rhétorique qui pourrait se formuler ainsi : en littérature, où l'on use de signes, il ne faut user *que* de signes;

et si la *réalité* que l'on veut signifier est *un mot*, il faut la
livrer au lecteur par d'autres mots. On peut lui reprocher en
outre d'avoir oublié que les plus grandes richesses de la vie
psychique sont *silencieuses*. On sait le sort du monologue
intérieur : devenu *rhétorique*, c'est-à-dire transposition poétique de la vie intérieure, aussi bien comme silence que comme
parole, il est devenu aujourd'hui un procédé *parmi d'autres*
du romancier. Trop idéaliste pour être vrai, trop réaliste
pour être complet, il est le couronnement de la technique
subjectiviste; c'est en lui et par lui que la littérature d'aujour-
d'hui a pris conscience d'elle-même; c'est-à-dire qu'elle est un
double dépassement, vers l'objectif et vers la rhétorique, de
la technique du monologue intérieur. Mais il fallait pour cela
que la circonstance historique changeât.

Il va de soi que le romancier continue, aujourd'hui, à écrire
au passé. Ce n'est pas en changeant le temps du verbe mais en
bouleversant les techniques du récit qu'on parviendra a rendre
le lecteur contemporain de l'histoire.

IV

SITUATION DE L'ÉCRIVAIN EN 1947

Je parle de l'écrivain français, le seul qui soit demeuré un bourgeois, le seul qui doive s'accommoder d'une langue que cent cinquante ans de domination bourgeoise ont cassée, vulgarisée, assouplie, truffée de « bourgeoisismes » dont chacun semble un petit soupir d'aise et d'abandon. L'Américain, avant de faire des livres, a souvent exercé des métiers manuels, il y revient; entre deux romans, sa vocation lui apparaît au ranch, à l'atelier, dans les rues de la ville, il ne voit pas dans la littérature un moyen de proclamer sa solitude, mais une occasion d'y échapper; il écrit aveuglément par un besoin absurde de se délivrer de ses peurs et de ses colères, un peu comme la fermière du Middle West écrit aux speakers de la radio new-yorkaise pour leur expliquer son cœur; il songe moins à la gloire qu'il ne rêve de fraternité, ce n'est pas contre la tradition mais faute d'en avoir une qu'il invente sa manière et ses plus extrêmes audaces, par certains côtés, sont des naïvetés. A ses yeux le monde est neuf, tout est à dire, personne avant lui n'a parlé du ciel ni des moissons. Il paraît rarement à New-York et, s'il

y passe, c'est en courant ou alors, comme Steinbeck,
il s'enferme trois mois pour écrire et le voilà
quitte pour une année; une année qu'il passera
sur les routes, dans les chantiers ou dans les bars;
il est vrai qu'il appartient à des « guilds » et à
des Associations, mais c'est uniquement pour défendre ses intérêts matériels : il n'a pas de solidarité avec les autres écrivains, souvent il est
séparé d'eux par la largeur ou la longueur du continent[1]; rien n'est plus éloigné de lui que l'idée
de collège, ou de cléricature; on le fête un temps,
puis on le perd, on l'oublie; il reparaît avec un nouveau livre pour faire un nouveau plongeon[2] : ainsi,
au gré de vingt gloires éphémères et de vingt dispa-
ritions, il flotte continuellement entre ce monde
ouvrier, où il va chercher ses aventures, et ses lecteurs des classes moyennes (je n'ose les appeler bourgeois, tant je doute s'il existe une bourgeoisie aux
États-Unis), si durs, si brutaux, si jeunes, si perdus,
qui, demain, feront le même plongeon que lui. En
Angleterre, les intellectuels sont moins intégrés
que nous dans la collectivité; ils forment une caste
excentrique et un peu revêche, qui n'a pas beaucoup
de contact avec le reste de la population. C'est
d'abord qu'ils n'ont pas eu notre chance : parce
que de lointains prédécesseurs, que nous ne méritons
guère, ont préparé la Révolution, la classe au pouvoir, après un siècle et demi, nous fait encore l'honneur de nous craindre un peu (très peu); elle nous
ménage; nos confrères de Londres, qui n'ont pas
ces souvenirs glorieux, ne font peur à personne, on
les juge tout à fait inoffensifs; et puis la vie de club
est moins propre à diffuser leur influence que la
vie de salon ne le fut à diffuser la nôtre : des hommes
entre eux, s'ils se respectent, parlent d'affaires,
de politique, de femmes ou de chevaux, jamais de
littérature, au lieu que nos maîtresses de maison,

qui pratiquaient la lecture comme un art d'agrément, ont aidé par leurs réceptions au rapproche-
ment des politiciens, des financiers, des généraux et
des hommes de plume. Les écrivains anglais
s'occupent à faire de nécessité vertu et, en renchérissant sur la singularité de leurs mœurs, tentent de
revendiquer comme un libre choix l'isolement qui
leur a été imposé par la structure de leur société.
Même en Italie où la bourgeoisie, sans avoir jamais
beaucoup compté, est ruinée par le fascisme et la
défaite, la condition de l'écrivain, besogneux, mal
payé, logé dans des palais délabrés, trop vastes et
trop grandioses pour qu'on puisse les chauffer ou
même les meubler, aux prises avec une langue de
prince, trop pompeuse pour être maniable, est fort
éloignée de la nôtre.

Donc nous sommes les écrivains les plus bourgeois
du monde. Bien logés, décemment vêtus, moins bien
nourris, peut-être : mais cela même est significatif :
le bourgeois dépense moins — proportionnellement —
que l'ouvrier pour sa nourriture; beaucoup plus
pour son vêtement et son logement. Tous d'ailleurs
imprégnés de culture bourgeoise : en France où le
baccalauréat est un brevet de bourgeoisie, il n'est
pas admis qu'on projette d'écrire sans être au moins
bachelier. En d'autres pays, des possédés aux yeux
dépolis s'agitent et bronchent sous l'emprise d'une
idée qui les a saisis par derrière et qu'ils n'arrivent
jamais à voir en face; pour finir, et après avoir tout
essayé, ils tentent de faire couler leur obsession sur
le papier et de l'y laisser sécher avec l'encre. Mais
nous, bien avant de commencer notre premier roman,
nous avions l'usage de la littérature, il nous paraissait
naturel que les livres poussent dans une société
policée, comme les arbres dans un jardin; c'est
pour avoir trop aimé Racine et Verlaine que nous
nous sommes découvert, à quatorze ans, pendant

l'étude du soir ou dans la grande cour du lycée, une vocation d'écrivain ; avant même de nous être trouvés aux prises avec un ouvrage en chantier, ce monstre si fade, si gluant de tous nos sucs, si chanceux, nous nous étions nourris de littérature déjà faite et nous pensions naïvement que nos écrits futurs sortiraient de notre esprit dans l'état d'achèvement où nous trouvions ceux des autres, avec le sceau de la reconnaissance collective et cette pompe qui vient d'une consécration séculaire, bref, comme des biens nationaux ; pour nous l'ultime transformation d'un poème, sa toilette dernière pour l'éternité, c'était, après avoir paru dans des éditions magnifiques et illustrées, de finir imprimé en petits caractères dans un livre cartonné au dos de toile verte, dont l'odeur blanche de sciure et d'encre nous semblait le parfum même des Muses, et d'émouvoir les fils rêveurs, aux doigts tachés d'encre, de la bourgeoisie future. Breton, lui-même, qui voulut mettre le feu à la culture, a reçu son premier choc littéraire en classe, un jour que son professeur lui lisait Mallarmé ; en un mot la destination dernière de nos œuvres nous avons cru longtemps qu'elle était de fournir des textes littéraires à l'explication française de 1980. Par la suite, il a suffi de cinq ans, après notre premier livre, pour que nous serrions les mains de tous nos confrères. La centralisation nous a tous groupés à Paris ; avec un peu de chance, un Américain pressé peut nous joindre tous en vingt-quatre heures, connaître en vingt-quatre heures nos opinions sur l'U. N. R. R. A., l'O. N. U., l'U. N. E. S. C. O., l'affaire Miller, la bombe atomique ; en vingt-quatre heures un cycliste entraîné peut faire circuler d'Aragon à Mauriac, de Vercors à Cocteau, en touchant Breton à Montmartre, Queneau à Neuilly et Billy à Fontainebleau, compte tenu des scrupules et cas de conscience qui font partie de nos obligations

professionnelles, un de ces manifestes, une de ces
pétitions ou protestations pour ou contre le retour
de Trieste à Tito, l'annexion de la Sarre ou l'usage
des V3 dans la guerre future, par quoi nous aimons
à marquer que nous sommes du siècle; en vingt-
quatre heures, sans cycliste, un potin fait le tour
de notre collège et revient amplifié à celui qui l'a
lancé. On nous rencontre tous, ensemble — ou
presque — dans certains cafés, aux concerts de la
Pléiade et, dans certaines circonstances proprement
littéraires, à l'ambassade d'Angleterre. De temps en
temps, l'un de nous, surmené, fait annoncer qu'il
part pour la campagne, nous allons tous le voir,
nous lui remontrons qu'il fait pour le mieux, qu'on
ne saurait écrire à Paris et nous l'escortons de notre
envie et de nos vœux : pour nous, une vieille mère,
une jeune maîtresse, une tâche urgente nous
retiennent à la ville. Il part avec des reporters de
Samedi-soir qui vont photographier sa retraite, il
s'ennuie, il revient : « Au fond, dit-il, il n'y a que
Paris. » C'est à Paris que les écrivains de province,
s'ils sont bien nés, se rendent pour faire du régionalisme; à Paris que les représentants qualifiés de la
littérature nord-africaine ont choisi d'exprimer leur
nostalgie d'Alger. Notre route est tracée; pour
l'Irlandais de Chicago, hanté, qui soudain en dernier
recours décide d'écrire, la vie neuve qu'il aborde
est chose intimidante et sans point de comparaison,
c'est un bloc de marbre sombre qu'il mettra longtemps à dégrossir; mais nous avons connu, dès
l'adolescence, les traits mémorables et édifiants des
grandes existences, nous avons su dès la quatrième,
même si notre père ne désapprouvait pas notre
vocation, comment on répond aux parents récalci-
trants, combien de temps l'auteur de génie doit
raisonnablement demeurer méconnu, à quel âge il
est normal que la gloire le couronne, combien de

femmes il doit avoir et combien d'amours malheureuses,
s'il est souhaitable qu'il intervienne dans la politique
et à quel moment : tout est écrit dans les livres, il
suffit d'en tenir un compte exact; dès le début du
siècle Romain Rolland a fait la preuve dans son
Jean-Christophe qu'on peut obtenir une figure assez
vraisemblable en combinant les gestes de quelques
musiciens célèbres. Mais on peut esquisser d'autres
devis : il n'est pas mal de commencer sa vie comme
Rimbaud, d'amorcer vers la trentaine un retour
gœthéen à l'ordre, de se jeter à cinquante ans,
comme Zola, dans un débat public. Après cela vous
pouvez choisir la mort de Nerval, celle de Byron
ou celle de Shelley. Naturellement il ne s'agira pas
de *réaliser* chaque épisode dans toute sa violence,
mais plutôt de l'*indiquer*, à la façon dont un tailleur
sérieux indique la mode sans servilité. Je sais plusieurs d'entre nous et non des moindres qui ont ainsi
pris la précaution de donner à leur vie un tour et
une allure à la fois typiques et exemplaires, afin
que leur génie, s'il restait douteux dans leurs livres,
éclatât au moins dans leurs mœurs. Grâce à ces
modèles, à ces recettes, la carrière d'écrivain nous
est apparue, dès notre enfance, comme un métier
magnifique mais sans surprises où l'on avance en
partie grâce au mérite, en partie à l'ancienneté.
Tels nous sommes. Par ailleurs, saints, héros, mystiques, aventuriers, sourciers, sorciers, anges, enchan-
teurs, bourreaux, victimes, tant qu'on voudra. Mais
bourgeois d'abord : il n'y a pas de honte à l'avouer.
Et différent seulement les uns des autres par la
manière dont nous assumons chacun cette situation
commune.

Si l'on voulait, en effet, faire un tableau de la littérature contemporaine, il ne serait pas mauvais de
distinguer trois générations. La première est celle des
auteurs qui ont commencé de produire avant la

guerre de 1914. Ils ont achevé leur carrière aujour-
d'hui et les livres qu'ils écriront encore, fussent-ils
des chefs-d'œuvre, ne pourront guère ajouter à leur
gloire; mais ils vivent encore, ils pensent, ils jugent,
et leur présence détermine des courants littéraires
mineurs dont il faut tenir compte. Pour l'essentiel,
ils me paraissent avoir réalisé en leur personne et
par leurs œuvres l'ébauche d'une réconciliation entre
la littérature et le public bourgeois. Il faut noter
d'abord qu'ils ont, pour la plupart, tiré le plus clair
de leurs ressources de tout autre chose que de la
vente de leurs écrits. Gide et Mauriac ont des terres,
Proust était rentier, Maurois est originaire d'une
famille d'industriels; d'autres sont venus à la littérature par les professions libérales : Duhamel était
médecin, Romains, universitaire, Claudel et Giraudoux sont de la carrière. C'est que la littérature, à
moins d'un succès de mauvais aloi, ne nourrissait
pas, à l'époque où ils ont commencé d'écrire : comme
la politique, sous la Troisième République, elle ne
peut être qu'une occupation « en marge », même si,
pour finir, elle devient le principal souci de celui
qui l'exerce. Ainsi le personnel littéraire se recrute
en gros dans le même milieu que le personnel politique, Jaurès et Péguy sortent de la même école,
Blum et Proust écrivent dans les mêmes revues.
Barrès mène de front ses campagnes littéraires et
ses campagnes électorales. Du coup, l'écrivain ne
peut plus se considérer comme pur consommateur;
il dirige la production ou préside à la répartition
des biens, ou encore il est fonctionnaire, il a des
devoirs envers l'État; en un mot par toute une partie
de lui-même il est intégré à la bourgeoisie; ses conduites, ses relations professionnelles, ses obligations,
ses soucis sont bourgeois; il vend, il achète, il ordonne,
il obéit, il est entré dans le cercle enchanté de la
politesse et des cérémonies. Certains écrivains de

cette époque ont une réputation d'avarice solidement établie, que démentent les appels à la prodigalité qu'ils ont lancés dans leurs écrits. Je ne sais
si cette réputation est justifiée : elle prouve, à tout
le moins, qu'ils connaissent le prix de l'argent :
le divorce que nous signalions entre l'auteur et
son public, il est dans le cœur même de l'auteur,
à présent. Vingt ans après le symbolisme il n'a pas
perdu la conscience de la gratuité absolue de l'art;
mais il est engagé dans le même temps dans le cycle
utilitaire des moyens-fins et des fins-moyens. Producteur et destructeur à la fois. Partagé entre l'esprit
de sérieux, qu'il faut bien qu'il observe à Cuverville,
à Frontenac, à Elbeuf, quand il représente la France
à la Maison-Blanche, et l'esprit de contestation et
de fête qu'il retrouve dès qu'il s'assied devant une
page blanche; incapable d'embrasser sans réserve
l'idéologie bourgeoise comme aussi bien de condamner sans recours la classe dont il fait partie. Ce qui
va le secourir, en cet embarras, c'est que la bourgeoisie
elle-même a changé : elle n'est plus cette féroce
classe montante dont l'unique souci est l'épargne et
la possession des biens. Les fils, les petits-fils des
paysans parvenus, des boutiquiers enrichis, sont nés
avec de la fortune; ils ont appris l'art de dépenser;
l'idéologie utilitaire, sans disparaître aucunement
est reléguée dans l'ombre; cent ans de règne inin-
terrompu ont créé des traditions; les enfances bourgeoises, dans la grande maison provinciale, dans le
château racheté à un noble ruiné, ont acquis une
profondeur poétique; les « men of property », comblés,
ont recours moins souvent à l'esprit d'analyse; à leur
tour, ils demandent à l'esprit de synthèse de fonder
leur droit à gouverner : un lien synthétique — donc
de poésie — est établi entre le propriétaire et la
chose possédée. Barrès l'a montré : le bourgeois
ne fait qu'un avec son bien, s'il demeure en sa

province et sur ses terres, quelque chose passe en
lui du mol vallonnement de la contrée, du frisson
argenté des peupliers, de la mystérieuse et lente
fécondité du sol, de la nervosité rapide et capricieuse
des ciels : en s'assimilant le monde il s'en assimile
la profondeur; son âme, désormais, a des sous-sols,
des mines, des gisements aurifères, des filons, des
nappes souterraines de pétrole. Dès lors l'écrivain
rallié a sa voie tracée : pour se sauver lui-même, il
sauvera la bourgeoisie en profondeur. Certes, il ne
servira pas l'idéologie utilitaire, il s'en fera même,
au besoin, le critique sévère, mais il découvrira
dans les serres exquises de l'âme bourgeoise toute
la gratuité, toute la spiritualité dont il a besoin
pour exercer son art avec une bonne conscience;
cette aristocratie symbolique, qu'il a conquise au
XIXe siècle, au lieu de la réserver à lui et à ses seuls
confrères, il l'étendra à la bourgeoisie entière. Vers
1850 un écrivain américain montrait dans un roman
un vieux colonel assis dans un bateau à palettes du
Mississipi et tenté un instant de s'interroger sur
les replis profonds de l'âme des passagers qui l'en-
touraient. Il chassait bientôt cette préoccupation en
se disant — ou à peu près : « Il n'est pas bon que
l'homme pénètre trop avant en lui-même. » Cela,
c'était la réaction des premières générations bourgeoises. En France, aux environs de 1900, on a
renversé la machine : il est entendu qu'on trouvera
le sceau de Dieu dans les cœurs, pourvu qu'on les
sonde assez profondément. Estaunié parle des vies
secrètes : le postier, le maître de forges, l'ingénieur,
le trésorier-payeur général ont leurs fêtes nocturnes
et solitaires, ils sont habités profondément par des
passions dévorantes, par des incendies somptueux;
à la suite de cet auteur, de cent autres, nous appren-
drons à reconnaître dans la philatélie, dans la numis-
matique toute la nostalgie de l'au-delà, toute l'insa-

tisfaction baudelairienne. Car, je vous le demande, pourquoi dépenserait-on son temps et son argent à l'acquisition de médailles, si l'on n'était revenu de l'amitié des hommes, de l'amour des femmes et du pouvoir ? Et qu'y a-t-il de plus gratuit qu'une collection de timbres-poste ? Tout le monde ne peut pas être Vinci ou Michel-Ange; mais ces timbres inutiles collés sur le carton rose d'un album, c'est un hommage émouvant à toutes les neuf muses, c'est l'essence même de la consommation destructrice. D'autres discerneront dans l'amour bourgeois un appel désespéré qui monte vers Dieu : quoi de plus désintéressé, quoi de plus poignant qu'un adultère; et ce goût de cendres que l'on garde en bouche, après le coït, n'est-ce pas la négativité même, et la contestation de tous les plaisirs ? D'autres iront plus loin encore : ce n'est pas dans les faiblesses du bourgeois, mais dans ses vertus mêmes qu'ils découvriront un grain divin de folie. Dans la vie opprimée et sans espoir d'une mère de famille, on nous dévoilera une obstination si absurde et si altière que toutes les extravagances surréalistes paraîtront du bon sens à ce prix. Un jeune auteur, qui subissait l'influence de ces maîtres sans appartenir à leur génération et qui depuis a changé d'avis, si j'en puis juger par sa conduite, me disait un jour : « Quel pari plus insensé que la fidélité conjugale ? N'est-ce pas braver le Diable et Dieu même ? citez-moi un blasphème plus fou et plus magnifique. » On voit la ruse : il s'agit de battre les grands destructeurs sur leur propre terrain. Vous me citez Don Juan, je vous réponds par Orgon : il y a plus de générosité, plus de cynisme et plus de désespoir à élever une famille qu'à séduire mille et une femmes. Vous évoquez Rimbaud, je vous renvoie Chrysale : il y a plus d'orgueil et de satanisme à poser que la chaise qu'on voit est une chaise qu'à pratiquer le dérèglement systématique de tous les sens. Et, à n'en point douter, la chaise qui se donne à notre perception n'est que probable; pour affirmer qu'elle est chaise, il faut faire un saut à l'infini et supposer une infinité de représentations concordantes. Sans doute aussi le serment d'amour conjugal engage un avenir vierge; le sophisme commence lorsqu'on présente ces inductions nécessaires et, pour ainsi dire, naturelles, que l'homme fait contre le temps et pour assurer sa tranquillité, comme les défis les plus audacieux, les contestations les plus désespérées. Quoi qu'il en soit, c'est par là que les écrivains dont je parle ont établi leur réputation. Ils se sont adressés à une génération nouvelle et lui ont expliqué qu'il y avait stricte équivalence entre la production et la consommation, entre la construction et la destruction; ils ont démontré que l'ordre était une fête perpétuelle et le désordre la plus ennuyeuse monotonie; ils ont découvert la poésie de la vie quotidienne, rendu la vertu attrayante, inquiétante même, brossé l'épopée bourgeoise en de longs romans pleins de sourires mystérieux et troublants. C'est tout ce que leur demandaient leurs lecteurs : lorsqu'on pratique l'honnêteté par intérêt, la vertu par pusillanimité et la fidélité par habitude, il est agréable de s'entendre dire qu'on l'emporte en témérité sur un séducteur professionnel ou un bandit de grand chemin. J'ai connu vers 1924 un jeune homme de bonne famille, entiché de littérature et tout particulièrement des auteurs contemporains. Il fut bien fou, quand il convenait de l'être, se gorgea de la poésie des bars quand elle était à la mode, afficha tapageusement une maîtresse, puis, à la mort de son père, reprit sagement l'usine familiale et le droit chemin. Il a épousé depuis une héritière, il ne la trompe pas ou bien c'est en voyage et à la sauvette, bref, le plus fidèle des maris. Vers le moment qu'il se maria, il puisa dans ses lectures la formule

qui devait justifier sa vie. « Il faut, m'écrivit-il un
jour, faire comme tout le monde et n'être comme personne. » Il y a beaucoup de profondeur en cette simple
phrase. On devine que je la tiens pour la plus abjecte
saloperie et la justification de toutes les mauvaises
fois. Mais elle résume assez bien, je crois, la morale
que nos auteurs ont vendue à leur public. Par là ils
se sont justifiés les premiers : il faut faire comme tout
le monde, c'est-à-dire vendre le drap d'Elbeuf ou
le vin de Bordeaux selon les règles reçues, prendre
une femme dotée, fréquenter les parents, les beaux-
parents, les amis des beaux-parents; il faut n'être
comme personne, c'est-à-dire sauver son âme et
celle de la famille par de beaux écrits à la fois destructeurs et respectueux. Je nommerai l'ensemble de
ces œuvres une littérature d'alibi. Elle a supplanté
rapidement celle des écrivains à gages : dès avant
la première guerre les classes dirigeantes avaient
besoin d'alibis plus que d'encens. Le merveilleux
de Fournier était un alibi : toute une lignée de
féeries bourgeoises est sortie de lui; en chaque cas
il s'agissait de conduire par approximations chaque
lecteur jusqu'à ce point obscur de l'âme la plus
bourgeoise, où tous les rêves se rejoignent et se
fondent en un désir désespéré d'impossible, où tous
les événements de l'existence la plus quotidienne
sont vécus comme des symboles, où le réel est dévoré
par l'imaginaire, où l'homme entier n'est plus qu'une
divine absence. On s'est étonné parfois qu'Arland
fût à la fois l'auteur de *Terres étrangères* et de *l'Ordre;*
mais c'est à tort : l'insatisfaction si noble de ses
premiers héros n'a de sens que si on l'éprouve au sein
d'un ordre rigoureux; il ne s'agit point de se révolter
contre le mariage, les métiers, les disciplines sociales,
mais de les dépasser finement par une nostalgie que
rien ne peut assouvir parce qu'elle n'est, au fond,
désir de rien. Ainsi l'ordre n'est là que pour qu'on

le transcende, mais il faut qu'il soit là; le voilà
justifié et solidement rétabli : il vaut certainement
mieux le contester par une rêveuse mélancolie que
le renverser par les armes. J'en dirai autant de
l'inquiétude gidienne, qui devint plus tard le désarroi,
du péché mauriacien, place vide de Dieu : il s'agit
toujours de mettre la vie quotidienne entre parenthèses et de la vivre minutieusement mais sans
s'y salir les doigts; il s'agit toujours de prouver
que l'homme vaut mieux que sa vie, que l'amour
c'est beaucoup plus que l'amour et le bourgeois beaucoup plus que le bourgeois. Certes chez les plus grands,
il y a bien autre chose. Chez Gide, chez Claudel,
chez Proust, on trouve une expérience d'homme,
mille chemins. Mais je n'ai pas voulu faire le tableau
d'une époque : il s'agissait de montrer un climat et
d'isoler un mythe [3].

La deuxième génération vient à l'âge d'homme
après 1918. Bien entendu il s'agit d'une classification
très grossière, puisqu'il convient d'y mettre Cocteau,
qui fit ses débuts avant la guerre, au lieu que Marcel
Arland dont le premier livre, à ma connaissance,
n'est pas antérieur à l'armistice, a des affinités certaines avec les écrivains dont nous venons de parler.
L'absurdité manifeste d'une guerre dont nous avons
mis trente ans à connaître les véritables causes amène
le retour de l'esprit de Négativité. Je ne m'étendrai
pas sur cette période que Thibaudet a si bien nommée
« de décompression ». Ce fut un feu d'artifice; aujour-
d'hui qu'il est tombé, on a tant écrit sur lui qu'il
semble que nous en sachions tout. Il faut seulement
noter que la plus magnifique de ses fusées, le surréalisme, renoue avec les traditions destructrices de
l'écrivain-consommateur. Ces jeunes bourgeois tur-
bulents veulent ruiner la culture parce qu'on les a
cultivés, leur ennemi principal demeure le philistin
de Heine, le Prudhomme de Monnier, le bourgeois

de Flaubert, bref leur papa. Mais les violences des années précédentes les ont portés au radicalisme. Alors que leurs prédécesseurs se bornaient à combattre par la *consommation* l'idéologie utilitaire de la bourgeoisie, ils assimilent plus profondément la recherche de l'utile au projet humain, c'est-à-dire à la vie consciente et volontaire. La conscience est bourgeoise, le Moi est bourgeois : la Négativité doit s'exercer en premier lieu sur cette Nature qui n'est, comme dit Pascal, qu'une première coutume. Il s'agit d'anéantir, d'abord, les distinctions reçues entre vie consciente et inconsciente, entre rêve et veille. Cela signifie qu'on dissout la subjectivité. Il y a subjectif, en effet, lorsque nous reconnaissons que nos pensées, nos émotions, nos volontés viennent de nous, dans le moment qu'elles apparaissent et lorsque nous jugeons à la fois qu'il est certain qu'elles nous appartiennent et seulement probable que le monde extérieur se règle sur elles. Le surréaliste a pris en haine cette humble certitude sur quoi le stoïcien fondait sa morale. Elle lui déplaît à la fois par les limites qu'elle nous assigne et les responsabilités qu'elle nous confère. Tous les moyens lui sont bons pour échapper à la conscience de soi et, par conséquent, de sa situation dans le monde. Il adopte la psychanalyse parce qu'elle présente la conscience comme envahie d'excroissances parasitaires dont l'origine est ailleurs; il repousse « l'idée bourgeoise » du travail parce que le travail implique conjectures, hypothèses et projets, donc perpétuel recours au subjectif; l'écriture automatique est avant tout la destruction de la subjectivité : lorsque nous nous y essayons, nous sommes traversés spasmodiquement par des caillots qui nous déchirent, dont nous ignorons la provenance, que nous ne connaissons pas avant qu'ils aient pris leur place dans le monde des objets et qu'il faut percevoir alors avec des yeux

étrangers. Il ne s'agit donc pas, comme on l'a dit
trop souvent, de substituer leur subjectivité inconsciente à la conscience mais bien de montrer le sujet
comme un leurre inconsistant au sein d'un univers
objectif. Mais la deuxième démarche du surréaliste est
pour détruire à son tour l'objectivité. Il s'agit de
faire éclater le monde et comme aucune dynamite n'y
suffirait, comme d'autre part, une destruction *réelle*
de la totalité dés existants est impossible, parce
qu'elle ferait simplement passer cette totalité d'un
état *réel* à un autre état *réel*, on s'efforcera plutôt de
désintégrer des objets particuliers, c'est-à-dire d'an-
nuler sur ces objets-témoins la structure même de
l'objectivité. C'est une opération qu'on ne peut
évidemment pas tenter sur des existants *réels* et
déjà donnés avec leur essence indéformable. Aussi
produira-t-on des objets imaginaires et construits
de telle sorte que leur objectivité se supprime elle-
même. Le schéma élémentaire de ce procédé nous
est fourni par ces faux morceaux de sucre, que
Duchamp taillait en fait dans du marbre et qui se
révélaient tout à coup d'un poids inattendu. Le visi-
teur qui les soupesait devait ressentir, dans une
illumination fulgurante et instantanée, la destruction de l'essence objective de sucre par elle-même ;
il fallait lui procurer cette déception de tout l'être,
ce malaise, ce porte-à-faux que donnent par exemple
les farces-attrapes, quand la cuiller fond brusquement
dans la tasse à thé, quand le sucre (leurre inverse
de celui qu'a construit Duchamp) remonte à la surface et flotte. A la faveur de cette intuition, on
espère que le monde entier se découvrira comme une
contradiction radicale. La peinture et la sculpture
surréalistes n'ont d'autre fin que de multiplier ces
éclatements locaux et imaginaires qui sont comme les
trous d'évier par quoi l'univers tout entier va se
vider. La méthode paranoïaque critique de Dali n'est

qu'un perfectionnement et une complication du
procédé; pour finir elle se donne, elle aussi, comme
un effort pour « contribuer au discrédit total du monde
de la réalité ». La littérature s'efforcera de faire
subir le même sort au langage et de le détruire par
des télescopages de mots. Ainsi le sucre renvoie au
marbre et le marbre au sucre, la montre molle se
conteste elle-même par sa mollesse; l'objectif se
détruit et renvoie soudain au subjectif, puisqu'on
disqualifie la réalité et qu'on se plaît à « tenir les
images mêmes du monde extérieur pour instables
et transitoires » et à « les mettre au service de la
réalité de notre esprit ». Mais le subjectif s'effondre
à son tour et laisse paraître, derrière lui, une mystérieuse objectivité. Tout cela sans qu'une seule destruction réelle ait été seulement amorcée. Bien au contraire : au moyen de l'annulation symbolique du moi
par les sommeils et l'écriture automatique, de l'annulation symbolique des objets par production d'objectivités évanescentes, de l'annulation symbolique du
langage par production de sens aberrants, de la
destruction de la peinture par la peinture et de la
littérature par la littérature, le surréalisme poursuit
cette curieuse entreprise de réaliser le néant par trop
plein d'être. C'est toujours en *créant*, c'est-à-dire en
ajoutant des tableaux aux tableaux déjà existants
et des livres aux livres déjà édités, qu'il détruit.
De là l'ambivalence de ses œuvres : chacune d'elles
peut passer pour l'invention barbare et magnifique
d'une forme, d'un être inconnu, d'une phrase inouïe
et devenir, comme telle, une contribution volontaire
à la culture; et comme chacune d'elles est un projet
d'anéantir tout le réel en s'anéantissant avec lui,
le Néant chatoie à sa surface, un Néant qui est
seulement le papillotement sans fin des contradictoires. Et l'*esprit* que les surréalistes veulent atteindre
sur les ruines de la subjectivité, cet esprit qu'il

n'est pas possible d'entrevoir autrement que sur l'accumulation d'objets auto-destructifs, il chatoie, lui aussi, et papillotte dans l'anéantissement réciproque et figé des choses. Il n'est ni la Négativité hégélienne, ni la Négation hypostasiée, ni même le Néant, encore qu'il s'en rapproche : il convient plutôt de le nommer l'*Impossible* ou, si l'on veut, le point imaginaire où se confondent le songe et la veille, le réel et le fictif, l'objectif et le subjectif. Confusion et non synthèse : car la synthèse apparaîtrait comme une existence articulée, dominant et gouvernant ses contradictions internes. Mais le surréalisme ne souhaite pas l'apparition de cette nouveauté qu'il faudrait contester encore. Il veut se maintenir dans l'énervante tension que provoque la recherche d'une intuition irréalisable. Du moins Rimbaud voulait-il voir un salon dans un lac. Le surréaliste veut être perpétuellement sur le point de voir lac et salon : si, d'aventure, il les rencontre, il s'en dégoûte ou bien il prend peur et va se coucher, volets clos. Pour finir il fait beaucoup de peinture et noircit beaucoup de papier, mais il ne détruit jamais rien pour de vrai. Breton le reconnaissait d'ailleurs en 1925, lorsqu'il écrivait : « La réalité immédiate de la révolution surréaliste n'est pas tellement de changer quoi que ce soit à l'ordre physique et apparent des choses que de créer un mouvement dans les esprits. » La destruction de l'univers fait l'objet d'une entreprise subjective fort semblable à ce qu'on a toujours appelé la conversion philosophique. Ce monde, perpétuellement anéanti sans qu'on touche à un grain de ses blés ou de ses sables, à une plume de ses oiseaux, il est tout simplement *mis entre parenthèses*. On n'a pas assez vu que les constructions, tableaux, poèmes-objets du surréalisme étaient la réalisation manuelle des aphories par lesquelles les sceptiques du IIIe siècle avant J.-C. justifiaient leur « ἐπόχή » perpétuelle. Après quoi, sûrs de ne pas se compromettre par une imprudente adhésion, Carnéade et Philon vivaient comme tout le monde. De même les surréalistes, une fois le monde détruit et miraculeusement conservé par sa destruction, peuvent se laisser aller sans vergogne à leur immense amour du monde. Ce monde, le monde de tous les jours, avec ses arbres et ses toits, ses femmes, ses coquillages, ses fleurs, mais hanté par l'impossible et par le néant, c'est ce qu'on appelle le merveilleux surréaliste. Je ne puis me défendre de songer à cette autre mise entre parenthèses par quoi les écrivains ralliés de la génération précédente détruisaient la vie bourgeoise et la conservaient avec toutes ses nuances. Ce merveilleux surréaliste n'est-ce pas celui du Grand Meaulnes, mais *radicalisé ?* Certes ici, la passion est sincère, et la haine et le dégoût de la classe bourgeoise. Seulement la situation n'a pas changé : il faut se sauver sans faire de casse — ou par une casse symbolique — se laver de la souillure originelle sans renoncer aux avantages de sa position.

Le fond de l'affaire c'est qu'il faut, une fois de plus, se trouver un nid d'aigle. Les surréalistes, plus ambitieux que leurs pères, comptent sur la destruction radicale et métaphysique à laquelle ils procèdent pour leur conférer une dignité mille fois supérieure à celle de l'aristocratie parasitaire. Il ne s'agit plus de s'évader hors de la classe bourgeoise : il faut sauter hors de la condition humaine. Ce que veulent dilapider ces fils de famille, ce n'est pas le patrimoine familial : c'est le monde. Ils sont revenus au parasitisme comme à un moindre mal, abandonnant tous, d'un commun accord, études et métiers, mais il ne leur a jamais suffi d'être les parasites de la bourgeoisie : ils ont ambitionné d'être ceux de l'espèce humaine. Pour métaphysique qu'il fût, il est clair que leur déclassement s'est fait par en haut et que leurs préoccupations leur interdisaient rigoureusement de trouver un public dans la classe ouvrière. Breton écrit une fois : « Transformer le monde, a dit Marx. Changer la vie, a dit Rimbaud. Ces deux mots d'ordre pour nous n'en font qu'un. » Cela suffirait à dénoncer l'intellectuel bourgeois. Car il s'agit de savoir quel changement précède l'autre. Pour le militant marxiste il ne fait pas de doute que la transformation sociale peut seule permettre des modifications radicales du sentiment et de la pensée. Si Breton croit pouvoir poursuivre ses expériences intérieures en marge de l'activité révolutionnaire et parallèlement à elle, il est condamné d'avance ; car cela reviendrait à dire qu'une libération de l'esprit est concevable dans les chaînes, au moins pour certaines gens, et, par conséquent, à rendre la révolution moins urgente. C'est la trahison même que les révolutionnaires ont reprochée de tout temps à Épictète, et Politzer hier encore à Bergson. Et si l'on venait à soutenir que Breton entendait, par ce texte, annoncer une métamorphose progressive et connexe de l'état social et de la vie intime, je répondrais en citant cet autre passage : « Tout porte à croire qu'il existe un certain point de l'esprit d'où la vie et la mort, le réel et l'imaginaire, le passé et le futur, le communicable et l'incommunicable, le haut et le bas, cessent d'être perçus contradictoirement... C'est en vain qu'on chercherait à l'activité surréaliste un autre mobile que l'espoir de la détermination de ce point. » N'est-ce pas proclamer son divorce avec un public ouvrier beaucoup plus qu'avec un public bourgeois ? Car le prolétariat engagé dans la lutte a besoin de distinguer à chaque instant, pour mener à bien son entreprise, le passé du futur, le réel de l'imaginaire et la vie de la mort. Ce n'est pas par hasard que Breton a cité ces contraires : ce sont tous des catégories de l'action ; l'action révolutionnaire, plus que toute autre, en a besoin. Et le surréalisme, de même qu'il a radicalisé la négation de l'utile pour la transformer en refus du projet et de la vie consciente, radicalise la vieille revendication littéraire de la gratuité pour en faire un refus de l'action par destruction de ses catégories. Il y a un quiétisme surréaliste. Quiétisme et violence permanente : deux aspects complémentaires d'une même position. Comme le surréaliste s'est ôté les moyens de concerter une entreprise, son activité se réduit à des impulsions dans l'immédiat. Nous retrouvons ici, assombrie et alourdie, la morale gidienne avec l'instantanéité de l'acte gratuit. Cela ne nous surprend pas : il y a du quiétisme dans tout parasitisme et le *tempo* favori de la consommation, c'est l'instant.

Pourtant le surréalisme se déclare révolutionnaire et tend la main au parti communiste. C'est la première fois depuis la Restauration qu'une école littéraire se réclame explicitement d'un mouvement révolutionnaire organisé. Les raisons sont claires : ces écrivains, qui sont aussi des jeunes gens, veulent surtout anéantir leur famille, l'oncle général, le cousin curé, comme Baudelaire, en 48, voyait dans la révolution de Février, l'occasion d'incendier la maison du général Aupick; s'ils sont nés pauvres, ils ont aussi certains complexes à liquider, l'envie, la peur; et puis ils se révoltent aussi contre les contraintes extérieures : la guerre qui vient de finir, avec sa censure, le service militaire, l'impôt, la chambre bleu-horizon, le bourrage de crânes; ils sont tous anticléricaux, ni plus ni moins que le père Combes et les radicaux d'avant-guerre, et généreusement écœurés par le colonialisme et la guerre du Maroc. Ces indignations, ces haines sont susceptibles de s'exprimer abstraitement, par une conception de la Négation radicale qui, *a fortiori* entraînera, sans qu'il y ait besoin d'en faire l'objet d'une volonté

particulière la négation de la classe bourgeoise.
Et, la jeunesse étant l'âge métaphysique par excellence, comme Auguste Comte l'a bien vu, cette expression métaphysique et abstraite de leur révolte est
évidemment celle qu'ils choisissent de préférence.
Seulement c'est aussi celle qui laisse le monde rigoureusement intact. Il est vrai qu'ils y adjoignent
quelques actes sporadiques de violence, mais ces
manifestations dispersées réussissent tout au plus
à provoquer le scandale. Ce qu'ils peuvent espérer
de mieux c'est de se constituer en association punitive
et clandestine sur le modèle du Ku-Klux-Klan. Ils
en arrivent donc à souhaiter que d'autres se chargent,
en marge de leurs expériences spirituelles, d'opérer
par la force des destructions concrètes. En un mot
ils voudraient être les clercs d'une société idéale
dont la fonction temporelle serait l'exercice permanent de la violence [4]. C'est ainsi que, après avoir
loué les suicides de Vaché et de Rigaut comme des
actes exemplaires, après avoir présenté le massacre
gratuit (« décharger son revolver sur la foule »)
comme l'acte surréaliste le plus simple, ils appellent
à leur aide le péril jaune. Ils ne voient pas la contradiction profonde qui oppose ces destructions brutales
et partielles au processus poétique d'anéantissement
qu'ils ont entrepris. Toutes les fois, en effet, qu'une
destruction est partielle, c'est un *moyen* pour
atteindre une fin positive et plus générale. Le surréalisme s'arrête à ce moyen, il en fait une fin absolue,
il refuse d'aller plus loin. L'abolition totale dont il
rêve, au contraire, ne fait de mal à personne, précisément parce qu'elle est totale. C'est un absolu
situé en dehors de l'histoire, une fiction poétique.
Et qui fait entrer, parmi les réalités à abolir, la fin
qui justifie aux yeux des Asiatiques ou des révolutionnaires les moyens violents auxquels ils sont
contraints de recourir. De son côté, le parti commu-

niste, traqué par la police bourgeoise, très inférieur en
nombre au parti S. F. I. O., sans aucun espoir de
prendre le pouvoir sinon à très longue échéance,
tout neuf, incertain de ses tactiques, en est encore
à la phase négative. Il s'agit pour lui de gagner les
masses, de noyauter les socialistes, de s'incorporer
les éléments qu'il pourra détacher de cette collectivité qui le repousse : son arme intellectuelle est la
critique. Il n'est donc pas éloigné de voir dans le
surréalisme un allié provisoire, qu'il se prépare à
rejeter quand il n'en aura plus besoin ; car la négation,
essence du surréalisme, n'est qu'une étape pour le
P. C. Celui-ci ne consent à envisager, fût-ce un instant, l'écriture automatique, les sommeils provoqués
et le hasard objectif qu'en tant qu'ils peuvent contribuer à la désagrégation de la classe bourgeoise. Il
semble donc qu'on ait retrouvé cette communauté
d'intérêts entre les intellectuels et les classes opprimées qui fut la chance des auteurs du xviiie siècle.
Mais ce n'est qu'une apparence. La source profonde
du malentendu réside en ceci que le surréaliste se
soucie fort peu de la dictature du prolétariat et voit
dans la Révolution, comme pure violence, la fin
absolue, au lieu que le communisme se propose
comme fin la prise du pouvoir et justifie par cette
fin le sang qu'il versera. Et puis le lien du surréalisme avec le prolétariat est indirect et abstrait.
La force d'un écrivain réside dans son action directe
sur le public, dans les colères, les enthousiasmes, les
méditations qu'il provoque par ses écrits. Diderot,
Rousseau, Voltaire restaient perpétuellement en
liaison avec la bourgeoisie parce qu'elle les lisait.
Mais les surréalistes n'ont aucun lecteur dans le
prolétariat : c'est tout juste s'ils communiquent du
dehors avec le parti ou plutôt avec ses intellectuels.
Leur public est ailleurs, dans la bourgeoisie cultivée,
et le P. C. ne l'ignore pas, qui les emploie simplement

à porter le trouble dans les milieux dirigeants. Ainsi leurs déclarations révolutionnaires demeurent purement théoriques, puisqu'elles ne changent rien à leur attitude, ne leur font pas gagner un seul lecteur et ne trouvent aucun écho chez les ouvriers; ils demeurent les parasites de la classe qu'ils insultent, leur révolte demeure en marge de la révolution. Breton finit par le reconnaître lui-même et reprend son indépendance de clerc : il écrit à Naville : « Il n'est personne de nous qui ne souhaite le passage du pouvoir des mains de la bourgeoisie à celles du prolétariat. En attendant, il n'est pas moins nécessaire, selon nous, que les expériences de la vie intérieure se poursuivent et cela, bien entendu sans contrôle extérieur, même marxiste... Les deux problèmes sont essentiellement distincts. »

L'opposition s'accusera lorsque la Russie soviétique et, par conséquent, le parti communiste français seront passés à la phase d'organisation constructrice : le surréalisme demeuré *négatif* par essence s'en détournera. Breton se rapprochera alors des trotzkystes précisément parce que ceux-ci, traqués et minoritaires, en sont encore au stade de la négation critique. A leur tour les trotzkystes utiliseront les surréalistes comme instrument de désagrégation : une lettre de Trotzky à Breton ne laisse pas de doute sur ce sujet. Si la IVe Internationale avait pu passer, elle aussi, à la phase constructrice, il est clair que c'eût été l'occasion d'une rupture.

Ainsi la première tentative de l'écrivain bourgeois pour se rapprocher du prolétariat demeure utopique et abstraite parce qu'il ne cherche pas un public mais un allié, parce qu'il conserve et renforce la division du temporel et du spirituel et qu'il se maintient dans les limites d'une cléricature. L'accord de principe du surréalisme et du P. C. contre la bourgeoisie ne dépasse pas le formalisme; c'est l'idée formelle de négativité qui les unit. En fait la négativité du parti communiste est provisoire, c'est un moment historique nécessaire dans sa grande entreprise de réorganisation sociale; la négativité surréaliste se maintient, quoi qu'on en dise, en dehors de l'histoire : à la fois dans l'instant et dans l'éternel; elle est la fin absolue de la vie et de l'art. Quelque part, Breton affirme l'identité ou du moins le parallélisme avec symbolisation réciproque de l'esprit en lutte contre ses bêtes et du prolétariat en lutte contre le capitalisme, ce qui revient à affirmer la « mission sacrée » du prolétariat. Mais, précisément, cette classe conçue comme une légion d'anges exterminateurs et que le P. C. défend comme un mur contre toutes les approches surréalistes, n'est véritablement pour les auteurs qu'un mythe quasi religieux et qui joue, pour la tranquillisation de leur conscience, un rôle analogue à celui que jouait le mythe du Peuple, en 1848, pour les écrivains de bonne volonté. L'originalité du mouvement surréaliste réside dans sa tentative pour s'approprier *tout* à la fois : le déclassement par en haut, le parasitisme, l'aristocratie, métaphysique de consommation et l'alliance avec les forces révolutionnaires. L'histoire de cette tentative a montré qu'elle était vouée à l'échec. Mais, cinquante ans plus tôt, elle n'eût même pas été concevable : le seul rapport qu'eût pu alors avoir un écrivain bourgeois avec la classe ouvrière c'est d'écrire pour elle et sur elle. Ce qui a permis de songer, fût-ce un instant, à conclure un pacte provisoire entre une aristocratie intellectuelle et les classes opprimées, c'est l'apparition d'un facteur nouveau : le Parti comme médiation entre les classes moyennes et le prolétariat.

J'entends bien que le surréalisme avec son aspect ambigu de chapelle littéraire, de collège spirituel, d'église et de société secrète [5] n'est qu'un des pro-

duits de l'après-guerre. Il faudrait parler de Morand,
de Drieu la Rochelle, de tant d'autres. Mais si
les œuvres de Breton, de Peret, de Desnos, nous ont
paru les plus représentatives, c'est que toutes les
autres contiennent implicitement les mêmes traits.
Morand est le consommateur type, le voyageur,
le passant. Il annule les traditions nationales en les
mettant en contact les unes avec les autres selon
le vieux procédé des sceptiques et de Montaigne; il
les jette dans un panier comme des crabes et, sans
commentaires, leur laisse le soin de se déchirer;
il s'agit d'atteindre un certain point *gamma*, fort
voisin du point *gamma* des surréalistes, d'où les différences de mœurs, de langues, d'intérêts s'abolissent
dans l'indistinction totale. La *vitesse* joue ici le
rôle de la méthode paranoïaque-critique. L'*Europe
galante*, c'est l'annulation des pays par le chemin de
fer, *Rien que la Terre* l'annulation des continents par
l'avion. Morand promène des Asiatiques à Londres,
des Américains en Syrie, des Turcs en Norvège;
il fait voir nos coutumes par ces yeux, comme Mon-
tesquieu par ceux de ses Persans, ce qui est le moyen
le plus sûr de leur ôter toute raison d'être. Mais, en
même temps, il s'arrange pour que ces visiteurs aient
beaucoup perdu de leur pureté primitive et soient
déjà tout à fait traîtres à leurs mœurs sans avoir tout
à fait adopté les nôtres; à ce moment particulier de
leur transformation chacun d'eux est un champ de
bataille où le pittoresque exotique et notre machinisme rationaliste se détruisent l'un par l'autre.
Remplis de clinquant, de verroteries, de beaux
noms étranges, les livres de Morand sonnent pourtant le glas de l'exotisme; ils sont à l'origine de toute
une littérature qui vise à anéantir la couleur locale,
soit en montrant que les villes lointaines dont nous
avons rêvé dans notre enfance sont aussi désespéré-
ment familières et quotidiennes pour les yeux et le

cœur de leurs habitants que la gare Saint-Lazare ou la Tour Eiffel pour notre cœur et pour nos yeux, soit en laissant entrevoir la comédie, le truquage, l'absence de foi derrière les cérémonies que les voyageurs des siècles passés nous décrivaient avec le plus de respect, soit en nous révélant, sous la trame usée du pittoresque oriental ou africain l'universalité du machinisme et du rationalisme capitaliste. Pour finir il ne reste plus que le monde, partout semblable et monotone. Je n'ai jamais mieux senti le sens profond de ce procédé qu'un jour de l'été 1938, entre Mogador et Safi, lorsque je dépassai en autocar une musulmane voilée qui pédalait sur une bicyclette. Une mahométane à vélo, voilà un objet auto-destructif que peuvent revendiquer tout aussi bien les surréalistes ou Morand. Le mécanisme précis de la bicyclette conteste les rêves lents de harem qu'on prête au passage à cette créature voilée; mais dans le même moment ce qui reste de ténèbres voluptueuses et magiques entre ces sourcils peints, derrière ce front étroit, conteste à son tour le machinisme, il fait pressentir derrière l'uniformisation capitaliste un au-delà enchaîné, vaincu et pourtant virulent et sorcier. Exotisme fantôme, impossible surréaliste, insatisfaction bourgeoise : dans les trois cas le réel s'effondre, derrière lui on tâche de maintenir la tension irritante du contradictoire. Dans le cas de ces écrivains-voyageurs, la ruse est manifeste : ils suppriment l'exotisme parce qu'on est toujours exotique par rapport à quelqu'un et qu'ils ne veulent pas l'être, ils détruisent les traditions et l'histoire pour échapper à leur *situation* historique, ils veulent oublier que la conscience la plus lucide est toujours entée quelque part, opérer une libération fictive, par un internationalisme abstrait, réaliser par l'universalisme une aristocratie de survol.

Drieu, comme Morand, use parfois de l'auto-

destruction par exotisme : dans un de ses romans,
l'Alhambra devient un jardin public de province,
sec sous un ciel monotone. Mais, à travers la destruction littéraire de l'objet, de l'amour, à travers vingt
années de folies et d'amertume, c'est la destruction
de soi-même qu'il a poursuivie : il a été la valise
vide, le fumeur d'opium et, finalement, le vertige
de la mort l'a attiré dans le national-socialisme.
Gilles, ce roman de sa vie, crasseux et doré, marque
clairement qu'il était le frère ennemi des surréalistes.
Son nazisme, qui n'était, lui aussi, qu'un appétit
de conflagration universelle, se révèle, à l'usage,
aussi inefficace que le communisme de Breton.
L'un et l'autre sont des clercs, l'un et l'autre s'allient
au temporel avec innocence et désintéressement.
Mais les surréalistes ont plus de santé : leur mythe
de destruction dissimule un énorme et magnifique
appétit; ils veulent tout anéantir sauf eux-mêmes
comme en témoigne leur horreur des maladies, des
vices, de la drogue. Drieu, morne et plus authentique, a médité sa mort : c'est par haine de soi qu'il
hait son pays et les hommes. Tous sont partis à la
recherche de l'absolu et comme ils étaient de toute
part investis par le relatif, ils ont identifié l'absolu
et l'*impossible*. Tous ont hésité entre deux rôles :
celui d'annonciateurs d'un monde nouveau, celui de
liquidateurs de l'ancien. Mais comme il était plus
facile de discerner dans l'Europe d'après-guerre les
signes de la décadence que ceux du renouveau, ils
ont tous choisi la liquidation. Et pour tranquilliser
leur conscience, ils ont remis en honneur le vieux
mythe héraclitéen selon lequel la vie naît de la mort.
Tous ont été hantés par ce point imaginaire *gamma*,
seul immobile dans un monde en mouvement, où
la destruction, parce qu'elle est pleinement destruction et sans espoir, s'identifie à la construction
absolue. Tous ont été fascinés par la violence, d'où

qu'elle vienne; c'est par la violence qu'ils ont voulu libérer l'homme de sa condition humaine. C'est pourquoi ils se sont rapprochés des partis extrêmes en leur prêtant gratuitement des visées apocalyptiques. Tous ont été dupes : la Révolution ne s'est pas faite, le nazisme a été vaincu. Ils ont vécu dans une époque confortable et prodigue où le désespoir était encore un luxe. Ils ont condamné leur pays parce qu'il était encore dans l'insolence de la victoire, ils ont dénoncé la guerre parce qu'ils croyaient que la paix serait longue. Tous ont été victimes du désastre de 40 : c'est que le moment de l'action était venu et qu'aucun d'eux n'était armé pour elle. Les uns se sont tués, d'autres sont en exil; ceux qui sont revenus sont exilés parmi nous. Ils ont été les annonciateurs de la catastrophe au temps des vaches grasses; au temps des vaches maigres ils n'ont plus rien à dire[6].

En marge des enfants prodigues ralliés qui trouvent plus d'imprévu et de folie dans la maison de leur père que dans les sentes de la montagne et dans les pistes du désert, en marge des grands ténors du désespoir, des cadets prodigues pour qui n'a pas encore sonné l'heure du retour au bercail, un humanisme discret fleurit. Prévost, Pierre Bost, Chamson, Aveline, Beucler ont à peu près l'âge de Breton et de Drieu. Ils ont eu des débuts brillants : Bost était encore sur les bancs du lycée lorsque Copeau jouait sa pièce l'*Imbécile*; Prévost, à l'École Normale, était déjà notoire. Mais dans leur gloire naissante, ils sont demeurés modestes; ils n'ont pas de goût à jouer les Ariels du capitalisme, ils ne prétendent pas être maudits, ni prophètes. Prévost, quand on lui a demandé pourquoi il écrivait, a répondu : « Pour gagner ma vie. » A l'époque, cette phrase m'avait choqué ; c'est que les grands mythes littéraires du xixe siècle traînaient encore par lambeaux dans ma tête. Au reste, il avait tort : on n'écrit pas pour gagner sa vie. Mais ce que je prenais pour du cynisme facile, c'était, en fait, une volonté de penser durement, lucidement et au besoin désagréablement. En pleine réaction contre le satanisme et l'angélisme, ces auteurs ne voulaient être ni des saints ni des bêtes : des hommes seulement. Les premiers, peut-être, depuis le romantisme, ils ne se sont pas pensés comme des aristocrates de la consommation mais comme des travailleurs en chambre, de l'espèce des relieurs et des dentellières. Ce n'est pas pour se donner licence de vendre leur marchandise au plus offrant, qu'ils ont considéré comme un métier la littérature, mais, au contraire, pour se replacer, sans humilité ni orgueil, dans une société laborieuse. Un métier s'apprend et puis celui qui l'exerce n'a pas le droit de mépriser sa clientèle : ainsi ébauchaient-ils eux aussi une réconciliation avec le public. Beaucoup trop honnêtes pour se croire du génie et pour en réclamer les droits, ils se fiaient plus au labeur qu'à l'inspiration. Il leur a manqué peut-être cette confiance absurde en leur étoile, cet orgueil inique et aveugle qui caractérisent les grands hommes [7]. Ils possédaient tous cette forte culture intéressée que la Troisième République donnait à ses futurs fonctionnaires. Aussi bien sont-ils presque tous devenus fonctionnaires d'État, questeurs au Sénat, à la Chambre, professeurs, conservateurs de Musée. Mais comme ils venaient pour la plupart de milieux modestes, ils ne se souciaient pas d'employer leur savoir à défendre les traditions bourgeoises. Ils n'ont jamais joui de cette culture comme d'une propriété *historique*, ils y ont vu seulement un instrument précieux pour devenir des hommes. Au reste ils avaient en Alain un maître à penser qui détestait l'histoire. Persuadés, comme lui, que le problème

moral est le même à toute époque, ils voyaient la
société en coupe instantanée. Hostiles à la psychologie autant qu'aux sciences historiques, sensibles aux
injustices sociales mais trop cartésiens pour croire
à la lutte des classes, l'unique affaire était pour
eux d'exercer leur métier d'hommes, contre les
passions et les erreurs passionnées, contre les mythes,
par l'usage sans faiblesse de la volonté et de la
raison. Ils ont aimé les petites gens, ouvriers pari-
siens, artisans, petits bourgeois, employés, hommes
de la route et le souci qu'ils avaient de raconter
ces destins individuels les a entraînés parfois à
coqueter avec le populisme. Mais, à la différence
de cette séquelle du naturalisme, ils n'ont jamais
admis que le déterminisme social et psychologique
formât la trame de ces humbles existences; et ils
n'ont pas voulu à la différence du réalisme socialiste, voir dans leurs héros des victimes sans espoir
de l'oppression sociale. En chaque cas, ces moralistes
se sont attachés à montrer la part de la volonté, de
la patience, de l'effort, présentant les défaillances
comme des fautes et le succès comme un mérite.
Ils se sont rarement souciés des destins exceptionnels
mais ils ont voulu faire voir qu'il est possible d'être
homme même dans l'adversité.

Aujourd'hui plusieurs d'entre eux sont morts,
d'autres se sont tus ou produisent à de longs inter-
valles. Tout à fait en gros on peut dire que ces auteurs,
dont l'envol fut si brillant et qui ont pu former
vers les années 27, un « Club des moins de trente ans »,
sont presque tous restés en route. Il faut faire la
part, bien sûr, des accidents individuels, mais le
fait est si frappant qu'il réclame une explication
plus générale. Ils n'ont manqué, en effet, ni de
talent, ni de souffle et, du point de vue qui nous
occupe, ils doivent être tenus pour des précurseurs :
ils ont renoncé à la solitude orgueilleuse de l'écrivain,

ils ont aimé leur public, ils n'ont pas tenté de justifier
des privilèges acquis, ils n'ont pas médité sur la
mort ou sur l'impossible, mais ils ont voulu nous
donner des règles de vie. Ils ont été beaucoup lus,
bien plus, certainement, que les surréalistes. Pourtant, si l'on veut marquer d'un nom les principales
tendances littéraires de l'entre-deux-guerres, c'est
au surréalisme qu'on pensera. D'où vient leur échec ?

Je crois qu'il s'explique, si paradoxal que cela
puisse paraître, par le public qu'ils se sont choisi.
Aux environs de 1900, à l'occasion de son triomphe
dans l'affaire Dreyfus, une petite bourgeoisie laborieuse et libérale a pris conscience d'elle-même. Elle
est anticléricale et républicaine, antiraciste, indivi-
dualiste, rationaliste, et progressiste. Fière de ses
institutions, elle accepte de les modifier, mais non
de les bouleverser. Elle ne méprise pas le prolétariat
mais elle se sent trop proche de lui pour avoir conscience de l'opprimer. Elle vit médiocrement, parfois
malaisément, mais elle n'aspire pas tant à une
fortune, à des grandeurs inaccessibles, qu'à améliorer son train de vie dans des limites fort étroites.
Elle veut vivre, surtout. Vivre, cela veut dire, pour
elle : choisir son métier, l'exercer avec conscience
et même avec passion, garder dans le travail une
certaine initiative, contrôler efficacement ses représentants politiques, s'exprimer librement sur les
affaires d'État, élever ses enfants dans la dignité.
Cartésienne en ceci qu'elle se méfie des élévations
trop brusques et que, au contraire des romantiques
qui ont toujours espéré que le bonheur fondrait
sur eux comme une catastrophe, elle songe plutôt
à se vaincre qu'à changer le cours du monde. Cette
classe qu'on a heureusement baptisée « moyenne »
enseigne à ses fils qu'il ne faut rien de trop et que le
mieux est l'ennemi du bien. Elle est favorable aux
revendications ouvrières, à la condition que celles-

ci demeurent sur le terrain strictement professionnel. Elle n'a pas d'histoire, pas de sens historique, puisqu'elle ne possède ni passé ni traditions, à la différence de la grande bourgeoisie, ni l'immense espoir d'un avenir, à la différence de la classe ouvrière. Comme elle ne croit pas en Dieu mais qu'elle a besoin d'impératifs très stricts pour donner un sens aux privations qu'elle endure, un de ses soucis intellectuels a été de fonder une morale laïque. L'Université, qui appartient tout entière à cette classe moyenne, s'y est efforcée sans succès pendant vingt ans, par la plume de Durkheim, de Brunschvicg, d'Alain. Or, ces universitaires, directement ou indirectement, ont été les maîtres des écrivains que nous considérons à présent. Ces jeunes gens, issus de la petite bourgeoisie, enseignés par des professeurs petits-bourgeois, préparés à la Sorbonne ou dans les grandes écoles à des métiers petits-bourgeois, sont revenus à leur classe quand ils ont commencé d'écrire. Mieux encore, ils ne l'ont jamais quittée. Ils ont transporté dans leurs romans et leurs nouvelles, amélioré, transformé en casuistique, cette morale dont tout le monde connaissait les préceptes et dont personne n'a trouvé les principes. Ils ont insisté sur les beautés et les risques, sur l'austère grandeur du *métier ;* ils n'ont pas chanté l'amour fou mais plutôt l'amitié conjugale et cette entreprise en commun qu'est le mariage. Ils ont fondé leur humanisme sur la profession, l'amitié, la solidarité sociale et le sport. Ainsi la petite bourgeoisie qui avait déjà son parti, le radical-socialisme, son association de secours mutuel, la Ligue des droits de l'homme, sa société secrète, la franc-maçonnerie, son quotidien, *L'Œuvre,* eut ses écrivains et même son hebdomadaire littéraire, qui s'appela symboliquement *Marianne.* Chamson, Bost, Prévost et leurs amis ont écrit pour un public de fonctionnaires, d'universi-

taires, d'employés supérieurs, de médecins, etc. Ils
ont fait de la littérature radicale-socialiste.

Or le radicalisme est la grande victime de cette
guerre. Dès 1910, il avait réalisé son programme,
il a vécu trente ans sur la vitesse acquise. Lorsqu'il
trouva ses écrivains, il se survivait déjà. Aujourd'hui
il a définitivement disparu. La politique radicale,
une fois accomplies la réforme du personnel administratif et la séparation de l'Église et de l'État, ne
pouvait devenir qu'un opportunisme et supposait,
pour se maintenir un moment, la paix sociale et
la paix internationale. Deux guerres en vingt-cinq
ans et l'exaspération de la lutte des classes c'était
trop ; le parti n'a pas résisté mais plus encore que
le parti, c'est l'esprit radical qui a été victime des
circonstances. Ces écrivains, qui n'ont pas fait la
première guerre et n'ont pas vu venir la seconde,
qui n'ont pas voulu croire à l'exploitation de l'homme
par l'homme mais qui ont parié sur la possibilité
de vivre honnêtement et modestement dans la
société capitaliste, que leur classe d'origine, devenue
par la suite leur public, a privés du sentiment de
l'histoire sans leur donner, en compensation, celui
d'un absolu métaphysique, n'ont pas eu le sens
du tragique dans une époque tragique entre toutes,
ni celui de la mort quand la mort menaçait l'Europe
entière, ni celui du Mal, quand un moment si bref
les séparait de la plus cynique tentative d'avilissement. Ils se sont limités, par probité, à nous raconter
des vies médiocres et sans grandeur, alors que les
circonstances forgeaient des destins exceptionnels
dans le Mal comme dans le Bien ; à la veille d'un
renouveau poétique — plus apparent, il est vrai,
que réel — leur lucidité a dissipé en eux cette mauvaise foi qui est une des sources de la poésie, leur
morale, qui pouvait soutenir les cœurs dans la vie
quotidienne, qui les eût peut-être soutenus pendant

QU'EST-CE QUE LA LITTÉRATURE ?   235

la première guerre mondiale, s'est révélée insuffi-
sante pour les grandes catastrophes. En ces époques-
là, l'homme se tourne vers Épicure ou vers le
stoïcisme — et ces auteurs n'étaient ni stoïciens ni
épicuriens [8] — ou alors il demande du secours aux
forces irrationnelles et ils avaient choisi de ne pas
voir plus loin que le bout de leur raison. Ainsi l'histoire leur a volé leur public comme elle a volé ses
électeurs au parti radical. Ils se sont tus, j'imagine,
par dégoût, faute de pouvoir adapter leur sagesse
aux folies de l'Europe. Comme, après vingt ans de
métier, ils n'ont rien trouvé à nous dire dans le mauvais sort, ils ont perdu leur peine.

Reste donc la troisième génération, la nôtre, qui
a commencé d'écrire après la défaite ou peu avant
la guerre. Je ne veux pas parler d'elle avant d'indiquer le climat sous lequel elle est apparue. D'abord
le climat littéraire : les ralliés, les extrémistes et
les radicaux peuplaient notre ciel. Chacune de ces
étoiles exerçait à sa manière son influence sur la
terre et toutes ces influences en se combinant venaient
à composer autour de nous l'idée la plus étrange, la
plus irrationnelle, la plus contradictoire de la littérature. Cette idée, que je nommerai objective, puisqu'elle appartient à l'esprit objectif de l'époque,
nous l'avons respirée avec l'air de notre temps.
Quel que soit, en effet, le soin qu'aient pris ces auteurs
à se distinguer les uns des autres, leurs œuvres, dans
l'esprit des lecteurs où elles coexistaient, se sont
réciproquement contaminées. En outre, si les différences sont profondes et tranchées, les traits communs ne manquent pas. Il est frappant d'abord
que ni les radicaux ni les extrémistes n'ont souci
de l'histoire, bien qu'ils se réclament les uns de la
gauche progressive, les autres de la gauche révolu-

tionnaire : les premiers sont au niveau de la répétition
kierkegaardienne, les seconds à celui de l'instant,
c'est-à-dire de la synthèse aberrante de l'éternité
et du présent infinitésimal. Seule, à cette époque où
la pression historique nous écrasait, la littérature
des ralliés offrait quelque goût de l'histoire et quelque
sens historique. Mais comme il s'agissait de justifier
des privilèges, ils n'envisageaient, dans le développement des sociétés, que l'action du passé sur le présent. Nous savons aujourd'hui les raisons de ces
refus, qui sont sociales : les surréalistes sont des
clercs, la petite bourgeoisie n'a ni traditions, ni
avenir, la grande est sortie de la phase de conquête
et vise à maintenir. Mais ces diverses attitudes se
sont composées pour produire un mythe objectif
selon lequel la littérature devait se choisir des sujets
éternels ou tout au moins inactuels. Et puis nos
aînés n'avaient à leur disposition qu'une seule
technique romanesque : celle qu'ils avaient héritée
du xixe siècle français. Or il n'en est pas, nous
l'avons vu plus haut, de plus hostile à une vue historique de la société.

Ralliés et radicaux ont utilisé la technique traditionnelle : ceux-ci parce qu'ils étaient moralistes
et intellectualistes et qu'ils voulaient comprendre par
les causes ; ceux-là parce qu'elle servait leurs desseins :
par sa négation systématique du changement, elle
faisait mieux ressortir la pérennité des vertus bourgeoises ; derrière de vains tumultes abolis, elle laissait
entrevoir cet ordre fixe et mystérieux, cette poésie
immobile qu'ils souhaitaient dévoiler dans leurs
ouvrages ; grâce à elle, ces nouveaux Éléates écrivaient contre le temps, contre le changement, décou-
rageaient les agitateurs et les révolutionnaires en
leur faisant voir leurs entreprises au passé avant
même qu'elles fussent commencées. C'est en lisant
leurs livres que nous l'avons apprise et elle a été

d'abord notre seul moyen d'expression. De bons esprits ont calculé, vers le moment que nous commencions d'écrire, « le temps optimum » au bout duquel un événement historique peut faire l'objet d'un roman. Cinquante ans, c'est trop, paraît-il : on n'y entre plus. Dix, ce n'est pas assez : on ne dispose pas d'un recul suffisant. Ainsi nous inclinait-on doucement à voir dans la littérature le royaume des considérations intempestives.

Ces groupes ennemis contractaient d'ailleurs des alliances entre eux; les radicaux se sont parfois rapprochés des ralliés : après tout ils avaient l'ambition commune de se réconcilier avec le lecteur et de fournir honnêtement ses besoins : sans doute leurs clientèles différaient sensiblement mais on passait continuellement de l'une à l'autre et la gauche du public des ralliés formait la droite du public radical. Par contre, si les écrivains radicaux ont fait parfois un bout de chemin avec la gauche politique, si, lorsque le parti radical-socialiste a adhéré au Front Populaire, ils ont décidé tous ensemble de collaborer à *Vendredi*, jamais ils n'ont conclu d'alliance avec l'extrême-gauche littéraire, c'est-à-dire avec les surréalistes. Les extrémistes, au contraire, ont, à leur corps défendant, des traits communs avec les ralliés : ils tiennent les uns et les autres que la littérature a pour objet un certain au-delà ineffable qu'on peut seulement suggérer et qu'elle est par essence la réalisation imaginaire de l'irréalisable. C'est ce qui est particulièrement sensible lorsqu'il s'agit de la poésie : tandis que les radicaux la bannissent, pour autant dire, de la littérature, les ralliés en imprègnent leurs romans. On a souvent noté le fait, un des plus importants de l'histoire littéraire contemporaine; on n'en a pas donné la raison : c'est que les écrivains bourgeois avaient à cœur de prouver qu'il n'y a pas de vie si bourgeoise

ni si quotidienne qu'elle n'ait son *au-delà* poétique,
c'est qu'ils se considéraient comme les catalyseurs
de la poésie bourgeoise. Dans le même temps les
extrémistes assimilaient à la poésie, c'est-à-dire à
l'au-delà inconcevable de la destruction, toutes les
formes de l'activité artistique. Objectivement cette
tendance s'est traduite, au moment que nous commencions d'écrire, par la confusion des genres et la
méconnaissance de l'essence romanesque; et il n'est
pas rare, aujourd'hui encore, que des critiques
reprochent à une œuvre de prose de manquer de
poésie.

Toute cette littérature est à thèse puisque ces
auteurs, bien qu'ils protestent avec virulence du
contraire, défendent tous des idéologies. Extrémistes
et ralliés font profession de détester la métaphysique : mais comment nommera-t-on ces déclarations réitérées au terme desquelles l'homme est
trop grand pour lui-même et, par toute une dimension
de son être, échappe aux déterminations psychologiques et sociales ? Quant aux radicaux, tout en
proclamant que la littérature ne se fait pas avec de
bons sentiments, leur souci principal est moralisateur. Tout cela se traduit, dans l'esprit objectif,
par des oscillations massives du concept de littérature : elle est pure gratuité, — elle est enseignement;
elle n'existe qu'en se niant soi-même et en renais-
sant de ses cendres, elle est l'impossible, l'ineffable au delà du langage — c'est un métier austère
qui s'adresse à une clientèle déterminée, tâche à
l'éclairer sur ses besoins et s'efforce de les satisfaire;
elle est terreur — elle est rhétorique. Les critiques
viennent alors et tentent, pour leur commodité,
d'unifier ces conceptions opposées : ils inventent
cette notion de message, dont nous avons parlé
plus haut. Bien entendu tout est message : il y a
un message de Gide, de Chamson, de Breton et c'est,

naturellement, ce qu'ils ne voulaient pas dire, ce que la critique leur fait dire malgré eux. De là une nouvelle théorie qui s'ajoute aux précédentes : dans ces œuvres délicates et qui se détruisent elles-mêmes, où le mot n'est qu'un guide hésitant qui s'arrête à mi-chemin et laisse le lecteur continuer seul sa route, et dont la vérité est très au delà du langage, dans un silence indifférencié, c'est toujours l'apport involontaire de l'écrivain qui a le plus d'importance. Une œuvre n'est jamais belle qu'elle n'échappe en quelque manière à son auteur. S'il se peint sans en avoir le projet, si ses personnages échappent à son contrôle et lui imposent leurs caprices, si les mots gardent sous sa plume une sorte d'indépendance,. alors il fait son meilleur ouvrage. Boileau serait fort ébahi s'il lisait ces propos, qu'on trouve couramment dans les feuilletons de nos critiques : « l'auteur sait trop bien ce qu'il veut dire, il est trop lucide, les mots lui sont venus trop aisément, il fait ce qu'il veut de sa plume, il n'est pas dominé par son sujet ». Sur ce point, malheureusement, tout le monde est d'accord : pour les ralliés, l'essence de l'œuvre, c'est la poésie, donc l'au-delà et, par un glissement imperceptible, ce qui échappe à son auteur même, la part du Diable; pour les surréalistes le seul mode d'écriture valable est l'automatisme, il n'est pas jusqu'aux radicaux, qui après Alain, n'insistent sur ce qu'un ouvrage n'est jamais achevé avant d'être devenu représentation collective et sur ce qu'il comporte alors, par tout ce que les générations de lecteurs y ont mis, infiniment plus qu'au moment de sa conception. Cette idée, d'ailleurs juste, revient à mettre en évidence le rôle du lecteur dans la constitution de l'œuvre; elle contribuait, à l'époque, à augmenter la confusion. Bref, le mythe objectif inspiré de ces contradictions c'est que toute œuvre durable a son secret. Passe encore si c'était un secret de fabrication : mais non, il commence là où s'arrêtent la technique et la volonté, quelque chose se reflète d'en haut dans l'œuvre d'art et s'y brise comme le soleil dans les flots. En un mot, de la poésie pure à l'écriture automatique, le climat littéraire est au platonisme. En cette époque mystique sans la foi ou plutôt mystique de mauvaise foi, un courant majeur de la littérature entraîne l'écrivain à se démettre devant son œuvre, comme un courant de la politique l'entraîne à se démettre devant le parti. Fra Angelico, dit-on, peignait à genoux : si cela est vrai, beaucoup d'écrivains lui ressemblent, mais ils vont plus loin que lui : ils croient qu'il suffit d'écrire à genoux pour bien écrire.

Quand nous étions encore sur les bancs du lycée ou dans les amphithéâtres de la Sorbonne, l'ombre touffue de l'au-delà s'étendait sur la littérature. Nous avons connu le goût amer et décevant de l'impossible, celui de la pureté, celui de l'impossible pureté; nous nous sommes sentis tour à tour des insatisfaits et des Ariels de la consommation, nous avons cru qu'on pouvait sauver sa vie par l'art et puis, au trimestre suivant, qu'on ne sauvait jamais rien et que l'art était le bilan lucide et désespéré de notre perdition, nous avons balancé entre la terreur et la rhétorique, entre la littérature-martyre et la littérature-métier : si quelqu'un s'amusait à lire avec soin nos écrits, il y retrouverait, sans aucun doute, comme des cicatrices, les traces de ces diverses tentations, mais il faudrait qu'il ait du temps à perdre : tout cela est déjà bien loin de nous. Seulement, comme c'est en écrivant que l'auteur se forge ses idées sur l'art d'écrire, la collectivité vit sur les conceptions littéraires de la génération précédente et les critiques, qui les ont comprises avec vingt ans de retard, sont tout heureux de s'en servir comme de pierres de touche pour juger les œuvres contemporaines. Au reste la littérature de l'entre-deux-guerres se survit péniblement : les gloses sur l'impossible de Georges Bataille ne valent pas le moindre trait surréaliste, sa théorie de la dépense est un écho affaibli des grandes fêtes passées; le lettrisme est un produit de remplacement, une imitation plate et consciencieuse de l'exubérance dadaïste. Mais le cœur n'y est plus, on sent l'application, la hâte de parvenir; ni André Dhotel ni Marius Groult ne valent Alain Fournier; beaucoup d'anciens surréalistes sont entrés au P. C. comme ces saint-simoniens qu'on retrouvait vers 1880 dans les conseils d'administration de la grande industrie; ni Cocteau, ni Mauriac, ni Green n'ont de challengers; Giraudoux en a trouvé cent, mais tous médiocres; la plupart des radicaux se sont tus. C'est que le décalage s'est accusé, non pas entre l'auteur et son public — ce qui serait, après tout, dans la grande tradition littéraire du xixe siècle — mais entre le mythe littéraire et la réalité historique.

Ce décalage, nous l'avons senti bien avant de publier nos premiers livres, dès 1930 [9]. C'est vers cette époque que la plupart des Français ont découvert avec stupeur leur historicité. Bien sûr, ils avaient appris à l'école que l'homme joue, gagne ou perd au sein de l'histoire universelle, mais ils n'en avaient pas fait l'application à leur propre cas : ils pensaient obscurément que c'était bon pour les morts d'être historiques. Ce qui frappe dans les vies passées c'est qu'elles se déroulent toujours *à la veille* de grands événements qui dépassent les prévisions, déçoivent les attentes, bouleversent les projets et font tomber un jour nouveau sur les années écoulées. Il y a là une duperie, un escamotage perpétuel comme si les hommes étaient tous semblables à Charles Bovary qui, découvrant après la mort de sa femme les lettres

qu'elle recevait de ses amants, vit s'écrouler derrière
lui, d'un seul coup, vingt années *déjà vécues* de
bonheur conjugal. Au siècle de l'avion et de l'élec-
tricité, nous ne pensions pas être exposés à ces
surprises, il ne nous semblait pas que nous fussions
à la veille de rien, nous avions, au contraire, le vague
orgueil de nous sentir *au lendemain* du dernier bouleversement de l'histoire. Même si nous nous inquié-
tions parfois du réarmement de l'Allemagne, nous
nous croyions engagés sur une longue route droite,
nous avions la certitude que nos vies seraient
uniquement tissées de circonstances individuelles
et jalonnées de découvertes scientifiques et de réformes heureuses. A partir de 1930, la crise mondiale,
l'avènement du nazisme, les événements de Chine,
la guerre d'Espagne, nous ouvrirent les yeux; il
nous parut que le sol allait manquer sous nos pas
et, tout à coup, *pour nous aussi* le grand escamotage
historique commença : ces premières années de la
grande Paix mondiale, il fallait les envisager soudain
comme les dernières de l'entre-deux-guerres; chaque
promesse que nous avions saluée au passage, il
fallait y voir une menace, chaque journée que nous
avions vécue découvrait son vrai visage : nous nous
y étions abandonnés sans défiance et elle nous ache-
minait vers une nouvelle guerre avec une rapidité
secrète, avec une rigueur cachée sous des airs non-
chalants, et notre vie d'individu, qui avait paru
dépendre de nos efforts, de nos vertus et de nos
fautes, de notre chance et de notre malchance,
du bon et du mauvais vouloir d'un très petit nombre
de personnes, il nous semblait qu'elle était gouvernée
jusque dans ses plus petits détails par des forces
obscures et collectives et que ses circonstances les
plus privées reflétaient l'état du monde entier. Du
coup nous nous sentîmes brusquement *situés :* le
survol qu'aimaient tant pratiquer nos prédécesseurs

était devenu impossible, il y avait une aventure
collective qui se dessinait dans l'avenir et qui serait
notre aventure, c'était elle qui permettrait plus
tard de dater notre génération, avec ses Ariels et
ses Calibans, quelque chose nous attendait dans
l'ombre future, quelque chose qui nous révélerait
à nous-mêmes peut-être dans l'illumination d'un
dernier instant avant de nous anéantir; le secret
de nos gestes et de nos plus intimes conseils résidait
en avant de nous dans la catastrophe à laquelle
nos noms seraient attachés. L'historicité reflua sur
nous; dans tout ce que nous touchions, dans l'air
que nous respirions, dans la page que nous lisions,
dans celle que nous écrivions, dans l'amour même,
nous découvrions comme un goût d'histoire, c'est-
à-dire un mélange amer et ambigu d'absolu et de
transitoire. Qu'avions-nous besoin de construire
patiemment des objets auto-destructifs puisque
chacun des moments de notre vie nous était esca-
moté subtilement dans le temps même que nous en
jouissions, puisque chaque *présent* que nous vivions
avec élan, comme un absolu, était frappé d'une
mort secrète, nous semblait avoir son sens hors de
lui, pour d'autres yeux qui n'avaient pas encore
vu le jour et, en quelque sorte, être *déjà passé* dans
sa présence même. Que nous importait d'ailleurs
la destruction surréaliste qui laisse tout en place,
quand une destruction par le fer et par le feu menaçait tout, y compris le surréalisme ? C'est Miro,
je crois, qui peignit une *Destruction de la Peinture*.
Mais les bombes incendiaires pouvaient détruire
ensemble la peinture et sa destruction. Nous n'eussions pas songé davantage à vanter les vertus exquises
de la bourgeoisie : pour l'entreprendre, il eût fallu
croire qu'elles étaient éternelles, mais savions-nous
si, demain, la bourgeoisie française existerait encore ?
Ni à enseigner, comme l'avaient fait les radicaux,

les moyens de mener dans la paix une vie d'honnête
homme quand notre plus grand souci était de savoir
si l'on pouvait rester homme dans la guerre. La pression de l'histoire nous révélait soudain l'interdé-
pendance des nations — un incident à Shanghaï,
c'était un coup de ciseaux dans notre destin — mais,
en même temps, elle nous replaçait, en dépit de nous-
mêmes dans la collectivité nationale : les voyages
de nos aînés, leurs dépaysements somptueux et tout
le cérémonial du grand tourisme, il fallut bientôt
reconnaître que c'était un trompe-l'œil : ils empor-
taient partout la France avec eux, ils voyageaient
parce que la France avait gagné la guerre et que le
change restait favorable, ils suivaient le franc, ils
avaient, comme lui, plus d'accès à Séville et à Pa-
lerme qu'à Zurich ou Amsterdam. Pour nous, quand
nous avons eu l'âge de faire notre tour du monde,
l'autarcie avait tué les romans de grand tourisme
et puis, nous n'avions plus le cœur à voyager : ils
s'amusaient à trouver partout l'empreinte du capitalisme, par un goût pervers d'uniformiser le monde;
nous eussions trouvé, sans nous donner de peine,
une uniformité beaucoup plus manifeste : des canons,
partout. Et puis, voyageurs ou non, devant le conflit
qui menaçait notre pays, nous avions compris que
nous n'étions pas citoyens du monde, puisque nous
ne pouvions pas faire que nous fussions suisses,
suédois ou portugais. Le destin de nos œuvres elles
mêmes était lié à celui de la France en danger : nos
aînés écrivaient pour des âmes vacantes, mais pour
le public auquel nous allions nous adresser à notre
tour, les vacances étaient finies : il était composé
d'hommes de notre espèce qui, comme nous, atten-
daient la guerre et la mort. A ces lecteurs sans loisirs,
occupés sans relâche par un unique souci, un unique
sujet pouvait convenir : c'était de leur guerre, de
leur mort que nous avions à écrire. Brutalement

réintégrés dans l'histoire, nous étions acculés à faire une littérature de l'historicité.

Mais ce qui fait, je crois, l'originalité de notre position, c'est que la guerre et l'occupation, en nous précipitant dans un monde en fusion, nous ont fait, par force, redécouvrir l'absolu au sein de la relativité même. Pour nos prédécesseurs, la règle du jeu était de sauver tout le monde, parce que la douleur rachète, parce que nul n'est méchant volontairement, parce qu'on ne peut sonder le cœur de l'homme, parce que la grâce divine est également partagée; cela signifie que la littérature — à part l'extrême-gauche surréaliste qui brouillait simplement les cartes — tendait à établir une sorte de relativisme moral. Les chrétiens ne croyaient plus à l'Enfer; le péché, c'était la place vide de Dieu, l'amour charnel c'était l'amour de Dieu fourvoyé. Comme la démocratie tolérait toutes les opinions, même celle qui visait expressément à la détruire, l'humanisme républicain, qu'on enseignait dans les écoles, faisait de la tolérance la première de ses vertus : on tolérait tout, même l'intolérance; dans les idées les plus sottes, dans les sentiments les plus vils, il fallait reconnaître des vérités cachées. Pour le philosophe du régime, Léon Brunschwicg, qui assimila, unifia, intégra toute sa vie durant et qui forma trois générations, le mal et l'erreur n'étaient que des faux-semblants, fruits de la séparation, de la limitation, de la finitude; ils s'anéantissaient dès qu'on faisait sauter les barrières qui compartimentaient les systèmes et les collectivités. Les radicaux suivaient en ceci Auguste Comte qu'ils tenaient le progrès pour le développement de l'ordre : donc l'ordre était déjà là, en puissance, comme la casquette du chasseur dans les devinettes illustrées; il n'était que de le découvrir. Ils y passaient leur temps, c'était leur exercice spirituel; par là, ils justifiaient tout, à commencer par eux-mêmes.

Au moins les marxistes reconnaissaient-ils la réalité
de l'oppression et de l'impérialisme capitaliste, de
la lutte des classes et de la misère : mais la dialectique matérialiste a pour effet, je l'ai montré ailleurs,
de faire s'évanouir conjointement le Bien et le Mal,
il ne reste que le processus historique, et puis le
communisme stalinien n'attribue pas à l'individu
tant d'importance que les souffrances et sa mort
même ne puissent être rachetées si elles concourent
à hâter l'heure de la prise du pouvoir. La notion
de Mal, délaissée, était tombée aux mains de quelques
manichéistes — antisémites, fascistes, anarchistes de
droite — qui s'en servaient pour justifier leur aigreur,
leur envie, leur incompréhension de l'histoire. Cela
suffisait à la discréditer. Pour le réalisme politique
comme pour l'idéalisme philosophique, le Mal, ça
n'était pas sérieux.

On nous a enseigné à le prendre au sérieux : ce
n'est ni notre faute ni notre mérite si nous avons
vécu en un temps où la torture était un fait quotidien. Châteaubriant, Oradour, la rue des Saussaies,
Tulle, Dachau, Auschwitz, tout nous démontrait que
le Mal n'est pas une apparence, que la connaissance
par les causes ne le dissipe pas, qu'il ne s'oppose
pas au Bien comme une idée confuse à une idée
distincte, qu'il n'est pas l'effet de passions qu'on
pourrait guérir, d'une peur qu'on pourrait surmonter,
d'un égarement passager qu'on pourrait excuser,
d'une ignorance qu'on pourrait éclairer, qu'il ne
peut d'aucune façon être tourné, repris, réduit,
assimilé à l'humanisme idéaliste, comme cette ombre
dont Leibnitz écrit qu'elle est nécessaire à l'éclat
du jour. Satan, a dit un jour Maritain, est pur. Pur,
c'est-à-dire sans mélange et sans rémission. Nous
avons appris à connaître cette horrible, cette irréductible pureté : elle éclatait dans le rapport étroit
et presque sexuel du bourreau avec sa victime. Car

la torture est d'abord une entreprise d'avilissement : quelles que soient les souffrances endurées, c'est la victime qui décide en dernier recours du moment où elles sont insupportables et où il faut parler; la suprême ironie des supplices, c'est que le patient, s'il mange le morceau, applique sa volonté d'homme à nier qu'il soit homme, se fait complice de ses bourreaux et se précipite de son propre mouvement dans l'abjection. Le bourreau le sait, il guette cette défaillance, non pas seulement parce qu'il en obtiendra le renseignement qu'il désire, mais parce qu'elle lui prouvera, une fois de plus, qu'il a raison d'employer la torture et que l'homme est une bête qu'il faut mener à la cravache; ainsi tente-t-il d'anéantir l'humanité en son prochain. En lui-même aussi, par contre-coup : cette créature gémissante, suante et souillée, qui demande grâce et s'abandonne avec un consentement pâmé, avec des râles de femme amoureuse, et livre tout et renchérit avec un zèle emporté sur ses trahisons, parce que la conscience qu'elle a de mal faire est comme une pierre à son cou qui l'entraîne toujours plus bas, il sait qu'elle est à son image et qu'il s'acharne sur lui-même autant que sur elle; s'il veut échapper, pour son compte, à cette dégradation totale, il n'a pas d'autre recours que d'affirmer sa foi aveugle en un ordre de fer qui contienne comme un corset nos immondes faiblesses, bref de remettre le destin de l'homme entre les mains de puissances inhumaines. Vient un instant où tortureur et torturé sont d'accord : celui-là parce qu'il a, en une seule victime, assouvi symboliquement sa haine de l'humanité entière, celui-ci parce qu'il ne peut supporter sa faute qu'en la poussant à l'extrême et qu'il ne peut endurer la haine qu'il se porte qu'en haïssant tous les autres hommes avec lui. Plus tard le bourreau sera pendu, peut-être; si elle en réchappe, peut-être que la victime se

réhabilitera : mais qui effacera cette Messe où deux
libertés ont communié dans la destruction de l'humain ? Nous savions qu'on la célébrait un peu partout dans Paris pendant que nous mangions, que
nous dormions, que nous faisions l'amour; nous
avons entendu crier des rues entières et nous avons
compris que le Mal, fruit d'une volonté libre et
souveraine, est absolu comme le Bien. Un jour
viendra peut-être où une époque heureuse, se pen-
chant sur le passé, verra dans ces souffrances et dans
ces hontes un des chemins qui conduisirent à sa
Paix. Mais nous n'étions pas du côté de l'histoire
faite; nous étions, je l'ai dit, *situés* de telle sorte
que chaque minute vécue nous apparaissait comme
irréductible. Nous en vînmes donc, en dépit de nous-
mêmes, à cette conclusion, qui paraîtra choquante
aux belles âmes : le Mal ne peut pas se racheter.

Mais d'autre part, battus, brûlés, aveuglés, rompus, la plupart des résistants n'ont pas parlé; ils
ont brisé le cercle du Mal et réaffirmé l'humain,
pour eux, pour nous, pour leurs tortionnaires mêmes.
Ils l'ont fait sans témoins, sans secours, sans espoir,
souvent même sans foi. Il ne s'agissait pas pour eux
de croire en l'homme mais de le vouloir. Tout cons-
pirait à les décourager : tant de signes autour d'eux,
ces visages penchés sur eux, cette douleur en eux,
tout concourait à leur faire croire qu'ils n'étaient
que des insectes, que l'homme est le rêve impossible
des cafards et des cloportes et qu'ils se réveilleraient
vermine comme tout le monde. Cet homme, il fallait
l'inventer avec leur chair martyrisée, avec leurs
pensées traquées qui les trahissaient déjà, à partir
de rien, pour rien, dans l'absolue gratuité : car c'est
à l'intérieur de l'humain qu'on peut distinguer des
moyens et des fins, des valeurs, des préférables, mais
ils en étaient encore à la création du monde et ils
avaient seulement à décider souverainement s'il y

aurait dedans quelque chose de plus que le règne animal. Ils se taisaient et l'homme naissait de leur silence. Nous le savions, nous savions qu'à chaque instant du jour, aux quatre coins de Paris, l'homme était cent fois détruit et réaffirmé. Obsédés par ces supplices, il ne se passait pas de semaine que nous ne nous demandions : « Si l'on me torturait, que ferais-je ? » Et cette seule question nous portait nécessairement aux frontières de nous-mêmes et de l'humain, nous faisait osciller entre le *no man's land* où l'humanité se renie et le désert stérile d'où elle surgit et se crée. Ceux qui nous avaient immédiatement précédés dans le monde, qui nous avaient légué leur culture, leur sagesse, leurs mœurs et leurs proverbes, qui avaient construit les maisons que nous habitions et jalonné les routes des statues de leurs grands hommes, pratiquaient des vertus modestes et se tenaient dans les régions tempérées; leurs fautes ne les faisaient jamais tomber si bas qu'ils ne découvrissent au-dessous d'eux de plus grands coupables, ni leurs mérites monter si haut qu'ils n'aperçussent au-dessus d'eux des âmes plus méritantes; à perte de vue leur regard rencontrait des hommes, les dictons mêmes dont ils usaient et que nous avons appris d'eux. — « un sot trouve toujours un plus sot qui l'admire », « on a toujours besoin d'un plus petit que soi » — leur manière même de se consoler dans l'affliction en se représentant, quel que fût leur malheur, qu'il y en avait de pires, tout indique qu'ils considéraient l'humanité comme un milieu naturel et infini dont on ne peut jamais sortir ni toucher les limites; ils mouraient avec une bonne conscience et sans avoir jamais exploré leur condition. A cause de cela leurs écrivains leur donnaient une littérature de *situations moyennes*. Mais nous ne pouvions plus trouver *naturel* d'être hommes quand nos meilleurs amis, s'ils étaient pris, ne pou-

vaient choisir qu'entre l'abjection et l'héroïsme,
c'est-à-dire entre les deux extrêmes de la condition
humaine, au delà desquels il n'y a plus rien. Lâches
et traîtres, ils avaient au-dessus d'eux tous les
hommes; héroïques, tous les hommes au-dessous
d'eux. Dans ce dernier cas, qui fut le plus fréquent,
ils ne sentaient plus l'humanité comme un milieu
illimité, c'était une maigre flamme en eux, qu'ils
étaient seuls à entretenir, elle se ramassait tout entière dans le silence qu'ils opposaient à leurs bourreaux; autour d'eux il n'y avait plus que la grande
nuit polaire de l'inhumain et du non-savoir, qu'ils ne
voyaient même pas, qu'ils devinaient au froid glacial
qui les transperçait. Nos pères ont toujours disposé
de témoins et d'exemples. Pour ces hommes torturés,
il n'y en avait plus. C'est Saint-Exupéry qui a dit,
au cours d'une mission dangereuse : je suis mon
propre témoin. Ainsi d'eux : l'angoisse commence
pour un homme et le délaissement et les sueurs
de sang, quand il ne peut plus avoir d'autre témoin
que lui-même; c'est alors qu'il boit le calice jusqu'à
la lie, c'est-à-dire qu'il éprouve jusqu'au bout sa
condition d'homme. Certes nous sommes bien loin
d'avoir tous ressenti cette angoisse, mais elle nous
a tous hantés comme une menace et comme une
promesse; cinq ans, nous avons vécu fascinés, et
comme nous ne prenions pas notre métier d'écrivain
à la légère, cette fascination se reflète encore dans
nos écrits : nous avons entrepris de faire une littérature des situations extrêmes. Je ne prétends nulle-
ment que nous soyons en ceci, supérieurs à nos aînés.
Bien au contraire, Bloch-Michel, qui a payé le droit
de parler, disait dans les *Temps Modernes*, qu'il faut
moins de vertu dans les grandes circonstances que dans
les petites; ce n'est pas à moi de décider s'il a raison,
ni s'il vaut mieux être janséniste que jésuite. Je pense
plutôt qu'il faut de tout et qu'un même homme ne peut

être l'un et l'autre à la fois. Nous sommes donc jansénistes parce que l'époque nous a faits tels et, comme elle nous a fait toucher nos limites, je dirai que nous sommes tous des écrivains métaphysiciens. Je pense que beaucoup d'entre nous refuseraient cette dénomination ou ne l'accepteraient pas sans réserves, mais cela vient d'un malentendu : car la métaphysique n'est pas une discussion stérile sur des notions abstraites qui échappent à l'expérience, c'est un effort vivant pour embrasser du dedans la condition humaine dans sa totalité. Contraints par les circonstances à découvrir la pression de l'histoire, comme Torricelli a fait de la pression atmosphérique, jetés par la dureté des temps dans ce délaissement d'où l'on peut voir jusqu'aux extrêmes, jusqu'à l'absurde, jusqu'à la nuit du non-savoir, notre condition d'homme, nous avons une tâche, pour laquelle peut-être, nous ne serons pas assez forts (ce n'est pas la première fois qu'une époque, faute de talent, a manqué son art et sa philosophie), c'est de créer une littérature qui rejoigne et réconcilie l'absolu métaphysique et la relativité du fait historique et que je nommerai, faute de mieux, la littérature des grandes circonstances [10]. Il ne s'agit pour nous ni de nous évader dans l'éternel ni d'abdiquer devant ce que l'inénarrable M. Zaslavski appelle dans la *Pravda* le « processus historique ». Ces questions que notre temps nous pose et qui resteront *nos* questions sont d'un autre ordre : comment peut-on se faire homme dans, par et pour l'histoire ? Est-il une synthèse possible de notre conscience unique et irréductible et de notre relativité, c'est-à-dire d'un humanisme dogmatique et d'un perspectivisme ? Quelle est la relation de la morale avec la politique ? Comment assumer, outre nos intentions profondes, les conséquences objectives de nos actes ? On peut à la rigueur attaquer ces problèmes dans l'abstrait par la réflexion philosophique. Mais nous, qui voulons les vivre, c'est-à-dire soutenir nos pensées par ces expériences fictives et concrètes que sont les romans, nous disposions, au départ, de la technique que j'ai analysée plus haut et dont les fins sont rigoureusement opposées à nos desseins. Spécialement mise au point pour relater les événements d'une vie individuelle au sein d'une société stabilisée, elle permettait d'enregistrer, de décrire et d'expliquer les fléchissements, les vections, les involutions, la lente désorganisation d'un système particulier au milieu d'un univers en repos; or dès 1940, nous étions au centre d'un cyclone; si nous voulions nous y orienter, nous nous trouvions tout à coup aux prises avec un problème d'un ordre de complexité plus élevé, exactement comme l'équation du second degré est plus complexe que celle du premier. Il s'agissait de décrire les relations de différents systèmes partiels avec le système total qui les contient, lorsque les uns comme l'autre sont en mouvement et que les mouvements se conditionnent réciproquement. Dans le monde stable du roman français d'avant-guerre, l'auteur, placé en un point *gamma* qui figurait le repos absolu, disposait de repères fixes pour déterminer les mouvements de ses personnages. Mais nous, embarqués sur un système en pleine évolution, nous ne pouvions connaître que des mouvements relatifs; au lieu que nos prédécesseurs croyaient se tenir en dehors de l'histoire et s'étaient élevés d'un coup d'aile à des cimes d'où ils jugeaient les coups en vérité, les circonstances nous avaient replongés dans notre temps : comment donc eussions-nous pu le voir d'ensemble, puisque nous étions dedans ? Puisque nous étions *situés*, les seuls romans que nous pussions songer à écrire étaient des romans de *situation*, sans narrateurs internes ni témoins tout-connaissants; bref il nous fallait, si nous

voulions rendre compte de notre époque, faire passer
la technique romanesque de la mécanique newto-
nienne à la relativité généralisée, peupler nos livres
de consciences à demi lucides et à demi obscures,
dont nous considérerions peut-être les unes ou les
autres avec plus de sympathie, mais dont aucune
n'aurait sur l'événement ni sur soi de point de vue
privilégié, présenter des créatures dont la réalité
serait le tissu embrouillé et contradictoire des appré-
ciations que chacune porterait sur toutes — y compris sur elle-même — et toutes sur chacune et qui
ne pourraient jamais décider du dedans si les changements de leurs destins venaient de leurs efforts,
de leurs fautes ou du cours de l'univers; il nous fallait enfin laisser partout des doutes, des attentes,
de l'inachevé et réduire le lecteur à faire lui-même
des conjectures, en lui inspirant le sentiment que
ses vues sur l'intrigue et sur les personnages n'étaient
qu'une opinion parmi beaucoup d'autres, sans
jamais le guider ni lui laisser deviner notre sentiment.

Mais d'autre part, comme je viens de le marquer,
notre historicité même nous restituait, parce que
nous la vivions au jour le jour, cet absolu qu'elle
avait semblé nous ôter d'abord. Si nos projets, nos
passions, nos actes étaient explicables et relatifs du
point de vue de l'histoire faite, ils reprenaient, dans ce
délaissement, l'incertitude et les risques du présent,
leur densité irréductible. Nous n'ignorions pas qu'il
viendrait une époque où les historiens pourraient
parcourir en tout sens cette durée que nous vivions
fiévreusement, minute par minute, éclairer notre
passé avec ce qui aurait été notre avenir, décider
de la valeur de nos entreprises par leur issue, de la
sincérité de nos intentions par leur succès; mais
l'irréversibilité de notre temps n'appartenait qu'à
nous, il fallait nous sauver ou nous perdre à tâtons
dans ce temps irréversible; les événements fondaient

sur nous comme des voleurs et il fallait faire notre
métier d'hommes en face de l'incompréhensible et
de l'insoutenable, parier, conjecturer sans preuves,
entreprendre dans l'incertitude et persévérer sans
espoir; on pourrait expliquer notre époque, on n'em-
pêcherait pas qu'elle ait été pour nous inexplicable, on ne nous en ôterait pas le goût amer,
ce goût qu'elle aura eu pour nous seuls et qui dis-
paraîtra avec nous. Les romans de nos aînés racon-
taient l'événement au passé, la succession chronologique laissait entrevoir les relations logiques et
universelles, les vérités éternelles; le plus petit
changement était déjà compris, on nous livrait
du vécu déjà repensé. Peut-être cette technique,
dans deux siècles, conviendra-t-elle à un auteur qui
aura décidé d'écrire un roman historique sur la guerre
de 1940. Mais nous, si nous venions à méditer sur
nos écrits futurs, nous nous persuadions qu'aucun
art ne saurait être vraiment nôtre s'il ne rendait
à l'événement sa brutale fraîcheur, son ambiguïté,
son imprévisibilité, au temps son cours, au monde
son opacité menaçante et somptueuse, à l'homme
sa longue patience; nous ne voulions pas délecter
notre public de sa supériorité sur un monde mort
et nous souhaitions le prendre à la gorge : que chaque
personnage soit un piège, que le lecteur y soit attrapé
et qu'il soit jeté d'une conscience dans une autre,
comme d'un univers absolu et irrémédiable dans
un autre univers pareillement absolu, qu'il soit
incertain de l'incertitude même des héros, inquiet de
leur inquiétude, débordé par leur présent, pliant sous
le poids de leur avenir, investi par leurs perceptions
et par leurs sentiments comme par de hautes falaises
insurmontables, qu'il sente enfin que chacune de
leurs humeurs, que chaque mouvement de leur esprit
enferment l'humanité entière et sont, en leur temps
et en leur lieu, au sein de l'histoire et malgré l'esca-

motage perpétuel du présent par l'avenir, une descente sans recours vers le Mal ou une montée vers le Bien qu'aucun futur ne pourra contester. C'est ce qui explique le succès que nous avons fait aux œuvres de Kafka et à celles des romanciers américains. De Kafka on a tout dit : qu'il voulait peindre la bureaucratie, les progrès de la maladie, la condition des Juifs en Europe orientale, la quête de l'inaccessible transcendance, le monde de la grâce quand la grâce fait défaut. Tout cela est vrai, je dirai qu'il a voulu décrire la condition humaine. Mais ce qui nous était particulièrement sensible, c'est que, dans ce procès perpétuellement en cours, qui finit brusquement et mal, dont les juges sont inconnus et hors d'atteinte, dans les efforts vains des accusés pour connaître les chefs d'accusation, dans cette défense patiemment échafaudée qui se retourne contre le défenseur et figure parmi les pièces à charge, dans ce présent absurde que les personnages vivent avec application et dont les clés sont ailleurs, nous reconnaissions l'histoire et nous-mêmes dans l'histoire. Nous étions loin de Flaubert et de Mauriac : il y avait là, tout au moins, un procédé inédit pour présenter des destins pipés, minés à la base et minutieusement, ingénieusement, modestement vécus, pour rendre la vérité irréductible des apparences et pour faire pressentir, au delà d'elles, une autre vérité, qui nous sera toujours refusée. On n'imite pas Kafka, on ne le refait pas : il fallait puiser dans ses livres un encouragement précieux et chercher ailleurs. Quant aux Américains ce n'est pas par leur cruauté ni par leur pessimisme qu'ils nous ont touchés : nous avons reconnu en eux des hommes débordés, perdus dans un continent trop grand comme nous l'étions dans l'histoire et qui tentaient, sans traditions, avec les moyens du bord, de rendre leur stupeur et leur délaissement au milieu d'événements incompréhen-

sibles. Le succès de Faulkner, d'Hemingway, de
Dos Passos n'a pas été l'effet du snobisme, ou du
moins, pas d'abord : ce fut le réflexe de défense
d'une littérature qui, se sentant menacée parce
que ses techniques et ses mythes n'allaient plus
lui permettre de faire face à la situation historique,
se greffa des méthodes étrangères pour pouvoir
remplir sa fonction dans des conjectures nouvelles.
Ainsi au moment même que nous affrontions le
public, les circonstances nous imposaient de rompre
avec nos prédécesseurs : ils avaient opté pour l'idéalisme littéraire et nous présentaient les événements
au travers d'une subjectivité privilégiée; pour nous,
le relativisme historique, en posant l'équivalence *a
priori* de toutes les subjectivités [11], rendait à l'événement vivant toute sa valeur et nous ramenait, en
littérature, par le subjectivisme absolu au réalisme
dogmatique. Ils pensaient donner à la folle entreprise de conter une justification au moins apparente
en rappelant sans cesse dans leurs récits, explicitement ou allusivement, l'existence d'un auteur; nous
souhaitions que nos livres se tinssent tout seuls en
l'air et que les mots, au lieu de pointer en arrière
vers celui qui les a tracés, oubliés, solitaires, ina-
perçus, fussent des toboggans déversant les lecteurs
au milieu·d'un univers sans témoins, bref que nos
livres existassent à la façon des choses, des plantes,
des événements et non d'abord comme des produits
de l'homme; nous voulions chasser la Providence de
nos ouvrages comme nous l'avions chassée de notre
monde. Nous ne définirions plus, je crois, la beauté
par la forme ni même par la matière, mais par la
densité d'être [12].

J'ai montré comment la littérature « rétrospective »
traduit chez ses auteurs une prise de position en
survol par rapport à l'ensemble de la société et comment ceux qui choisissent de raconter du point de

vue de l'histoire faite cherchent à nier leur corps, leur historicité et l'irréversibilité du temps. Ce saut dans l'éternel est l'effet direct du divorce que j'ai signalé entre l'écrivain et son public. Inversement, on comprendra sans peine que notre décision de réintégrer l'absolu dans l'histoire s'accompagne d'un effort pour sceller cette réconciliation de l'auteur et du lecteur que les radicaux et les ralliés avaient déjà entreprise. Quand l'écrivain croit avoir des ouvertures sur l'éternel, il est hors de pair, il bénéficie de lumières qu'il ne peut communiquer à la foule infâme qui grouille au-dessous de lui, mais s'il en est venu a penser qu'on ne s'évade pas de sa classe par les beaux sentiments, qu'il n'y a nulle part de conscience privilégiée et que les belles-lettres ne sont pas des lettres de noblesse, s'il a compris que le meilleur moyen d'être roulé par son époque c'est de lui tourner le dos ou de prétendre s'élever au-dessus d'elle et qu'on ne la transcende pas en la fuyant mais en l'assumant pour la changer, c'est-à-dire en la dépassant vers l'avenir le plus proche, alors il écrit pour tous et avec tous, parce que le problème qu'il cherche à résoudre avec ses moyens propres est le problème de tous. Ceux d'entre nous, d'ailleurs, qui ont collaboré aux feuilles clandestines, s'adressaient dans leurs articles à la communauté entière. Nous n'y étions pas préparés et nous ne nous sommes pas montrés fort habiles : la littérature de résistance n'a pas produit grand'chose de bon. Mais cette expérience nous a fait pressentir ce que pourrait être une littérature de l'universel concret.

Dans ces articles anonymes nous n'exercions, en général, que l'esprit de pure négativité. En face d'une oppression manifeste et des mythes qu'elle forgeait au jour le jour pour se soutenir, la spiritualité était refus. Il s'agissait la plupart du temps de critiquer une politique, de dénoncer une mesure

arbitraire, de mettre en garde contre un homme ou
contre une propagande, et quand il nous arrivait
de glorifier un déporté ou un fusillé, c'était pour
avoir eu le courage de dire non. Contre les notions
vagues et synthétiques qu'on nous serinait, soir et
matin, l'Europe, la Race, le Juif, la croisade anti-
bolchevique, il nous fallait réveiller le vieil esprit
d'analyse seul capable de les mettre en pièces. Ainsi
notre fonction semblait-elle une humble résonance
de celle que les écrivains du xviiie siècle avaient
si brillamment remplie. Mais comme, à la différence
de Diderot et de Voltaire, nous ne pouvions pas nous
adresser aux oppresseurs, sinon par fiction littéraire,
fût-ce pour leur donner honte de leur oppression,
comme nous ne frayions jamais avec eux, nous
n'avions pas l'illusion que ces auteurs ont nourrie
d'échapper par l'exercice de notre métier à notre
condition d'opprimés; du sein de l'oppression, au
contraire, nous représentions à la collectivité opprimée dont nous faisions partie, ses colères et ses
espoirs. Avec plus de chance, plus de vertu, plus de
talent, plus de cohésion et plus d'entraînement nous
eussions pu écrire le monologue intérieur de la France
occupée. Y fussions-nous parvenus, d'ailleurs, il n'y
eût pas eu là de quoi nous glorifier outre mesure :
le Front National groupait ses membres par profession; ceux d'entre nous qui travaillaient pour la
Résistance dans leur spécialité ne pouvaient ignorer que les médecins, les ingénieurs, les cheminots
fournissaient dans la leur un travail d'une bien plus
grande importance.

Quoi qu'il en soit, cette attitude, qui nous était
facile à cause de la grande tradition de négativité
littéraire, risquait, après la libération, de se tourner
en négation systématique et de consommer une fois
de plus le divorce de l'écrivain et du public. Nous
avons glorifié toutes les formes de destruction :

désertions, refus d'obéissance, déraillements provoqués, incendies volontaires des récoltes, attentats, parce que nous étions en guerre. La guerre était finie : en persévérant nous eussions rejoint le groupe surréaliste et tous ceux qui font de l'art une forme permanente et radicale de consommation. Mais 1945 ne ressemble pas à 1918. Il était beau d'appeler le déluge sur une France victorieuse et repue qui croyait dominer l'Europe. Le Déluge est venu : que reste-t-il à détruire ? La grande consommation métaphysique de l'autre après-guerre s'est faite dans la joie, dans l'explosion décompressive : aujourd'hui la guerre menace et la famine et la dictature : nous sommes encore surcomprimés. 1918, c'était la fête, on pouvait faire un feu de joie avec vingt siècles de culture et d'épargne. Aujourd'hui, le feu s'éteindrait de lui-même ou refuserait de prendre; le temps des fêtes n'est pas près de revenir. En cette époque de vaches maigres, la littérature refuse de lier son destin à celui de la consommation, qui est trop précaire. Dans une riche société d'oppression, on peut encore prendre l'art pour le luxe suprême parce que le luxe semble la marque de la civilisation. Mais aujourd'hui, le luxe a perdu son caractère sacré : le marché noir en a fait un phénomène de désintégration sociale, il a perdu cet aspect de « conspicuous consumption » qui faisait la moitié de son agrément : on se cache pour consommer, on s'isole, on n'est plus au sommet de la hiérarchie sociale mais en marge : un art de pure consommation resterait en l'air, il ne s'étayerait plus sur les solides voluptés culinaires ou vestimentaires, c'est à peine s'il fournirait à quelques privilégiés des évasions solitaires, des jouissances onanistes et l'occasion de regretter la douceur de vivre. Quand l'Europe entière se préoccupe avant tout de reconstruire, quand les nations se privent du nécessaire pour exporter, la littérature, qui s'accommode comme l'Église de toutes les situations et cherche à se sauver en tout cas, révèle son autre face : écrire, ce n'est pas vivre, ni non plus s'arracher à la vie pour contempler dans un monde en repos les essences platoniciennes et l'archétype de la beauté, ni se laisser déchirer, comme par des épées, par des mots inconnus, incompris, venus de derrière nous : c'est exercer un métier. Un métier qui exige un apprentissage, un travail soutenu, de la conscience professionnelle et le sens des responsabilités. Ces responsabilités, ce n'est pas nous qui les avons découvertes, bien au contraire : l'écrivain, depuis cent ans, rêve de se livrer à son art dans une espèce d'innocence, par delà le Bien comme le Mal, et, pour ainsi dire, avant la faute. Nos charges et nos devoirs, c'est la société qui vient de nous les mettre sur le dos. Il faut croire qu'elle nous estime bien redoutables, puisqu'elle a condamné à mort ceux d'entre nous qui ont collaboré avec l'ennemi, quand elle laissait en liberté les industriels coupables du même crime. On dit aujourd'hui qu'il valait mieux construire le mur de l'Atlantique qu'en parler. Je n'en suis pas autrement scandalisé. Bien sûr, c'est parce que nous sommes de purs consommateurs que la collectivité se montre impitoyable envers nous; un auteur fusillé c'est une bouche de moins à nourrir, le moindre producteur manquerait bien davantage à la nation[13]. Et je ne dis pas que cela soit juste, c'est la porte ouverte, au contraire, à tous les abus, à la censure, à la persécution. Mais nous devons nous réjouir que notre profession comporte quelques dangers : quand nous écrivions dans la clandestinité, les risques étaient pour nous minimes, considérables pour l'imprimeur. J'en avais souvent honte : au moins cela nous a-t-il appris à pratiquer une sorte de déflation verbale. Quand chaque mot peut coûter une vie, il faut économiser les mots, on ne doit pas s'attarder à faire chanter le violoncelle : on va au plus pressé, on fait court. La guerre de 14 a précipité la crise du langage, je dirai volontiers que la guerre de 40 l'a revalorisée. Mais il est à souhaiter qu'en reprenant nos noms, nous prenions des risques pour notre propre compte : après tout un couvreur en courra toujours bien davantage.

Dans une société qui insiste sur la production et qui réduit la consommation au strict nécessaire, l'œuvre littéraire demeure évidemment gratuite. Même si l'écrivain met l'accent sur le travail qu'elle lui coûte, même s'il fait remarquer, à raison, que ce travail, considéré en lui-même, met en jeu les mêmes facultés que celui d'un ingénieur ou d'un médecin, il n'en demeure pas moins que l'objet créé n'est aucunement assimilable à un *bien*. Cette gratuité, loin qu'elle nous afflige, c'est notre orgueil, et nous savons qu'elle est l'image de la liberté. L'œuvre d'art est gratuite parce qu'elle est fin absolue et qu'elle se propose au spectateur comme un impératif catégorique. Aussi, quoiqu'elle ne puisse ni ne veuille être production par elle-même, elle souhaite représenter la libre conscience d'une société de production, c'est-à-dire réfléchir en termes de liberté la production sur le producteur, comme fit autrefois Hésiode. Il ne s'agit pas, bien entendu, de renouer le fil de cette assommante littérature du travail dont Pierre Hamp a été le plus néfaste et le plus soporifique représentant ; mais comme ce type de réflexion est à la fois appel et dépassement, en même temps qu'on montre aux hommes de ce temps leurs travaux et leurs jours, il faudrait leur rendre manifestes les principes, les buts et la constitution intérieure de leur activité productrice. Si la néga- tivité est l'un des aspects de la liberté, la construc- tion est l'autre. Or, le paradoxe de notre époque, c'est que jamais la liberté constructrice n'a été si près de prendre conscience d'elle-même et que jamais,

peut-être, elle n'a été si profondément aliénée.
Jamais le travail n'a manifesté avec plus de puissance sa productivité et jamais ses produits et sa
signification n'ont été plus totalement escamotés
aux travailleurs, jamais l'*homo-faber* n'a mieux
compris qu'il *faisait* l'histoire et jamais il ne s'est
senti si impuissant devant l'histoire. Notre rôle est
tracé : en tant que la littérature est négativité, elle
contestera l'aliénation du travail; en tant qu'elle
est création et dépassement, elle présentera l'homme
comme *action créatrice*, elle l'accompagnera dans son
effort pour dépasser son aliénation présente vers une
situation meilleure. S'il est vrai qu'avoir, faire et
être sont les catégories cardinales de la réalité humaine, on peut dire que la littérature de consommation s'est limitée à l'étude des relations qui unissent
l'*être* à l'*avoir :* la sensation est présentée comme
jouissance, ce qui est philosophiquement faux, et
celui qui sait le mieux jouir comme celui qui existe
le plus ; de la *Culture du Moi* à la *Possession du Monde*
en passant par les *Nourritures terrestres* et le *Journal
de Barnabooth*, être c'est s'approprier. Issue de
pareilles voluptés, l'œuvre d'art prétend elle-même
être jouissance ou promesse de jouissance; ainsi la
boucle est bouclée. Nous avons, au contraire, été
amenés par les circonstances à mettre au jour les
relations de l'*être* avec le *faire* dans la perspective
de notre situation historique. *Est*-on ce qu'on *fait?*
Ce qu'on *se* fait ? L'est-on dans la société présente,
où le travail est aliéné ? *Que* faire, quelle fin choisir
aujourd'hui? Et *comment* faire, par quels moyens ?
Quels sont les rapports de la fin et des moyens dans
une société basée sur la violence ? Les œuvres qui
s'inspirent de telles préoccupations ne peuvent pas
viser d'abord à plaire : elles irritent et inquiètent,
elles se proposent comme des tâches à remplir, elles
invitent à des quêtes sans conclusion, elles font

assister à des expériences dont l'issue demeure
incertaine. Fruits de tourments et de questions elles
ne sauraient être jouissance pour le lecteur, mais
questions et tourments. S'il nous est donné de les
réussir elles ne seront pas des divertissements, mais
des obsessions. Elles ne donneront pas le monde
« à voir », mais à changer. Il n'y perdra rien, au
contraire, ce vieux monde usé, tâté, reniflé. Depuis
Schopenhauer, on admet que les objets se révèlent
dans leur pleine dignité quand l'homme a fait taire
dans son cœur la volonté de puissance : c'est au
consommateur oisif qu'ils livrent leurs secrets; il
n'est permis d'en *écrire* que dans les moments où
l'on n'a rien à en *faire*. Ces fastidieuses descriptions du siècle dernier sont un refus d'utilisation :
on ne touche pas à l'univers, on le gobe tout cru, par
les yeux; l'écrivain, par opposition à l'idéologie
bourgeoise, choisit pour nous parler des choses la
minute privilégiée où tous les rapports concrets sont
rompus, qui l'unissaient à elles, sauf le fil ténu du
regard, et où elles se défont doucement sous sa vue,
gerbes dénouées de sensations exquises. C'est l'époque
des impressions : impressions d'Italie, d'Espagne,
d'Orient. Ces paysages que le littérateur absorbe
consciencieusement, il nous les décrit à l'instant
ambigu qui rejoint la fin de l'ingestion au début de
la digestion, où la subjectivité est venue imprégner
l'objectif sans que ses acides aient commencé de
le ronger, où les champs et les bois sont champs
et bois encore et état d'âme déjà. Un monde glacé,
vernis, habite les livres bourgeois, un monde pour
villégiatures, qui nous retourne tout juste une gaîté
décente ou une mélancolie distinguée. Nous le voyons
de nos fenêtres, nous ne sommes pas dedans. Quand
le romancier y installe des paysans, ils jurent avec
l'ombre vacante des montagnes, avec le sillon argenté
des rivières; pendant qu'ils fouillent de leur bêche

une terre en plein travail, on nous la fait voir dans
ses habits de dimanche. Ces travailleurs égarés dans
cet univers du septième jour ressemblent à l'acadé-
micien de Jean Effel que Pruvost introduisit dans
une de ses caricatures et qui s'excusait en disant :
« Je me suis trompé de dessin. » Ou alors, c'est qu'on
les a, eux aussi, transformés en objets — en objets
et en états d'âme.

Pour nous, le *faire*, est révélateur de l'*être*, chaque
geste dessine des figures nouvelles sur la terre, chaque
technique, chaque outil est un sens ouvert sur le
monde ; les choses ont autant de visages qu'il y a
de manières de s'en servir. Nous ne sommes plus
avec ceux qui veulent posséder le monde mais avec
ceux qui veulent le changer, et c'est au projet même
de le changer qu'il révèle les secrets de son être.
On a du marteau, dit Heidegger, la connaissance la
plus intime quand on s'en sert pour marteler. Et du
clou, quand on l'enfonce dans le mur, et du mur
quand on y enfonce le clou. Saint-Exupéry nous a
ouvert le chemin, il a montré que l'avion, pour le
pilote, est un organe de perception [14] ; une chaîne de
montagnes à 600 kilomètres-heure et dans la perspective nouvelle du survol, c'est un nœud de serpents :
elles se tassent, noircissent, poussent leurs têtes
dures et calcinées contre le ciel, cherchent à nuire,
à cogner; la vitesse, avec son pouvoir astringent,
ramasse et presse autour d'elle les plis de la robe
terrestre, Santiago saute dans le voisinage de Paris,
à quatorze mille pieds de haut les attractions obscures qui tirent San Antonio vers New-York brillent
comme des rails. Après lui, après Hemingway,
comment pourrions-nous songer à décrire ? Il faut
que nous plongions les choses dans l'action : leur
densité d'être se mesurera pour le lecteur à la multiplicité des relations pratiques qu'elles entretiendront
avec les personnages. Faites gravir la montagne par

le contrebandier, par le douanier, par le partisan,
faites-la survoler par l'aviateur [15], et la montagne
surgira tout à coup de ces actions connexes, sautera
hors de votre livre, comme un diable de sa boîte.
Ainsi le monde et l'homme se révèlent par les *entreprises*. Et toutes les entreprises dont nous pouvons
parler se réduisent à une seule : celle de *faire l'histoire*. Nous voilà conduits par la main jusqu'au moment où il faut abandonner la littérature de l'*exis*
pour inaugurer celle de la *praxis*.

La *praxis* comme action dans l'histoire et sur
l'histoire, c'est-à-dire comme synthèse de la relativité historique et de l'absolu moral et métaphysique,
avec ce monde hostile et amical, terrible et dérisoire
qu'elle nous révèle, voilà notre sujet. Je ne dis pas
que nous ayons choisi ces chemins austères, et il
en est sûrement parmi nous qui portaient en eux
quelque roman d'amour charmant et désolé qui ne
verra jamais le jour. Qu'y pouvons-nous ? Il ne
s'agit pas de choisir son époque mais de se choisir
en elle.

La littérature de la production, qui s'annonce, ne
fera pas oublier la littérature de la consommation,
son antithèse; elle ne doit pas prétendre la surpasser
et peut-être ne l'égalera-t-elle jamais; personne ne
songe à soutenir qu'elle nous fait toucher le terme
et réaliser l'essence de l'art d'écrire. Peut-être même
va-t-elle bientôt disparaître : la génération qui nous
suit semble hésitante, beaucoup de ses romans sont
des fêtes tristes et volées, pareilles à ces surprises-
parties de l'occupation, où les jeunes gens dansaient
entre deux alertes, en buvant du vin de l'Hérault,
au son des disques de l'avant-guerre. En ce cas, ce
sera une révolution manquée. Et si même cette littérature de la *praxis* réussit à s'installer, elle passera,
comme celle de l'*exis* et on reviendra à celle de l'*exis*
et peut-être l'histoire de ces prochaines décades enre-

gistrera-t-elle l'alternance de l'une et de l'autre. Cela
signifiera que les hommes auront définitivement raté
une autre Révolution, d'une importance infiniment
plus considérable. C'est seulement dans une collectivité socialiste, en effet, que la littérature, ayant enfin
compris son essence, et fait la synthèse de la praxis
et de l'exis, de la négativité et de la construction,
du faire, de l'avoir et de l'être, pourrait mériter le
nom de *littérature totale*. En attendant, cultivons
notre jardin, nous avons de quoi faire.

Ce n'est pas tout, en effet, de reconnaître la littérature pour une liberté, de remplacer la dépense
par le don, de renoncer au vieux mensonge aristo-
cratique de nos aînés et de vouloir lancer, à travers
toutes nos œuvres, un appel démocratique à l'ensemble de la collectivité : il faut encore savoir qui
nous lit et si la conjoncture présente ne relègue pas
au rang des utopies notre désir d'écrire pour « l'universel concret ». Si nos souhaits pouvaient se réaliser,
l'écrivain du xxᵉ siècle occuperait, entre les classes
opprimées et celles qui les oppriment, une situation
analogue à celle des auteurs du xviiiᵉ entre les bourgeois et l'aristocratie, à celle de Richard Wright entre
les Noirs et les Blancs : lu à la fois par l'opprimé et
par l'oppresseur, témoignant pour l'opprimé contre
l'oppresseur, fournissant à l'oppresseur son image,
du dedans et du dehors, prenant avec et pour l'opprimé, conscience de l'oppression, contribuant à former une idéologie constructrice et révolutionnaire.
Il s'agit malheureusement d'espoirs anachroniques :
ce qui était possible au temps de Proudhon et de
Marx ne l'est plus. Donc, reprenons la question du
début et faisons, sans parti pris, le recensement de
notre public. De ce point de vue la situation de l'écrivain n'a jamais été aussi paradoxale; elle est faite,
semble-t-il, des traits les plus contradictoires. A
l'actif, de brillantes apparences, de vastes possibi-

lités, un train de vie somme toute enviable; au passif, ceci seulement que la littérature est en train de se mourir. Non que les talents lui manquent ni les bonnes volontés; mais elle n'a plus rien à faire dans la société contemporaine. Au moment même où nous découvrons l'importance de la *praxis*, au moment où nous entrevoyons ce que pourrait être une littérature *totale*, notre public s'effondre et disparaît, nous ne savons plus, à la lettre, pour qui écrire.

Au premier coup d'œil, bien sûr, il semble que les écrivains du passé, s'ils pouvaient nous voir devraient envier notre sort[16]. « Nous profitons, disait un jour Malraux, des souffrances de Baudelaire. » Je ne crois pas que cela soit tout à fait vrai, mais il est vrai que Baudelaire est mort sans public et que nous, sans avoir fait nos preuves, sans même qu'on sache si nous les ferons jamais, nous avons des lecteurs dans le monde entier. On serait tenté d'en rougir, mais après tout ce n'est pas notre faute : tout vient des circonstances. Les autarcies d'avant-guerre et puis la guerre ont privé les publics nationaux de leur contingent annuel d'œuvres étrangères; on se rattrape aujourd'hui, on met les bouchées doubles : sur ce seul point, il y a décompression. Les États sont de la partie : j'ai montré ailleurs qu'on s'était mis depuis peu dans les pays vaincus ou ruinés à considérer la littérature comme un article d'exportation. Ce marché littéraire s'est étendu et régularisé depuis que les collectivités s'en occupent; on y retrouve les procédés ordinaires : dumping (par exemple les éditions américaines *overseas*), protectionnisme (au Canada, dans certains pays d'Europe Centrale), accords internationaux; les pays s'inondent réciproquement de « Digests », c'est-à-dire, comme le nom l'indique, de littérature déjà digérée, de chyle littéraire. En un mot les belles-lettres, comme le cinéma, sont en passe de devenir un art industrialisé. Nous en bénéficions,

bien sûr : les pièces de Cocteau, de Salacrou, d'Anouilh
sont jouées partout ; je pourrais citer de nombreux
ouvrages qui ont été traduits en six ou sept langues
moins de trois mois après leur publication. Pourtant,
tout cela n'est brillant qu'en surface : on nous lit
peut-être à New-York ou à Tel-Aviv mais la pénurie
de papier a limité nos tirages à Paris : ainsi le public
s'est éparpillé plus encore qu'il ne s'est accru ; peut-
être dix mille personnes nous lisent-elles dans quatre
ou cinq pays étrangers et dix autres mille dans le
nôtre : vingt mille lecteurs, un petit succès d'avant-
guerre. Ces réputations mondiales sont beaucoup
moins bien assises que les réputations nationales de
nos aînés. Je sais : le papier revient. Mais au même
moment l'édition européenne entre en crise ; le
volume des ventes reste constant.

Fussions-nous célèbres hors de France, il n'y
aurait pas lieu de s'en réjouir et ce serait une gloire
sans efficace. Plus sûrement que par des mers ou
des montagnes, les nations sont séparées, aujour-
d'hui, par des différences de potentiel économique et
militaire. Une idée peut *descendre* d'un pays élevé
vers un pays à potentiel bas — par exemple d'Amérique en France — elle ne peut pas *remonter*. Bien
sûr il y a tant de journaux, tant de contacts internationaux que les Américains finissent par entendre
parler des théories littéraires ou sociales qu'on
professe en Europe, mais ces doctrines s'épuisent
dans leur ascension : virulentes dans un pays à faible
potentiel, elles sont languissantes quand elles par-
viennent au sommet : on sait que les intellectuels,
aux États-Unis, assemblent les idées européennes
en bouquet, les respirent un moment et les rejettent
parce que les bouquets se fanent plus vite là-bas
que sous les autres climats ; pour la Russie, elle
grappille, elle prend ce qu'elle peut facilement convertir en sa propre substance. L'Europe est vaincue,

ruinée, son destin lui échappe et c'est pour cela
que ses idées n'en peuvent plus sortir; le seul circuit
concret pour les échanges d'idées passe aujourd'hui
par l'Angleterre, la France, les pays du Nord et
l'Italie.

Il est vrai : nous sommes beaucoup plus connus
que nos livres ne sont lus. Nous touchons les gens,
sans même le vouloir, par de nouveaux moyens,
avec des angles d'incidence nouveaux. Certes le
livre reste l'infanterie lourde qui nettoie et occupe
le terrain. Mais la littérature dispose d'avions, de
V1, de V2, qui vont au loin, inquiètent et harcèlent
sans emporter la décision. Le journal, d'abord. Un
auteur écrivait pour dix mille lecteurs; on lui donne
le feuilleton critique d'un hebdomadaire : il en aura
trois cent mille, même si ses articles ne valent rien.
Ensuite la radio : *Huis clos*, une de mes pièces,
interdite en Angleterre par la censure théâtrale, a
été diffusée à quatre reprises par la B.B.C. Sur une
scène londonienne elle n'eût, même dans l'hypothèse
improbable d'un succès, pas trouvé plus de vingt à
trente mille spectateurs. L'émission théâtrale de la
B.B.C. m'en a fourni automatiquement un demi-
million. Le cinéma, enfin : quatre millions de personnes fréquentent les salles françaises. Si l'on se
rappelle que Paul Souday, au début du siècle, repro-
chait à Gide de publier ses ouvrages en tirage restreint, le succès de la *Symphonie pastorale* permettra
de mesurer le chemin parcouru.

Seulement, sur les trois cent mille lecteurs du feuil-
letoniste, c'est à peine si quelques milliers auront
la curiosité d'acheter ses livres, où il a mis le
meilleur de son talent, les autres apprendront son
nom pour l'avoir vu cent fois à la deuxième page
du magazine, comme celui du dépuratif qu'ils ont
vu cent fois à la douzième. Les Anglais qui seraient
allés voir *Huis clos* au théâtre l'auraient fait en

connaissance de cause, sur la foi de la presse et de
la critique parlée, dans l'intention de juger. Mes
auditeurs de la B.B.C., au moment qu'ils tournaient
le bouton de leur radio, ignoraient la pièce et jusqu'à
mon existence : ils voulaient entendre, comme
d'habitude, l'émission dramatique du jeudi; aussitôt
finie, ils l'ont oubliée, comme les précédentes. Dans
les salles de cinéma le public est attiré par le nom
des vedettes, ensuite par le nom du metteur en scène,
en dernier lieu par celui de l'écrivain. Dans certaines
têtes le nom de Gide est entré récemment par effrac-
tion : mais il s'y marie curieusement, j'en suis sûr,
avec le beau visage de Michèle Morgan. Il est vrai
que le film a pu faire vendre quelques milliers d'exemplaires de l'ouvrage, mais, aux yeux de ses nouveaux
lecteurs, celui-ci apparaît comme un commentaire
plus ou moins fidèle de celui-là. A mesure que l'auteur
atteint un public plus étendu, il le touche moins
profondément, il se reconnaît moins dans l'influence
qu'il exerce, ses pensées lui échappent, se gauchissent
et se vulgarisent, elles sont reçues avec plus d'indifférence et de scepticisme par des âmes ennuyées,
accablées, qui parce qu'on ne sait pas leur parler dans
leur « langue natale », considèrent encore la littérature comme un divertissement. Il reste des formules
attachées à des noms. Et puisque nos réputations
s'étendent beaucoup plus loin que nos livres, c'est-à-
dire que nos mérites, grands ou petits, il ne faut pas
voir dans les faveurs passagères qu'on nous accorde
le signe d'un premier éveil de l'universel concret
mais tout simplement celui d'une inflation littéraire.

Ce ne serait rien : il suffirait en somme de faire
vigilance; il dépend de nous, au bout du compte,
que la littérature ne s'industrialise pas. Mais il y a
pis : nous avons des lecteurs, mais pas de public [17].
En 1780, la classe d'oppression était seule à posséder
une idéologie et des organisations politiques; la

bourgeoisie n'avait ni parti ni conscience d'elle-
même, l'écrivain travaillait directement pour elle
en critiquant les vieux mythes de la monarchie et de
a religion, en lui présentant quelques notions élémentaires au contenu principalement négatif comme
celles de liberté, d'égalité politique et d'*habeas corpus.*
En 1850, en face d'une bourgeoisie consciente et
nantie d'une idéologie systématique, le prolétariat
demeurait informe et obscur à lui-même, parcouru
de colères vaines et désespérées, la première internationale ne l'avait touché qu'en surface; tout
restait à faire, l'écrivain eût pu s'adresser directement aux ouvriers. Nous avons vu qu'il a manqué
l'occasion. A tout le moins a-t-il servi les intérêts
de la classe opprimée, sans le vouloir ni même le
savoir, en exerçant sa négativité sur les valeurs
bourgeoises. Ainsi, dans l'un et l'autre cas, les
circonstances lui permettaient de témoigner pour
l'opprimé devant l'oppresseur et d'aider l'opprimé
à prendre conscience de soi; l'essence de la littérature se trouvait en accord avec les exigences de la
situation historique Mais, aujourd'hui, tout est
renversé : la classe d'oppression a perdu son idéologie,
sa conscience de soi vacille, ses limites ne sont plus
clairement définissables, elle s'ouvre, elle appelle
l'écrivain à son secours. La classe opprimée, engoncée
dans un parti, guindée dans une idéologie rigoureuse,
devient une société fermée; on ne peut plus communiquer avec elle sans intermédiaire.

Le sort de la bourgeoisie était lié à la suprématie
européenne et au colonialisme. Elle perd ses colonies
dans le moment que l'Europe perd le gouvernement
de son destin; il ne s'agit plus de mener des guerres
de roitelets pour les pétroles roumains ou le chemin
de fer de Bagdad : le prochain conflit nécessitera un
équipement industriel que le Vieux Monde tout
entier est incapable de fournir; deux puissances

mondiales, qui ne sont ni l'une ni l'autre bourgeoises,
ni l'une ni l'autre européennes, se disputent la possession de l'univers ; le triomphe de l'une, c'est l'avènement de l'Étatisme et de la bureaucratie internationale ; de l'autre, l'avènement du capitalisme
abstrait. Tous fonctionnaires ? Tous employés ?
C'est à peine si la bourgeoisie peut garder l'illusion
de choisir la sauce à laquelle elle sera mangée. Elle
connaît aujourd'hui qu'elle représentait un moment
de l'histoire d'Europe, un stade du développement
des techniques et des outils et qu'elle n'a jamais
été à l'échelle du monde. Au reste le sentiment
qu'elle gardait de son essence et de sa mission s'est
obscurci : les crises économiques l'ont secouée,
minée, érodée, déterminant des lézardes, des glisse-
ments, des éboulements internes ; en certains pays elle
se dresse comme la façade d'un immeuble dont une
bombe aurait soufflé l'intérieur, en d'autres elle
s'est effondrée par grands pans dans le prolétariat ;
on ne peut plus la définir ni par la possession des
biens, qui lui échappent chaque jour davantage, ni
par le pouvoir politique, qu'elle partage presque
partout avec des hommes nouveaux directement
issus du prolétariat ; c'est elle, à présent, qui a pris
l'aspect amorphe et gélatineux qui caractérise les
classes opprimées avant qu'elles n'aient conscience
de leur état. En France on découvre qu'elle est en
retard de cinquante ans pour l'outillage et l'organisation de la grande industrie : d'où notre crise de nata-
lité, signe indéniable de régression. En outre le
marché noir et l'occupation ont fait passer 40 p. 100 de
ses richesses entre les mains d'une bourgeoisie nouvelle qui n'a ni les mœurs, ni les principes, ni les
fins de l'ancienne. Ruinée mais encore oppressive,
la bourgeoisie européenne gouverne à la petite
semaine et par de petits moyens : en Italie, elle
tient les travailleurs en échec parce qu'elle s'appuie

sur la coalition de l'Église et de la misère; ailleurs,
elle se rend indispensable parce qu'elle fournit les
cadres techniques et le personnel administratif;
ailleurs encore elle règne en divisant, et puis, surtout,
l'ère des Révolutions nationales est close : les partis
révolutionnaires ne veulent pas renverser cette
carcasse vermoulue, ils font même ce qu'ils peuvent
pour éviter qu'elle s'effondre : au premier craquement
ce serait l'intervention étrangère et peut-être le
conflit mondial pour lequel la Russie n'est pas encore
prête. Objet de toutes les sollicitudes, dopée par les
U.S.A., par l'Église et même par l'U.R.S.S., au gré
de la fortune changeante du jeu diplomatique la
bourgeoisie ne peut ni conserver ni perdre son pouvoir
sans le concours des forces étrangères, c'est « l'homme
malade » de l'Europe contemporaine, son agonie peut
durer longtemps.

Du coup son idéologie s'écroule : elle justifiait la
propriété par le travail et aussi par cette lente osmose
qui diffuse dans l'âme des possédants les vertus des
choses possédées, à ses yeux la possession des biens
était un mérite et la plus fine culture du moi. Or
la propriété devient symbolique et collective, on ne
possède plus les choses mais leurs signes ou les signes
de leurs signes; l'argument du « travail-mérite » et
celui de la « jouissance-culture » se sont éventés.
Par haine des trusts et de la mauvaise conscience
que donne la propriété abstraite, beaucoup se sont
tournés vers le fascisme. Appelé de leurs vœux, il
est venu, il a remplacé les trusts par le dirigisme puis
il a disparu et le dirigisme est resté : les bourgeois n'y
ont rien gagné. S'ils possèdent encore, c'est âpre-
ment mais sans joie; pour un peu, par lassitude, ils
considéreraient la richesse comme un état de fait
injustifiable : ils ont perdu la foi. Ils ne gardent pas
non plus beaucoup de confiance dans ce régime démocratique qui fut leur orgueil et qui s'est effondré à la

première poussée, mais comme le national-socialisme,
au moment qu'ils allaient s'y rallier, s'est écroulé à son
tour, ils ne croient plus ni à la République ni à la
Dictature. Ni au Progrès : c'était bon quand leur
classe montait, à présent qu'elle décline, ils n'en
ont plus que faire; ce serait un crève-cœur pour eux
de penser que d'autres hommes l'assureront et
d'autres classes. Leur travail ne leur ménage pas
plus qu'avant de contact direct avec la matière, mais
deux guerres leur ont fait découvrir la fatigue, le
sang et les larmes, la violence, le mal. Les bombes
n'ont pas seulement détruit leurs usines : elles ont
fissuré leur idéalisme. L'utilitarisme était la philosophie de l'épargne : il perd tout sens quand l'épargne
est compromise par l'inflation et les menaces de
banqueroute. « Le monde, dit à peu près Heidegger,
se dévoile à l'horizon des ustensiles détraqués. »
Lorsque vous vous servez d'un outil, c'est pour produire une certaine modification qui, elle-même, est
le moyen d'en obtenir une autre, plus importante,
et ainsi de suite. Ainsi êtes-vous engrené dans un
enchaînement de moyens et de fins dont les termes
vous échappent et trop absorbé dans votre action
de détail pour mettre en question ses fins dernières.
Que l'outil vienne à casser, l'action est suspendue
et la chaîne entière vous saute aux yeux. Ainsi du
bourgeois, ses instruments sont détraqués, il voit la
chaîne et connaît la gratuité de ses fins : tant qu'il
y croyait sans les voir et qu'il travaillait, tête baissée,
sur les maillons les plus proches, elles le justifiaient;
à présent qu'elles lui crèvent les yeux, il découvre
qu'il est injustifiable; le monde entier se dévoile
et son délaissement dans le monde : l'angoisse naît[18].
La honte aussi; même pour ceux qui la jugent au
nom de ses propres principes, il est manifeste que la
bourgeoisie a trahi trois fois : à Munich, en mai 40,
sous le gouvernement de Vichy. Bien sûr, elle s'est

reprise : beaucoup des Vichyssois de la première heure sont devenus des résistants dès 42, ils avaient compris qu'ils devaient lutter contre l'occupant au nom du nationalisme bourgeois, contre le nazisme au nom de la démocratie bourgeoise. Et il est vrai que le parti communiste a hésité plus d'un an, il est vrai que l'Église a hésité jusqu'à la Libération : mais l'un et l'autre ont assez de force, d'unité, de discipline pour exiger de leurs adeptes qu'ils oublient sur commande les fautes passées. La bourgeoisie n'a rien oublié : elle porte encore la blessure que lui a faite un de ses fils, celui dont elle était le plus fière; en condamnant Pétain à la détention perpétuelle, il lui semble qu'elle se soit mise elle-même sous les verrous; elle pourrait reprendre à son compte le mot de Paul Chack, officier, catholique et bourgeois qui, pour avoir aveuglément suivi les ordres d'un maréchal de France catholique et bourgeois, a été déféré devant un tribunal bourgeois, sous le gouvernement d'un général catholique et bourgeois et qui, ébahi par ce tour de passe-passe, marmottait sans cesse, pendant le procès : « Je ne comprends pas. » Déchirée, sans avenir, sans garanties, sans justification, la bourgeoisie, devenue objectivement *l'homme malade*, est entrée, subjectivement, dans la phase de la conscience malheureuse. Beaucoup de ses membres sont égarés, ils ballottent entre la colère et la peur, ces deux fuites; les meilleurs tentent de défendre encore, sinon leurs biens, qui souvent se sont dissipés en fumée, du moins les vraies conquêtes bourgeoises : l'universalité des lois, la liberté d'expression, l'*habeas corpus*. Ceux-là forment notre public. Notre *seul* public. Ils ont compris, en lisant les vieux livres, que la littérature se rangeait, par essence, du côté des libertés démocratiques. Ils se tournent vers elle, ils la supplient de leur donner des raisons de vivre et d'espérer, une idéologie nouvelle; jamais peut-être, depuis le xviiie siècle, on n'a tant attendu de l'écrivain.

Nous n'avons rien à leur dire. Ils appartiennent, malgré eux, à une classe d'oppression. Victimes sans doute, et innocents, mais pourtant tyrans encore et coupables. Tout ce que nous pouvons faire c'est refléter dans nos miroirs leur conscience malheureuse, c'est-à-dire avancer un peu plus la décomposition de leurs principes; nous avons cette tâche ingrate de leur reprocher leurs fautes quand elles sont devenues des malédictions. Bourgeois nous-mêmes, nous avons connu l'angoisse bourgeoise, nous avons eu cette âme déchirée, mais puisque le propre d'une conscience malheureuse est de vouloir s'arracher à l'état de malheur, nous ne pouvons demeurer tranquillement au sein de notre classe et comme il ne nous est plus possible d'en sortir d'un coup d'aile en nous donnant les dehors d'une aristocratie parasitaire, il faut que nous soyons ses fossoyeurs, même si nous courons le risque de nous ensevelir avec elle.

Nous nous retournons vers la classe ouvrière qui pourrait aujourd'hui, comme fit la bourgeoisie de 1780, constituer pour l'écrivain un public révolutionnaire. Public virtuel encore mais singulièrement présent. L'ouvrier de 1947 a une culture sociale et professionnelle, il lit des journaux techniques, syndicaux et politiques, il a pris conscience de lui-même, de sa position dans le monde et il a beaucoup à nous apprendre, il a vécu toutes les aventures de notre temps, à Moscou, à Budapest, à Munich, à Madrid, à Stalingrad, dans les maquis; au moment que nous découvrons dans l'art d'écrire la liberté sous ses deux aspects de négativité et de dépassement créateur, il cherche à se libérer et du même coup à libérer tous les hommes, pour toujours, de l'oppression. Opprimé, la littérature, comme négativité, pourrait lui refléter l'objet de ses colères; producteur et révolutionnaire il est le sujet par excellence d'une littérature de la *praxis*. Nous avons en commun avec lui le devoir de contester et de construire; il réclame le droit de faire l'histoire au moment où nous découvrons notre historicité. Nous ne sommes pas encore familiers avec son langage, il ne l'est pas non plus avec le nôtre; mais nous connaissons déjà les moyens de l'atteindre : il faut, je le montrerai plus loin, conquérir les « mass media » et ce n'est pas si difficile. Nous savons aussi qu'il discute, en Russie, avec l'écrivain lui-même et qu'une nouvelle relation du public avec l'auteur est apparue là-bas, qui n'est ni l'attente passive et femelle ni la critique spécialisée du clerc. Je ne crois pas à la « Mission » du prolétariat, ni qu'il bénéficie d'une grâce d'état : il est fait d'hommes, justes et injustes, qui peuvent s'égarer et qu'on mystifie souvent. Mais il ne faut pas hésiter à dire que le sort de la littérature est lié à celui de la classe ouvrière.

Malheureusement, de ces hommes, à qui nous *devons* parler, un rideau de fer nous sépare dans notre pays : ils n'entendront pas un mot de ce que nous leur dirons. La majorité du prolétariat, corsetée par un parti unique, encerclée par une propagande qui l'isole, forme une société fermée, sans portes ni fenêtres. Une seule voie d'accès, fort étroite, le P. C. Est-il souhaitable que l'écrivain s'y engage ? S'il le fait par conviction de citoyen et par dégoût de la littérature, c'est fort bien, il a choisi. Mais peut-il devenir communiste en restant écrivain ?

Le P.C. aligne sa politique sur celle de la Russie soviétique parce que c'est en ce pays seulement qu'on rencontre l'ébauche d'une organisation socialiste. Mais s'il est vrai que la Russie a commencé la Révolution Sociale, il est vrai aussi qu'elle ne l'a pas terminée. Le retard de son industrie, le manque de cadres et l'inculture des masses lui interdisaient de

réaliser seule le socialisme et même de l'imposer
en d'autres pays par la contagion de l'exemple; si
le mouvement révolutionnaire qui partait de Moscou avait pu s'étendre à d'autres nations, il n'aurait
cessé d'évoluer en Russie même, à mesure qu'il
gagnaît du terrain; contenu entre les frontières
soviétiques, il s'est figé en un nationalisme défensif
et conservateur parce qu'il fallait à tout prix sauver
les résultats acquis. Au moment qu'elle devenait
la Mecque des classes ouvrières, la Russie constatait
qu'il lui était également impossible d'assumer sa
mission historique et de la renier; elle a dû se replier
sur elle-même, s'appliquer à créer des cadres, à
rattraper le retard de son outillage, à se perpétuer
par un régime autoritaire sous sa forme de Révolution en panne. Comme les partis européens qui se
réclamaient d'elles et qui préparaient l'avènement
du prolétariat n'étaient nulle part assez forts pour
passer à l'offensive, elle a dû les utiliser comme les
bastions avancés de sa défense. Mais comme ils ne
pouvaient la servir auprès des masses qu'en faisant
une politique révolutionnaire et comme elle n'a jamais
perdu l'espoir de prendre la tête du prolétariat
européen si, quelque jour, les circonstances se montraient plus favorables, elle leur a laissé leur drapeau
rouge et leur foi. Ainsi les forces de la Révolution
mondiale ont-elles été détournées au profit du main-
tien d'une révolution en hivernage. Encore faut-il
reconnaître que le P. C., tant qu'il a cru de bonne
foi à la possibilité, même lointaine, d'une prise de
pouvoir insurrectionnelle et tant qu'il s'est agi pour
lui d'affaiblir la bourgeoisie et de noyauter la S.F.I.O.,
a exercé sur les institutions et les régimes capitalistes une critique négative qui gardait les dehors
de la liberté. Avant 39, tout lui servait : pamphlets,
satires, romans noirs, violences surréalistes, témoi-
gnages accablants sur nos méthodes coloniales.

Depuis 44, tout s'est aggravé : le glissement de l'Europe a simplifié la situation. Deux puissances restent debout, l'U.R.S.S. et les U.S.A.; chacune des deux fait peur à l'autre. De la peur naît la colère, comme on sait, et de la colère les coups. Or l'U.R.S.S. est la moins forte : à peine sortie d'une guerre qu'elle redoutait depuis vingt ans, il lui faut temporiser encore, reprendre la course aux armements, resserrer la dictature à l'intérieur, à l'extérieur s'assurer des alliés, des vassaux, des positions.

La tactique révolutionnaire se change en diplomatie : il faut avoir l'Europe dans son jeu. Donc donner des apaisements à la bourgeoisie, l'endormir par des fables, empêcher à tout prix que l'effroi ne la jette dans le parti des Anglo-Saxons. Le temps est bien passé, où l'*Humanité* pouvait écrire : « Tout bourgeois qui rencontre un ouvrier doit avoir peur. » Jamais les communistes n'ont été si puissants en Europe et pourtant jamais les chances d'une Révolution n'ont été moindres : si en quelque lieu le parti méditait de prendre le pouvoir par un coup de force, sa tentative serait étouffée dans l'œuf : les Anglo-Saxons disposent de cent moyens pour l'anéantir, sans même recourir aux armes, et les Soviets ne la verraient pas d'un bon œil. Si d'aventure l'insurrection réussissait, elle végéterait sur place, sans s'étendre. Si enfin, par miracle, elle devenait contagieuse, elle risquerait d'être l'occasion de la troisième guerre mondiale. Ce n'est donc plus l'avènement du prolétariat que les communistes préparent dans leur pays d'origine, mais la guerre, la guerre seule. Victorieuse, l'U.R.S.S. étend son régime à l'Europe, les nations tombent comme des fruits mûrs; vaincue, c'en est fait d'elle et des partis communistes. Rassurer la bourgeoisie sans perdre la confiance des masses, lui permettre de gouverner tout en gardant le dehors de l'offensive, occuper des postes de commande sans

se laisser compromettre : voilà la politique du P. C.
Nous avons été témoins et victimes entre 39 et 40 du
pourrissement d'une guerre, nous assistons à présent au pourrissement d'une situation révolutionnaire.

Que si l'on demande à présent si l'écrivain,
pour atteindre les masses, doit offrir ses services au
parti communiste, je réponds que non ; la politique
du communisme stalinien est incompatible avec
l'exercice honnête du métier littéraire : un parti qui
projette la Révolution ne devrait rien avoir à perdre ;
or il y a pour le P. C. quelque chose à perdre et
quelque chose à ménager : comme son but immédiat ne saurait plus être d'établir par la force la
dictature du prolétariat, mais de sauvegarder la
Russie en danger, il offre aujourd'hui un aspect
ambigu : progressiste et révolutionnaire dans sa
doctrine et dans ses fins avouées, il est devenu
conservateur dans ses moyens, il adopte avant même
d'avoir pris le pouvoir, la tournure d'esprit, les
raisonnements et les artifices de ceux qui y ont
accédé depuis longtemps, sentent qu'il leur échappe
et veulent s'y maintenir. Il y a quelque chose de
commun, qui n'est point le talent, entre Joseph
de Maistre et M. Garaudy. Et, plus généralement,
il suffit de feuilleter un écrit communiste, pour y
puiser, au hasard, cent procédés conservateurs :
on persuade par répétition, par intimidation, par
menaces voilées, par la force méprisante de l'affirmation, par allusions énigmatiques à des démons-
trations qu'on ne fait point en se montrant d'une
conviction si entière et si superbe qu'elle se place
d'emblée au-dessus de tous les débats, fascine et
finit par devenir contagieuse. On ne répond jamais
à l'adversaire : on le discrédite, il est de la police,
de l'Intelligence Service, c'est un fasciste. Quant aux
preuves, on ne les donne jamais, parce qu'elles sont

terribles et mettent trop de gens en cause. Si vous insistez pour les connaître on vous répond de vous en tenir là et de croire l'accusation sur parole : « Ne nous forcez pas à les sortir, il vous en cuirait. » Bref, l'intellectuel communiste reprend à son compte l'attitude de l'état-major qui condamna Dreyfus sur des pièces secrètes. Il revient aussi, bien entendu, au manichéisme des réactionnaires, mais en divisant le monde selon d'autres principes. Un trotzkyste pour le stalinien, comme un Juif pour Maurras, est une incarnation du mal, tout ce qui vient de lui est nécessairement mauvais. Par contre la possession de certains titres sert de grâce d'état. Comparez cette phrase de Joseph de Maistre : « La femme mariée est nécessairement chaste » et celle-ci d'un correspondant d'*Action* : «Le communiste est le héros *permanent* de notre temps. » Qu'on trouve des héros dans le parti communiste, je suis le premier à le reconnaître. Mais quoi ? N'y a-t-il jamais de faiblesse chez la femme mariée ? « Non, puisqu'elle est mariée devant Dieu. » Et suffit-il d'entrer au Parti pour devenir un héros ? « Oui, puisque le P. C. est le parti des héros. » Si pourtant l'on vous citait le nom d'un communiste qui faillit quelquefois ? « C'est que ce ne serait pas un *vrai* communiste. »

Il fallait donner beaucoup de gages et mener une vie exemplaire, au xixe siècle, pour se laver du péché d'écrire aux yeux des bourgeois : car la littérature est par essence hérésie. La situation n'a pas changé, sauf en ceci que ce sont maintenant les communistes, c'est-à-dire les représentants qualifiés du prolétariat, qui tiennent par principe l'écrivain pour un suspect. Fût-il irréprochable dans ses mœurs, un intellectuel communiste porte en lui cette tare originelle : il est entré *librement* au parti; cette décision, c'est la lecture réfléchie du *Capital*, l'examen critique de la situation historique, le sens aigu de la

justice, la générosité, le goût de la solidarité qui
l'ont conduit à la prendre : tout cela fait preuve
d'une indépendance qui ne sent pas bon. Il est entré
au parti par un libre choix; donc il peut en sortir[19].
Il y est entré pour avoir critiqué la politique de sa
classe d'origine, donc il pourra critiquer celle des
représentants de sa classe d'adoption. Ainsi dans
l'action même par laquelle il inaugure une vie nouvelle,
il y a une malédiction qui pèsera sur lui pendant
toute cette vie. Dès l'instant de l'ordination commence pour lui un long procès semblable à celui
que nous a décrit Kafka où les juges sont inconnus
et les dossiers secrets, où les seules sentences défi-
nitives sont les condamnations. Il ne s'agit pas que
ses accusateurs invisibles fassent, comme on a coutume en justice, la preuve de son crime : c'est à lui
de prouver son innocence. Comme tout ce qu'il
écrit peut être retenu contre lui et qu'il le sait, chacune
de ses œuvres offre ce caractère ambigu d'être à la
fois un appel public au nom du P. C. et un plaidoyer
secret pour sa propre cause. Tout ce qui, du dehors,
pour les lecteurs, semble une chaîne d'affirmations
péremptoires, paraît, du dedans du Parti, aux yeux
des juges, une humble et maladroite tentative d'auto-
justification. Lorsqu'il se montre *pour nous* le plus
brillant et le plus efficace, c'est peut-être alors qu'il
est le plus coupable. Il nous semble parfois — et
peut-être le croit-il aussi — qu'il s'est élevé dans la
hiérarchie du Parti et qu'il en est devenu le porte-
parole, mais c'est une épreuve ou une duperie :
les échelons sont truqués; quand il se croit en haut,
il est resté par terre. Lisez cent fois ses écrits, jamais
vous ne pourrez décider de leur véritable importance : quand Nizan, chargé de la politique étrangère
à *Ce Soir* s'évertuait de bonne foi à prouver que
notre seule chance de salut résidait dans un pacte
franco-russe, ses juges secrets, qui le laissaient dire

avaient déjà connaissance des entretiens de Ribben-
trop avec Molotov. S'il pense se tirer d'affaire par
une obéissance de cadavre, il se trompe. On lui
demande d'avoir de l'esprit, du mordant, de la lucidité, de l'invention. Mais en même temps qu'on les
exige, on lui fait grief de ces vertus car elles sont
en elles-mêmes des penchants vers le crime : comment
faire sa part à l'esprit critique ? Ainsi la faute est
en lui comme un ver dans le fruit. Il ne peut plaire
ni à ses lecteurs, ni à ses juges ni à lui-même. Il n'est
aux yeux de tous et même à ses propres yeux qu'une
subjectivité coupable qui déforme la science en la
réfléchissant dans ses eaux troubles. Cette déforma-
tion peut servir : comme les lecteurs ne démêlent
pas ce qui vient de l'auteur et ce qui lui a été dicté
par le « Processus historique » il sera toujours possible de le désavouer. Il est entendu qu'il se salit
les mains à sa besogne et comme il a mission d'exprimer au jour le jour la politique du P. C., ses articles
demeurent encore quand il y a beau temps qu'elle
a changé et c'est à eux que se réfèrent les adversaires
du stalinisme lorsqu'ils veulent en montrer les contradictions ou la versatilité ; ainsi l'écrivain n'est pas
seulement un *présumé coupable,* il se charge de toutes
les fautes passées puisque son nom reste attaché
aux erreurs du Parti et il est le bouc émissaire de
toutes les purges politiques.

Il n'est pas impossible, néanmoins, qu'il résiste
longtemps s'il apprend à tenir ses qualités en laisse,
et à tirer sur la laisse quand elles risquent de l'entraîner trop loin. Encore ne faut-il pas qu'il use de cynisme : le cynisme est un vice aussi grave que la
bonne volonté. Qu'il sache ignorer ; qu'il voie ce
qu'il ne faut pas voir et qu'il oublie suffisamment ce
qu'il a vu pour ne jamais en écrire tout en s'en rappelant suffisamment pour pouvoir, à l'avenir, éviter
de le regarder ; qu'il mène suffisamment loin sa cri-

tique pour déterminer le point où il convient de
l'arrêter, c'est-à-dire qu'il dépasse ce point pour
pouvoir, à l'avenir, échapper à la tentation de le
dépasser, mais qu'il sache se désolidariser de cette
critique prospective, la mettre entre parenthèses et
tenir ses résultats pour nuls; bref, qu'il considère
en tout temps que l'esprit est fini, borné partout
par des frontières magiques, par des brouillards,
comme ces primitifs qui peuvent compter jusqu'à
vingt et sont mystérieusement privés du pouvoir
d'aller plus loin : cette brume artificielle qu'il doit
toujours se tenir prêt à répandre entre lui et les
évidences scabreuses, nous l'appellerons tout simplement la mauvaise foi. Cela n'est point encore
assez : qu'il évite de parler trop souvent des dogmes;
il n'est pas bon de les montrer en pleine lumière :
les œuvres de Marx, comme la Bible des catholiques,
sont dangereuses à qui les aborde sans directeur de
conscience : dans chaque cellule il s'en trouve un;
s'il vient des doutes, des scrupules, c'est à lui qu'il
faut s'en ouvrir. Ne pas mettre non plus trop de
communistes dans les romans ou à la scène : s'ils ont
des défauts, ils risquent de déplaire; tout parfaits,
ils ennuient. Le politique stalinien ne souhaite nulle-
ment retrouver son image dans la littérature parce
qu'il sait qu'un portrait est déjà contestation. On
s'en tirera en peignant le « héros permanent » en
profil perdu, en le faisant paraître à la fin de l'histoire, pour en tirer la conclusion, ou en suggérant
partout sa présence, mais sans la montrer, comme
Daudet pour l'Arlésienne. Éviter, dans la mesure du
possible, d'évoquer la Révolution · cela date. Pas
plus que la bourgeoisie, le prolétariat d'Europe ne
garde le gouvernement de son destin : l'histoire
s'écrit ailleurs. Il faut le déshabituer lentement de
ses vieux rêves et remplacer tout doucement la
perspective de l'insurrection par celle de la guerre.

Si l'écrivain se conforme à toutes ces prescriptions, on ne l'aime pas pour autant. C'est une bouche inutile; il ne travaille pas de ses mains. Il le sait, il souffre d'un complexe d'infériorité, il a presque honte de son métier et met autant de zèle à s'incliner devant les ouvriers que Jules Lemaître en mettait, vers 1900, à s'incliner devant les généraux.

Pendant ce temps, intacte, la doctrine marxiste sèche sur pied : faute de controverses intérieures elle s'est dégradée en un déterminisme stupide. Marx, Engels, Lénine, ont dit cent fois que l'explication par les causes devait céder le pas au processus dialectique, mais la dialectique ne se laisse pas mettre en formules de catéchisme. On diffuse partout un scientisme primaire, on rend compte de l'histoire par des juxtapositions de séries causales et linéaires; le dernier des grands esprits du communisme français, Politzer, fut contraint d'enseigner, peu avant la guerre, que « le cerveau sécrète la pensée » comme une glande endocrine sécrète ses hormones; lorsqu'il veut, aujourd'hui, interpréter l'histoire ou les conduites humaines, l'intellectuel communiste emprunte à l'idéologie bourgeoise une psychologie déterministe fondée sur la loi d'intérêt et le mécanisme.

Mais il y a pis : le conservatisme du P. C. s'accompagne aujourd'hui d'un opportunisme qui le contredit. Il ne s'agit pas seulement de sauvegarder l'U.R.S.S., il faut ménager la bourgeoisie. On parle donc son langage : famille, patrie, religion, moralité; et comme on n'a pas renoncé pour autant à l'affaiblir, on tentera de la battre sur son propre terrain, en renchérissant sur ses principes. Cette tactique a pour résultat de superposer deux conservatismes contradictoires : la scolastique matérialiste et le moralisme chrétien. A vrai dire, il n'est pas si difficile, pour peu qu'on abandonne toute logique, de passer de l'un à l'autre, parce que l'un et l'autre supposent la même attitude sentimentale : il s'agit de se crisper sur des positions menacées, de refuser la discussion, de dissimuler la crainte derrière la colère. Mais, précisément, l'intellectuel, par définition, doit *aussi* user de logique. On lui demande donc de couvrir les contradictions par des tours de passe-passe; il faut qu'il s'évertue à concilier les inconciliables, qu'il rejoigne de force des idées qui se repoussent, qu'il dissimule les soudures par des couches miroitantes de beau style; sans parler de cette tâche qui lui incombe depuis peu : voler l'histoire de France à la bourgeoisie, annexer le grand Ferré, le petit Bara, saint Vincent de Paul, Descartes. Pauvres intellectuels communistes : ils ont fui l'idéologie de leur classe d'origine, mais c'est pour la retrouver dans leur classe d'élection. Cette fois, c'est fini de rire; travail, famille, patrie : il faut qu'ils chantent. J'imagine qu'ils doivent souvent avoir plutôt envie de mordre; mais ils sont enchaînés : on les laisse hurler contre des fantômes ou contre quelques écrivains qui sont restés libres et qui ne représentent rien.

On va me citer des auteurs illustres. Bien sûr. Je reconnais qu'ils ont eu du talent. Est-ce un hasard s'ils n'en ont plus ? J'ai montré plus haut que l'œuvre d'art, fin absolue, s'opposait par essence à l'utilitarisme bourgeois. Croit-on qu'elle peut s'accommoder de l'utilitarisme communiste ? Dans un parti authentiquement révolutionnaire, elle trouverait le climat propice à son éclosion, parce que la libération de l'homme et l'avènement de la société sans classes sont comme elle des buts absolus, des exigences inconditionnées qu'elle peut refléter dans son exigence; mais le P. C. est entré aujourd'hui dans la ronde infernale des moyens, il faut prendre et garder des positions-clés, c'est-à-dire des moyens d'acquérir des moyens. Quand les fins s'éloignent, quand les moyens grouillent à perte de vue comme des clo-

portes, l'œuvre d'art devient moyen à son tour,
elle entre dans la chaîne, ses fins et ses principes lui
deviennent extérieurs, elle est gouvernée du dehors,
elle n'exige plus rien, elle prend l'homme par le
ventre ou le bas-ventre; l'écrivain garde l'apparence du talent, c'est-à-dire l'art de trouver des mots
qui brillent, mais, au dedans, quelque chose est mort,
la littérature s'est changée en propagande [20]. C'est
pourtant un M. Garaudy, communiste et propagandiste, qui m'accuse d'être un fossoyeur. Je pourrais lui retourner l'insulte, mais je préfère plaider
coupable : si j'en avais le pouvoir, j'enterrerais la
littérature de mes propres mains plutôt que de lui
faire servir les fins auxquelles il l'utilise. Mais quoi ?
les fossoyeurs sont gens honnêtes, certainement syndiqués, communistes peut-être. J'aime mieux être
fossoyeur que laquais.

Puisque nous sommes encore libres nous n'irons
pas rejoindre les chiens de garde du P. C.; il ne dépend
pas de nous que nous ayons du talent, mais comme
nous avons choisi le métier d'écrire, chacun de nous
est responsable de la littérature et il dépend de
nous qu'elle retombe ou non dans l'aliénation. On
prétend parfois que nos livres reflètent les hésita-
tions de la petite bourgeoisie qui ne se décide ni
pour le prolétariat ni pour le capitalisme. C'est faux :
notre parti est pris. A cela on nous répond que notre
choix est inefficace et abstrait, que c'est un jeu
d'intellectuel s'il ne s'accompagne pas de notre
adhésion à un parti révolutionnaire : je ne le nie
pas, mais ce n'est pas notre faute si le P. C. n'est
plus un parti révolutionnaire. Il est vrai qu'on ne
peut guère, aujourd'hui, et en France, atteindre
les classes travailleuses si ce n'est à travers lui;
mais c'est seulement par dissipation d'esprit qu'on
assimilerait leur cause à la sienne. Même si, comme
citoyens, nous pouvons, dans des circonstances rigou-

reusement déterminées, soutenir sa politique de nos
votes, cela ne signifie pas que nous devions lui
asservir notre plume. Si vraiment les deux termes
de l'alternative sont la bourgeoisie et le P. C., alors
le choix est impossible. Car nous n'avons pas le droit
d'écrire pour la classe d'oppression *seule*, ni de nous
solidariser avec un parti qui nous demande de travailler avec mauvaise conscience et dans la mauvaise
foi. Pour autant que le parti communiste canalise,
presque malgré lui, les aspirations de toute une
classe opprimée qui le porte irrésistiblement à réclamer, par terreur d'être «tourné à gauche», des mesures
comme la paix avec le Viet-Nam ou l'augmentation
des salaires, que toute sa politique tendait à éviter,
nous sommes avec ce parti contre la bourgeoisie;
pour autant que certains milieux bourgeois de bonne
volonté reconnaissent que la spiritualité doit être
simultanément libre négativité et libre construction,
nous sommes avec ces bourgeois contre le P. C.;
pour autant qu'une idéologie sclérosée, opportu-
niste, conservatrice, déterministe est en contradiction avec l'essence même de la littérature, nous
sommes à la fois contre le P. C. et contre la bourgeoisie. Cela signifie clairement que nous écrivons contre
tout le monde, que nous avons des lecteurs, mais
pas de public. Bourgeois en rupture de classe mais
restés de mœurs bourgeoises, séparés du prolétariat
par l'écran communiste, dépris de l'illusion aristo-
cratique, nous restons en l'air, notre bonne volonté
ne sert à personne, pas même à nous, nous sommes
entrés dans le temps du public introuvable. Pis
encore, nous écrivons à contre-courant. Les auteurs
du xviiie siècle ont contribué à faire l'histoire parce
que la perspective historique du moment, c'était la
révolution et qu'un écrivain peut et doit se ranger
du côté de la révolution s'il est prouvé qu'il n'y a
pas d'autre moyen de faire cesser une oppression.

Mais l'écrivain d'aujourd'hui ne peut en aucun cas
approuver une guerre, parce que la structure sociale
de la guerre est la dictature, parce que les résultats
en sont toujours chanceux et qu'elle coûte, de toute
façon, infiniment plus qu'elle ne rapporte, enfin
parce qu'on y aliène la littérature en la faisant servir
au bourrage de crâne. Comme notre perspective
historique est la guerre, comme on nous somme de
choisir entre le bloc anglo-saxon et le bloc soviétique
et que nous nous refusons à la préparer avec l'un
comme avec l'autre, nous sommes tombés en dehors
de l'histoire et nous parlons dans le désert. Il ne
nous reste même plus l'illusion de gagner notre
procès en appel : il n'y aura pas d'appel et nous
savons que le destin posthume de nos œuvres ne
dépendra ni de notre talent ni de nos efforts, mais
des résultats du conflit futur : dans l'hypothèse
d'une victoire soviétique nous serons passés sous
silence jusqu'à ce que nous soyons morts une seconde
fois ; dans celle d'une victoire américaine, on mettra
les meilleurs d'entre nous dans les bocaux de l'histoire littéraire et on ne les en sortira plus.

La vision lucide de la situation la plus sombre est
déjà, par elle-même, un acte d'optimisme : Elle
implique en effet que cette situation est *pensable*,
c'est-à-dire que nous n'y sommes pas égarés comme
dans une forêt obscure et que nous pouvons au
contraire nous en arracher au moins par l'esprit,
la tenir sous notre regard, donc la dépasser déjà et
prendre nos résolutions en face d'elle, même si ces
résolutions sont désespérées. Au moment où toutes
les Églises nous repoussent et nous excommunient,
où l'art d'écrire, coincé entre les propagandes, semble
avoir perdu son efficacité propre, notre engagement
doit commencer. Il ne s'agit pas d'en rajouter sur
es exigences de la littérature mais simplement de
les servir toutes ensemble, même sans espoir.

1º D'abord recenser nos lecteurs *virtuels*, c'est-à-dire les catégories sociales qui ne nous lisent pas mais qui peuvent nous lire. Je ne crois pas que nous pénétrions beaucoup chez les instituteurs, et c'est dommage : il est arrivé déjà qu'ils aient servi d'intermédiaires entre la littérature et les masses [21]. Aujourd'hui, beaucoup d'entre eux ont déjà choisi : ils dispensent à leurs élèves l'idéologie chrétienne ou l'idéologie stalinienne, selon le parti qu'ils ont pris. Il en est d'autres qui hésitent : ce sont eux qu'il faudrait atteindre. Sur la petite bourgeoisie, méfiante et toujours mystifiée, si prompte, par égarement, à suivre les agitateurs fascistes, on a beaucoup écrit. Je ne crois pas qu'on ait souvent écrit *pour elle* [22], sauf des tracts de propagande. Elle est accessible pourtant, par certains de ses éléments. Plus lointaines, difficiles à distinguer, plus encore à toucher, il y a enfin ces fractions populaires qui n'ont pas adhéré au communisme ou qui s'en déprennent et risquent de tomber dans l'indifférence résignée ou dans un mécontentement informe. En dehors de cela, rien : les paysans ne lisent guère — un peu plus cependant qu'en 1914 —, la classe ouvrière est verrouillée. Telles sont les données du problème : elles n'encouragent pas mais il faut s'en accommoder.

2º Comment agréger à notre public en acte quelques-uns de ces lecteurs en puissance ? Le livre est inerte, il agit sur qui l'ouvre, mais il ne se fait pas ouvrir. Il ne saurait être question de « vulgariser » : nous serions les gribouilles de la littérature et pour lui faire éviter l'écueil de la propagande, nous l'y jetterions à coup sûr. Donc recourir à de nouveaux moyens : ils existent déjà; déjà les Américains les ont décorés du nom de « mass media »; ce sont les vraies ressources dont nous disposons pour conquérir le public virtuel : journal, radio, cinéma. Naturellement, il faut que nous fassions taire nos scrupules :

bien sûr le livre est la forme la plus noble, la plus antique; bien sûr, il faudra toujours y revenir, mais il y a un art *littéraire* de la T. S. F. et du film, de l'éditorial et du reportage. Point n'est besoin de vulgariser : le cinéma, par essence, parle aux foules; il leur parle des foules et de leur destin; la radio surprend les gens à table ou dans leurs lits, au moment qu'ils ont le moins de défense, dans l'abandon presque organique de la solitude, elle en profite aujourd'hui pour les berner, mais c'est aussi l'instant où l'on pourrait le mieux en appeler à leur bonne foi : ils ne jouent pas encore ou ils ne jouent plus leurs personnages. Nous avons un pied dans la place : il faut apprendre à parler en images, à transposer les idées de nos livres dans ces nouveaux langages.

Il ne s'agit pas du tout de laisser adapter nos œuvres à l'écran ou pour les émissions de Radio-France : il faut écrire directement pour le cinéma, pour les ondes. Les difficultés que j'ai mentionnées plus haut proviennent de ceci que radio et cinéma sont des machines : comme elles mettent en jeu d'importants capitaux, il est inévitable qu'elles soient aujourd'hui entre les mains de l'État ou de sociétés anonymes et conservatrices. C'est par malentendu qu'on s'adresse à l'écrivain, il croit qu'on lui demande son travail, dont on n'a que faire, alors qu'on n'en veut qu'à sa signature, qui paie. Et comme il manque à ce point de sens pratique qu'on ne peut en général le décider à vendre l'une sans l'autre, on tâche au moins d'obtenir qu'il plaise et qu'il assure des bénéfices aux actionnaires ou qu'il persuade et serve la politique de l'État. Dans les deux cas, on lui démontre par des statistiques que les mauvaises productions ont plus de succès que les bonnes et lorsqu'on l'a mis au courant du mauvais goût public on le prie de s'y soumettre. Quand l'œuvre est achevée, pour être tout à fait sûr qu'elle

est au plus bas, on la livre à des médiocres qui coupent
ce qui dépasse. Mais c'est précisément sur ce point
que notre lutte doit porter. Il ne convient pas de
s'abaisser pour plaire, mais, au contraire, de révéler
au public ses exigences propres et de l'élever, petit
à petit, jusqu'à ce qu'il ait *besoin de lire*. Il faut
céder en apparence et nous rendre indispensables,
consolider nos positions, s'il se peut, par des succès
faciles; ensuite profiter du désordre des services
gouvernementaux et de l'incompétence de certains
producteurs pour retourner ces armes contre eux.
Alors, l'écrivain se lancera dans l'inconnu : il parlera,
dans le noir, à des gens qu'il ignore, à qui l'on n'a
jamais parlé sauf pour leur mentir; il prêtera sa
voix à leurs colères et à leurs soucis ; par lui, des
hommes qui n'ont jamais été reflétés par aucun
miroir et qui ont appris à sourire et à pleurer comme
les aveugles, sans se voir, se trouveront tout à coup en
face de leur image. Qui oserait prétendre que la littérature y perdra ? Je crois qu'elle y gagne au contraire :
les nombres entiers et fractionnaires qui furent jadis
toute l'arithmétique, ne représentent aujourd'hui
qu'un petit secteur de la science des nombres. Ainsi du
livre : la « littérature totale », si jamais elle voit le
jour, aura ses irrationnels, son algèbre et ses imaginaires. Qu'on ne dise pas que ces industries n'ont
rien à faire avec l'art : après tout l'imprimerie aussi
est une industrie et les auteurs d'autrefois l'ont
conquise pour nous; je ne pense pas que nous ayons
jamais l'usage entier des « mass media », mais il
serait beau d'en commencer la conquête pour nos
successeurs. Ce qui est sûr, en tout cas, c'est que
si nous ne nous en servons pas, nous devons nous
résigner à n'écrire jamais que pour des bourgeois.

3° Bourgeois de bonne volonté, intellectuels, instituteurs, ouvriers non communistes : en admettant
que nous touchions à la fois ces éléments disparates,

comment en faire un public, c'est-à-dire une unité
organique de lecteurs, d'auditeurs et de spectateurs?

Rappelons-nous que l'homme qui lit se dépouille
en quelque sorte de sa personnalité empirique,
échappe à ses ressentiments, à ses peurs, à ses convoi-
tises pour se mettre au plus haut de sa liberté; cette
liberté prend l'ouvrage littéraire pour fin absolue et,
à travers lui l'humanité : elle se constitue en exigence
inconditionnée par rapport à elle-même, à l'auteur
et aux lecteurs possibles : elle peut donc s'identifier
à la *bonne volonté* kantienne, qui en toute circonstance,
traite l'homme comme une fin et non comme un moyen.
Ainsi le lecteur, par ses exigences mêmes, accède à
ce concert des bonnes volontés que Kant a nommé
Cité des Fins et que, en chaque point de la terre,
à chaque instant, des milliers de lecteurs qui s'ignorent
contribuent à maintenir. Mais pour que ce concert
idéal devînt une société concrète, il faudrait qu'il
remplît deux conditions : la première, que les lecteurs
remplacent la connaissance de principe qu'ils ont
les uns des autres en tant qu'ils sont tous des exemplaires singuliers de l'humanité, par une intuition
ou tout au moins par un pressentiment de leur présence charnelle au milieu de ce monde-ci; la seconde,
que ces bonnes volontés abstraites au lieu de rester
solitaires et de jeter dans le vide des appels qui ne
touchent personne à propos de la condition humaine
en général établissent entre elles des relations réelles
à l'occasion d'événements vrais ou, en d'autres
termes, que ces bonnes volontés, intemporelles,
s'historialisent en conservant leur pureté et qu'elles
transforment leurs exigences formelles en revendications matérielles et datées. Faute de quoi, la cité
des fins ne dure pour chacun de nous que le temps
de notre lecture; en passant de la vie imaginaire à
la vie réelle, nous oublions cette communauté abstraite, implicite et qui ne repose sur rien. De là

proviennent ce que je nommerais les deux mystifications essentielles de la lecture.

Lorsqu'un jeune communiste, en lisant *Aurélien*,
lorsqu'un étudiant chrétien en lisant *l'Otage*, ont un
instant de joie esthétique, leur sentiment enveloppe
une exigence universelle, la cité des fins les entoure
de ses murailles fantômes ; mais, dans le même temps,
ces ouvrages sont supportés par une collectivité
concrète — ici, le parti communiste ; là, la communauté des fidèles — qui les sanctionne et qui manifeste
sa présence entre leurs lignes : un prêtre en a parlé
en chaire, l'*Humanité* les a recommandés ; l'étudiant
ne se sent jamais seul quand il lit, le livre revêt
un caractère sacré, c'est un accessoire du culte, la
lecture devient un rite, très précisément une communion ; qu'un Nathanaël, par contre, ouvre les
Nourritures terrestres, il lance, dès qu'il s'échauffe,
le même appel impuissant à la bonne volonté des
hommes, la cité des fins, magiquement évoquée,
ne refuse pas de paraître. Cependant, son enthousiasme demeure essentiellement solitaire : la lecture
est ici *séparatrice ;* on le dresse contre sa famille,
contre la société, qui l'entoure ; on le coupe du passé,
de l'avenir pour le réduire à sa présence nue dans
l'instant ; on lui apprend à descendre en lui-même
pour reconnaître et dénombrer ses désirs les plus
particuliers. Qu'il y ait, en quelque lieu du monde
que ce soit, un autre Nathanaël, plongé dans la
même lecture et dans les mêmes transports, notre
Nathanaël n'en a cure : le message ne s'adresse
qu'à lui, le déchiffrage en est un acte de vie intérieure,
une tentative de solitude ; au bout du compte
on l'invite à rejeter le livre, à rompre le pacte
d'exigences mutuelles qui l'unissait à l'auteur, il n'a
rien trouvé que lui-même. Lui-même comme entité
séparée. Nous dirons, pour parler comme Durkheim,
que la solidarité des lecteurs de Claudel est organique

et que celle des lecteurs de Gide est mécanique.

Dans les deux cas, la littérature court les plus graves dangers. Quand le livre est sacré, il ne tire pas sa vertu religieuse de ses intentions ou de sa beauté, mais il la reçoit du dehors, comme un cachet, et comme le moment essentiel de la lecture est en ce cas la communion, c'est-à-dire l'intégration symbolique à la communauté, l'ouvrage écrit passe à l'*inessentiel*, c'est-à-dire qu'il devient pour de vrai un *accessoire* de la cérémonie. Ce que manifeste assez clairement l'exemple de Nizan : communiste, les communistes le lisaient avec ferveur; apostat, mort, aucun stalinien n'aurait l'idée de reprendre ses livres; ils n'offrent plus à ces yeux prévenus que l'image même de la trahison. Mais comme le lecteur du *Cheval de Troie* et de *la Conspiration*, adressait, en 1939, un appel inconditionné et intemporel à l'adhésion de tout homme libre, comme d'autre part le caractère sacré de ces ouvrages était, au contraire, conditionnel et temporaire et qu'il impliquait la possibilité de les rejeter comme des hosties souillées, en cas d'excommunication de leur auteur, ou simplement de les oublier, si le P. C. changeait sa politique, ces deux implications contradictoires détruisent jusqu'au sens de la lecture[23]. Rien d'étonnant à cela puisque nous avons vu l'auteur communiste ruiner de son côté le sens même de l'écriture : la boucle est bouclée. Faut-il donc s'accommoder d'être lu en secret, presque en cachette, faut-il que l'œuvre d'art mûrisse comme un beau vice doré tout au fond d'âmes solitaires ? Ici encore je crois discerner une contradiction : dans l'œuvre d'art nous avons découvert la présence de l'humanité entière; la lecture est commerce du lecteur avec l'auteur, avec les autres lecteurs : comment pourrait-elle, en même temps, inviter à la ségrégation ?

Nous ne voulons pas que notre public, si nombreux

puisse-t-il être, se réduise à la juxtaposition de
lecteurs individuels ni que son unité lui soit conférée
par l'action transcendante d'un Parti ou d'une
Église. La lecture ne doit pas être une communion
mystique non plus qu'une masturbation, mais un
compagnonnage. Nous reconnaissons d'autre part que
le recours purement formel aux bonnes volontés
abstraites laisse chacun dans son isolement originel.
Pourtant c'est de là qu'il faut partir ; si l'on perd
ce fil conducteur, on s'égare soudain dans le maquis de
la propagande ou dans les voluptés égoïstes d'un
style qui « se préfère ». Il nous appartient donc de
convertir la cité des fins en société concrète et ouverte
— et ceci par le contenu même de nos ouvrages.

Si la cité des fins demeure une abstraction lan-
guissante, c'est qu'elle n'est pas réalisable sans une
modification objective de la situation historique.
Kant l'avait fort bien vu, je crois : mais il comptait
tantôt sur une transformation purement subjective
du sujet moral et tantôt il désespérait de rencontrer
jamais une bonne volonté sur cette terre. En fait la
contemplation de la beauté peut bien susciter en
nous l'intention purement formelle de traiter les
hommes comme des fins, mais cette intention se
révélerait vaine à la pratique puisque les structures
fondamentales de notre société sont encore oppres-
sives. Tel est le paradoxe actuel de la morale : si je
m'absorbe à traiter comme fins absolues quelques
personnes choisies, ma femme, mon fils, mes amis,
le nécessiteux que je rencontrerai sur ma route, si
je m'acharne à remplir tous mes devoirs envers eux,
j'y consumerai ma vie, je serai amené à *passer sous
silence* les injustices de l'époque, lutte des classes,
colonialisme, antisémitisme, etc., et finalement, *à
profiter de l'oppression pour faire le bien*. Comme
d'ailleurs celle-ci se retrouvera dans les rapports
de personne à personne et, plus subtilement, dans

mes intentions mêmes, le bien que je tente de faire
sera vicié à la base, il se tournera en mal radical.
Mais, réciproquement, si je me jette dans l'entreprise révolutionnaire, je risque de n'avoir plus de
loisirs pour les relations personnelles, pis encore d'être
amené par la logique de l'action à traiter la plupart
des hommes et mes camarades mêmes comme des
moyens. Mais si nous débutons par l'exigence morale
qu'enveloppe à son insu le sentiment esthétique,
nous prenons le bon départ : il faut *historialiser*
la bonne volonté du lecteur, c'est-à-dire provoquer,
s'il se peut, par l'agencement formel de notre œuvre
son intention de traiter en tout cas l'homme comme
fin absolue, et diriger par le *sujet* de notre écrit son
intention sur ses voisins, c'est-à-dire sur les opprimés de notre monde. Mais nous n'aurons rien fait si
nous ne lui montrons en outre, et dans la trame
même de l'ouvrage, qu'il lui est précisément impossible de traiter les hommes concrets comme des fins
dans la société contemporaine. Ainsi le guidera-t-on
par la main jusqu'à lui faire voir que ce qu'il veut
en effet c'est abolir l'exploitation de l'homme par
l'homme et que la cité des fins qu'il a posée d'un coup
dans l'intuition esthétique n'est qu'un idéal dont nous
ne nous rapprocherons qu'au terme d'une longue
évolution historique. En d'autres termes nous devons
transformer sa bonne volonté formelle en une volonté
concrète et matérielle de changer *ce monde-ci* par
des moyens déterminés, pour contribuer à l'avènement futur de la société concrète des fins. Car en
ce temps-ci une bonne volonté n'est pas possible ou
plutôt elle n'est et ne peut être que le dessein de
rendre la bonne volonté possible. De là une *tension*
particulière qui doit se manifester dans nos ouvrages
et qui rappelle de loin celle que je mentionnais à
propos de Richard Wright. Car toute une partie du
public que nous voulons gagner épuise encore sa

bonne volonté dans les rapports de personne à
personne; et toute une autre partie, parce qu'elle
appartient aux masses opprimées, s'est donné pour
tâche d'obtenir par tous les moyens une amélioration matérielle de son sort. Il faut donc apprendre
simultanément aux uns que le règne des fins ne se
peut réaliser sans Révolution et aux autres que la
Révolution n'est concevable que si elle prépare le
règne des fins. C'est cette perpétuelle tension, si
nous pouvons nous y tenir, qui réalisera l'unité de
notre public. En un mot, nous devons dans nos écrits
militer'en faveur de la liberté de la personne *et* de
la révolution socialiste. On a souvent prétendu
qu'elles n'étaient pas conciliables : c'est notre affaire
de montrer inlassablement qu'elles s'impliquent l'une
l'autre.

Nous sommes nés dans la bourgeoisie et cette
classe nous a appris la valeur de ses conquêtes :
libertés politiques, *habeas corpus*, etc.; nous demeu-
rons bourgeois par notre culture, notre mode de
vie et notre public actuel. Mais, en même temps,
la situation historique nous incite à nous joindre au
prolétariat pour construire une société sans classes.
Nul doute que, pour l'instant, celui-ci se soucie peu
de la liberté de penser : il a d'autres chats à fouetter.
La bourgeoisie, d'autre part, affecte de ne pas même
entendre ce que signifient les mots de « libertés
matérielles ». Ainsi chaque classe peut-elle, tout au
moins à cet égard, conserver une bonne conscience,
puisqu'elle ignore un des termes de l'antinomie.
Mais nous autres, qui, pour n'avoir présentement rien
à méditer, n'en sommes pas moins en situation de
médiateurs, tiraillés entre une classe et l'autre, nous
sommes condamnés à subir comme une Passion cette
double exigence. Elle est notre problème personnel
aussi bien que le drame de notre époque. On dira
naturellement que cette antinomie qui nous déchire

vient seulement de ceci qu'il traîne encore en nous des
lambeaux d'idéologie bourgeoise dont nous n'avons
pas su nous défaire, on dira d'autre part, que nous
avons le snobisme révolutionnaire et que nous voulons
faire servir la littérature à des fins auxquelles
elle n'est pas destinée. Ce ne serait rien : mais chez
certains d'entre nous qui ont des consciences malheureuses, ces voix trouvent des échos alternés.
Donc il convient de nous pénétrer de cette vérité :
il est peut-être tentant d'abandonner les libertés
formelles pour renier plus complètement nos origines
bourgeoises, mais cela suffirait à discréditer fonda-
mentalement le projet d'écrire; peut-être serait-il
plus simple de nous désintéresser des revendications
matérielles pour faire de la « littérature pure » avec
une conscience sereine, mais du coup nous renonce-
rions à choisir nos lecteurs en dehors de la classe
d'oppression. Donc, c'est aussi pour nous-mêmes et
en nous-mêmes qu'il faut surmonter l'opposition.
Persuadons-nous d'abord qu'elle est surmontable :
la littérature nous en fournit la preuve par elle-même,
puisqu'elle est l'œuvre d'une liberté totale s'adressant à des libertés plénières et qu'ainsi elle manifeste
à sa manière, comme libre produit d'une activité
créatrice, la totalité de la condition humaine. Et
si, d'autre part, concevoir une solution d'ensemble
dépasse les forces de la plupart d'entre nous, c'est
notre devoir de surmonter l'opposition en mille syn-
thèses de détail. Chaque jour il nous faut prendre
parti dans notre vie d'écrivain, dans nos articles, dans
nos livres. Que ce soit toujours en conservant pour
principe directeur les droits de la liberté totale,
comme synthèse effective des libertés formelles et
matérielles. Que cette liberté se manifeste dans
nos romans, dans nos essais, dans nos pièces de
théâtre. Et comme nos personnages n'en ont pas
encore la jouissance, s'ils sont de notre temps, sa-

chons du moins montrer ce qu'il leur en coûte de
ne pas la posséder. Il ne suffit plus de dénoncer en
beau style les abus et les injustices, ni de faire une
psychologie brillante et négative de la classe bourgeoise, ni même de mettre notre plume au service
des partis sociaux : pour sauver la littérature, il faut
prendre position *dans notre littérature*, parce que la
littérature est par essence prise de position. Nous
devons à la fois repousser dans tous les domaines
les solutions qui ne s'inspireraient pas rigoureusement
de principes socialistes, mais en même temps nous
écarter de toutes les doctrines et de tous les mouvements qui considéreraient le socialisme comme la
fin absolue. A nos yeux il ne doit pas représenter la
fin dernière, mais la fin du commencement ou, si
l'on préfère, le dernier moyen avant la fin qui est
de mettre la personne humaine en possession de
sa liberté. Ainsi nos ouvrages doivent-ils se présenter
au public sous un double aspect de négativité et de
construction.

La négativité d'abord. On connaît la grande tradition de littérature critique qui remonte à la fin
du xviie siècle : il s'agit, par l'analyse, de séparer
dans chaque notion ce qui lui revient en propre et
ce que la tradition ou les mystifications de l'oppresseur y ont ajouté. Des écrivains comme Voltaire ou
les Encyclopédistes considéraient l'exercice de cette
critique comme une de leurs tâches essentielles.
Puisque la matière et l'outil de l'écrivain, c'est le
langage, il est normal qu'il revienne aux auteurs de
nettoyer leur instrument. Cette fonction négative de
la littérature a été délaissée, à vrai dire, durant le
siècle suivant, probablement parce que la classe au
pouvoir faisait usage des concepts fixés à son intention par les grands écrivains du passé et qu'il y avait
une sorte d'équilibre, au départ, entre ses institutions, ses visées, le genre d'oppression qu'elle exerçait

et le sens qu'elle donnait aux mots dont elle se servait.
Par exemple, il est clair que le mot de « liberté » n'a
jamais désigné au XIXᵉ siècle que la liberté politique
et qu'on réservait les mots de « désordre » ou de
« licence » pour toutes les autres formes de liberté.
Parcillement le mot de « révolution » se référait nécessairement à une grande Révolution historique, celle
de 89. Et comme la bourgeoisie négligeait par une
convention très générale l'aspect *économique* de cette
Révolution, comme elle faisait à peine mention,
dans son histoire, de Gracchus Babeuf, des vues de
Robespierre et de Marat, pour donner son estime
officielle à Desmoulins et aux Girondins, il en résul-
tait que l'on désignait par « révolution » une insurrection politique qui réussit et qu'on pouvait appliquer
cette dénomination aux événements de 1830 et de
1848 qui n'ont produit au fond qu'un simple changement du personnel dirigeant. Cette étroitesse du
vocabulaire faisait manquer, évidemment, certains
aspects de la réalité historique, psychologique ou
philosophique ; mais comme ces aspects n'étaient pas
manifestes par eux-mêmes, comme ils correspondaient
plutôt à de sourds malaises dans la conscience des
masses ou de l'individu qu'à des facteurs effectifs de
la vie sociale ou personnelle, on était plutôt frappé
par la propreté sèche des vocables, par la netteté
immuable des significations que par leur insuffisance.
Au XVIIIᵉ siècle, faire un Dictionnaire Philosophique,
c'était miner sourdement la classe au pouvoir. Au
XIXᵉ, Littré et Larousse sont des bourgeois positivistes
et conservateurs : les dictionnaires visent seulement
à recenser et à fixer. La crise du langage qui marque
la littérature, entre les deux guerres, vient de ce que
les aspects négligés de la réalité historique et psychologique sont brusquement passés, après une sourde
maturation, au premier plan. Cependant, nous disposons pour les nommer du même appareil verbal.

Ce ne serait peut-être pas si grave, parce que, dans
la plupart des cas, il s'agit seulement d'approfondir
des concepts et de changer des définitions : lorsqu'on
aura par exemple rajeuni le sens du mot « révolution » en faisant remarquer qu'on doit désigner par
ce vocable un phénomène historique comportant à la
fois le changement du régime de la propriété, le
changement du personnel politique et le recours à
l'insurrection, on aura procédé, sans grands efforts,
au rajeunissement d'un secteur de la langue française, et le mot, imprégné d'une vie nouvelle, prendra
un nouveau départ. Il faut remarquer seulement
que le travail de base à exercer sur le langage est
de nature synthétique, alors qu'il était analytique
au siècle de Voltaire : il faut élargir, approfondir,
ouvrir les portes et laisser entrer, en les contrôlant
au passage, le troupeau des idées neuves. C'est, très
exactement, faire de l'antiacadémisme. Malheureusement ce qui complique notre tâche à l'extrême,
c'est que nous vivons en un siècle de propagande.
En 1941, les deux camps adverses ne se disputaient
que Dieu, ce n'était pas encore trop grave. Aujour-
d'hui, il y a cinq ou six camps ennemis qui veulent
s'arracher les notions-clés, parce que ce sont elles
qui exercent le plus d'influence sur les masses. On
se rappelle comment les Allemands, conservant l'aspect extérieur, le titre, l'ordonnance des articles et
jusqu'aux caractères typographiques des journaux
français d'avant-guerre, les employaient à diffuser
des idées entièrement opposées à celles que nous
avions l'habitude d'y trouver : ils comptaient que
nous ne nous apercevrions pas de la différence des
pilules, puisque la dorure ne changeait pas. Ainsi
des mots : chaque parti les pousse en avant, comme
des chevaux de Troie, et nous les laissons entrer
parce qu'on fait miroiter à nos yeux leur sens du
XIXe siècle. Une fois dans la place, ils s'ouvrent

et des significations étrangères, inouïes, se répandent
en nous comme des armées, la forteresse est prise
avant que nous y prenions garde. Dès lors, la conversation ni la dispute ne sont plus possibles; Brice-
Parain l'a bien vu : si vous usez du mot de liberté
devant moi, dit-il à peu près, je m'échauffe, j'approuve ou je contredis; mais je n'entends point par
là ce que vous entendez, ainsi nous discourons dans
le vide. C'est vrai : mais c'est un mal moderne. Au
XIXᵉ siècle, le Littré nous eût mis d'accord; avant
cette guerre-ci nous pouvions recourir au vocabulaire de Lalande. Aujourd'hui, il n'y a plus d'arbitre.
Au reste nous sommes tous complices, parce que ces
notions glissantes servent notre mauvaise foi. Ce
n'est pas tout : les linguistes ont souvent marqué
que les mots, aux périodes troublées, conservaient
la trace des grandes migrations humaines : une armée
barbare traverse la Gaule, les soldats s'amusent de
la langue indigène, la voilà faussée pour longtemps.
La nôtre porte encore les marques de l'invasion
nazie. Le mot de « Juif » désignait autrefois un
certain type d'homme; peut-être l'antisémitisme français lui avait-il communiqué un léger péjoratif,
mais il était facile de l'en décrasser : aujourd'hui
on craint d'en user, il sonne comme une menace,
une insulte ou une provocation. Celui d'Europe
se référait à l'unité géographique, économique
et historique du vieux Continent. Aujourd'hui, il
conserve un relent de germanisme et de servitude.
Il n'est pas jusqu'au terme innocent et abstrait
de « collaboration » qui ne soit devenu mal famé.
De l'autre côté, comme la Russie soviétique est en
panne, les mots dont usaient avant-guerre les communistes sont tombés en panne aussi. Ils s'arrêtent
à mi-chemin de leur sens, tout de même que les
intellectuels staliniens à mi-chemin de leur pensée,
ou bien encore ils se perdent sur des routes de

traverse. A cet égard les avatars du mot de « révolution » sont bien significatifs. Je citais, dans un autre article, ce mot d'un journaliste collaborateur : « Maintenir, telle est la devise de la Révolution Nationale. » J'y joins aujourd'hui celui-ci, qui vient d'un intellectuel communiste : « Produire, voilà la vraie Révolution. » Les choses sont allées si loin qu'on a pu lire récemment en France sur des affiches électorales : « Voter pour le parti communiste, c'est voter pour la défense de la propriété [24]. » Inversement, qui n'est pas socialiste aujourd'hui ? Je me souviens d'une réunion d'écrivains — tous de gauche — qui refusa d'utiliser, dans un manifeste, le mot de socialisme « parce qu'il était trop décrié ». Et la réalité linguistique est aujourd'hui si compliquée que je ne sais pas encore si ces auteurs ont repoussé le mot pour la raison qu'ils ont donnée ou parce que, tout éculé qu'il fût, il leur faisait peur. On sait, par ailleurs, que le terme de *communiste* désigne aux États-Unis tout citoyen américain qui ne vote pas pour les républicains et le mot de *fasciste*, en Europe, tout citoyen européen qui ne vote pas pour les communistes. Pour brouiller davantage les cartes, il faut ajouter que les conservateurs français déclarent que le régime soviétique — qui ne s'inspire pourtant ni d'une théorie de la race, ni d'une théorie de l'antisémitisme, ni d'une théorie de la guerre — est un national-socialisme, cependant qu'on déclare à gauche que les États-Unis — qui sont une démocratie capitaliste avec dictature diffuse de l'opinion publique — versent dans le fascisme.

La fonction d'un écrivain est d'appeler un chat un chat. Si les mots sont malades, c'est à nous de les guérir. Au lieu de cela, beaucoup vivent de cette maladie. La littérature moderne, en beaucoup de cas, est un cancer des mots. Je veux bien qu'on écrive « cheval de beurre » mais, en un sens, on ne fait pas autre chose que ceux qui parlent des États-Unis fascistes ou du national-socialisme stalinien. En particulier, rien n'est plus néfaste que l'exercice littéraire, appelé, je crois, prose poétique, qui consiste à user des mots pour les harmoniques obscures qui résonnent autour d'eux et qui sont faites de sens vagues en contradiction avec la signification claire.

Je sais : le propos de maint auteur a été de détruire les mots, comme celui des surréalistes fut de détruire conjointement le sujet et l'objet : c'était l'extrême pointe de la littérature de consommation. Mais aujourd'hui, je l'ai montré, il faut construire. Si l'on ne se met à déplorer comme Brice-Parain l'inadéquation du langage à la réalité, on se fait complice de l'ennemi, c'est-à-dire de la propagande. Notre premier devoir d'écrivain est donc de rétablir le langage dans sa dignité. Après tout nous pensons avec des mots. Il faudrait que nous fussions bien fats pour croire que nous recélons des beautés ineffables que la parole n'est pas digne d'exprimer. Et puis, je me méfie des incommunicables, c'est la source de toute violence. Quand les certitudes dont nous jouissons nous semblent impossibles à faire partager, il ne reste plus qu'à battre, à brûler ou à pendre. Non : nous ne valons pas mieux que notre vie et c'est par notre vie qu'il faut nous juger, notre pensée ne vaut pas mieux que notre langage et l'on doit la juger sur la façon dont elle en use. Si nous voulons restituer aux mots leurs vertus il faut mener une double opération : d'une part un nettoyage analytique qui les débarrasse de leurs sens adventices, d'autre part un élargissement synthétique qui les adapte à la situation historique. Si un auteur voulait se consacrer entièrement à cette tâche, il n'aurait pas trop de toute sa vie. En nous y mettant tous ensemble, nous la mènerons à bien sans tant de peine.

Ce n'est pas tout : nous vivons à l'époque des

mystifications. Il en est de fondamentales qui tiennent à la structure de la société; il en est de secondaires. De toute façon, l'ordre social repose aujourd'hui sur la mystification des consciences, comme aussi le désordre. Le nazisme était une mystification, le gaullisme en est une autre, le catholicisme une troisième; il est hors de doute, à présent, que le communisme français en est une quatrième. Nous pourrions évidemment n'en pas tenir compte et faire notre travail honnêtement, sans agressivité. Mais comme l'écrivain s'adresse à la liberté de son lecteur et comme chaque conscience mystifiée, en tant qu'elle est complice de la mystification qui l'enchaîne, tend à persévérer dans son état, nous ne pourrons sauvegarder la littérature que si nous prenons à tâche de démystifier notre public. Pour la même raison le devoir de l'écrivain est de prendre parti contre toutes les injustices, d'où qu'elles viennent. Et comme nos écrits n'auraient pas de sens si nous ne nous étions fixé pour but l'avènement lointain de la liberté par le socialisme, il importe de faire ressortir, en chaque cas, qu'il y a eu violation des libertés formelles et personnelles ou oppression matérielle ou les deux à la fois. De ce point de vue, il nous faut dénoncer aussi bien la politique de l'Angleterre en Palestine et celle des États-Unis en Grèce que les déportations soviétiques. Et si l'on nous dit que nous faisons bien les importants et que nous sommes bien puérils d'espérer que nous changerons le cours du monde, nous répondrons que nous n'avons aucune illusion, mais qu'il convient pourtant que certaines choses soient dites, fût-ce seulement pour sauver la face aux yeux de nos fils et d'ailleurs que nous n'avons pas la folle ambition d'influencer le State Department, mais celle — un peu moins folle — d'agir sur l'opinion de nos concitoyens. Il ne faut pas cependant que nous déchargions au

QU'EST-CE QUE LA LITTÉRATURE ?   307

hasard et sans discernement de grands coups d'écritoire. Nous avons, en chaque cas, à considérer le but poursuivi. D'anciens communistes voudraient nous faire voir dans la Russie soviétique l'ennemi n° 1 parce qu'elle a pourri l'idée même de socialisme et qu'elle a transformé la dictature du prolétariat en dictature de la bureaucratie; on souhaiterait, en conséquence, que nous consacrions tout notre temps à stigmatiser ses exactions et ses violences; on nous représente en même temps que les injustices capitalistes sont fort manifestes et ne risquent pas de tromper : donc nous perdrions notre temps à les dévoiler. Je crains de trop bien deviner les intérêts que servent ces conseils. Quelles que soient les violences considérées, encore y a-t-il lieu, avant de porter un jugement sur elles, d'envisager la situation du pays qui les commet et les perspectives dans lesquelles il les a commises. Il faudrait d'abord prouver, par exemple, que les agissements actuels du gouvernement soviétique ne lui sont pas dictés, en dernière analyse, par son désir de protéger la Révolution en panne et de « tenir » jusqu'au moment où il sera possible de reprendre sa marche en avant. Au lieu que l'antisémitisme et la négrophobie des Américains, notre colonialisme, l'attitude des puissances vis-à-vis de Franco, conduisent souvent à des injustices moins spectaculaires, mais n'en visent pas moins à perpétuer le régime actuel d'exploitation de l'homme par l'homme. Tout le monde le sait, dira-t-on. C'est peut-être vrai : mais si personne ne le *dit*, à quoi nous sert-il de le savoir ? C'est notre tâche d'écrivain que de représenter le monde et d'en témoigner. Au reste, même s'il était prouvé que les Soviets et le parti communiste poursuivent des fins authentiquement révolutionnaires, cela ne nous dispenserait pas de juger des *moyens*. Si l'on tient la liberté pour le principe et le but de toute activité

humaine, il est également faux que l'on doive juger
les moyens sur la fin et la fin sur les moyens. Mais
plutôt la fin est l'unité synthétique des moyens
employés. Il y a donc des moyens qui risquent de
détruire la fin qu'ils se proposent de réaliser, en
brisant par leur simple présence l'unité synthétique
où ils veulent entrer. On a tenté de déterminer par des
formules quasi mathématiques à quelles conditions
un moyen peut être dit légitime : on fait entrer dans
ces formules la probabilité de la fin, sa proximité, ce
qu'elle rapporte en regard de ce que coûte le moyen
employé. On croirait retrouver Bentham et l'arithmétique des plaisirs. Je ne dis pas qu'une formule
de ce genre ne puisse s'appliquer à certains cas. Par
exemple dans l'hypothèse, elle-même quantitative, où
il faut sacrifier un certain nombre de vies humaines
pour en sauver d'autres. Mais, dans la majorité
des cas, le problème est tout différent : le moyen
utilisé introduit dans la fin une altération *qualitative*
et qui, par conséquent, n'est pas mesurable. Ima-
ginons qu'un parti révolutionnaire mente systématiquement à ses militants pour les protéger contre
les incertitudes, les crises de conscience, la propagande adverse. La fin poursuivie est l'abolition d'un
régime d'oppression; mais le mensonge est lui-même
oppression. Peut-on perpétuer l'oppression sous
prétexte d'y mettre fin ? Faut-il asservir l'homme
pour mieux le libérer ? On dira que le moyen est
transitoire. Non, s'il contribue à créer une humanité
mentie et *menteuse*, car alors les hommes qui pren-
dront le pouvoir ne sont plus ceux qui méritaient
de s'en emparer; et les raisons qu'on avait d'abolir
l'oppression sont sapées par la façon dont on s'y
prend pour l'abolir. Ainsi la politique du parti communiste qui consiste à mentir devant ses propres
troupes, à calomnier, à cacher ses défaites et ses
fautes, compromet-elle le but qu'il poursuit. D'autre

part il est facile de répondre qu'on ne peut, à la guerre — et tout parti révolutionnaire est en guerre — dire toute la vérité aux soldats. Il y a donc ici une question de mesure; aucune formule toute faite ne dispensera de l'examen en chaque cas particulier. Cet examen, c'est à nous de le faire. Laissé à lui-même, le politique prend toujours le moyen le plus commode, c'est-à-dire qu'il descend la pente. Les masses, dupées par la propagande, le suivent. Qui donc peut *représenter* au gouvernement, aux partis, aux citoyens, la valeur des moyens employés, si ce n'est l'écrivain ? Cela ne signifie pas que nous devions nous opposer systématiquement à l'usage de la violence. Je reconnais que la violence, sous quelque forme qu'elle se manifeste, est un échec. Mais c'est un échec inévitable parce que nous sommes dans un univers de violence; et s'il est vrai que le recours à la violence contre la violence risque de la perpétuer, il est vrai aussi que c'est l'unique moyen de la faire cesser. Tel journal où l'on écrivait, assez superbement, qu'il fallait refuser toute complicité directe ou indirecte avec la violence d'où qu'elle vienne, devait annoncer, le lendemain, les premiers combats de la guerre indochinoise. Je lui demande aujourd'hui : comment faut-il faire pour refuser toute participation indirecte aux violences ? Si vous ne dites rien, vous êtes nécessairement pour la continuation de la guerre : on est toujours responsable de ce qu'on n'essaie pas d'empêcher. Mais si vous obteniez qu'elle cesse sur l'heure et à tout prix, vous seriez à l'origine de quelques massacres et vous feriez violence à tous les Français qui ont des intérêts là-bas. Je ne parle pas bien entendu des compromis, puisque c'est d'un compromis que la guerre est née. Violence pour violence, il faut choisir. Selon d'autres principes. Le politique se demandera si les transports de troupes sont pos-

sibles, si une continuation de la guerre lui aliénera
l'opinion publique, quelles en seront les répercussions
internationales. Il incombe à l'écrivain de juger les
moyens, non du point de vue d'une morale abstraite,
mais dans les perspectives d'un but précis qui est
la réalisation d'une démocratie socialiste. Ainsi ce
n'est pas seulement en théorie mais dans chaque
cas concret que nous devons méditer sur le problème
moderne de la fin et des moyens.

Comme on voit, il y a fort à faire. Mais quand nous
consumerions notre vie dans la *critique*, qui donc
pourrait nous le reprocher ? La tâche de la critique
est devenue *totale*, elle engage l'homme entier. Au
xviiie siècle, l'outil était forgé; la simple utilisation
de la raison analytique suffisait à nettoyer les concepts; aujourd'hui qu'il faut à la fois nettoyer et
compléter, pousser jusqu'à l'achèvement des notions
qui sont devenues fausses parce qu'elles se sont
arrêtées en route, la critique est *aussi* synthétique;
elle met en jeu toutes les facultés d'invention; au
lieu de se limiter à faire usage d'une raison déjà
constituée par deux siècles de mathématiques, c'est elle
au contraire qui formera la raison moderne, en sorte
que pour finir elle a pour fondement la liberté créatrice. Sans doute n'apporte-t-elle pas par elle-même
de solution positive. Mais qui en apporte aujourd'hui ?
Je ne vois partout que formules vieillies, replâtrages,
compromis sans bonne foi, mythes périmés et repeints
à la hâte. Si nous n'avions rien fait sauf de crever
une à une toutes ces vessies pleines de vent, nous
aurions bien mérité de nos lecteurs.

Toutefois la critique était vers 1750 une préparation
directe du changement de régime puisqu'elle contribuait à affaiblir la classe d'oppression en démante-
lant son idéologie. Aujourd'hui, il n'en est pas de
même puisque les concepts à critiquer appartiennent
à toutes les idéologies et à tous les camps. Aussi

n'est-ce plus la négativité seule qui peut servir l'histoire, même si elle s'achève en positivité. L'écrivain isolé peut se limiter à sa tâche critique mais notre littérature, en son ensemble, doit être surtout construction. Cela ne signifie pas que nous devions prendre à tâche, ensemble ou isolément, de trouver une idéologie nouvelle. A chaque époque, je l'ai montré, c'est la littérature tout entière qui *est* l'idéologie parce qu'elle constitue la totalité synthétique et souvent contradictoire [25] de tout ce que l'époque a pu produire pour s'éclairer, compte tenu de la situation historique et des talents. Mais puisque nous avons reconnu qu'il nous fallait faire une littérature de la *praxis*, il convient de nous tenir jusqu'au bout à notre propos. Il n'est plus temps de *décrire* ni de *narrer*; nous ne pouvons pas non plus nous borner à *expliquer*. La description, fût-elle psychologique, est pure jouissance contemplative; l'explication est acceptation, elle excuse tout; l'une et l'autre supposent que les jeux sont faits. Mais si la perception même est action, si, pour nous, montrer le monde c'est toujours le dévoiler dans les perspectives d'un changement possible, alors, dans cette époque de fatalisme nous avons à révéler au lecteur, en chaque cas concret, sa puissance de faire et de défaire, bref, d'agir. Révolutionnaire en ceci qu'elle est parfaitement insupportable, la situation actuelle demeure stagnation parce que les hommes se sont dépossédés de leur propre destin; l'Europe abdique devant le conflit futur et cherche moins à le prévenir qu'à se ranger par avance dans le camp des vainqueurs, la Russie soviétique se croit seule et acculée comme un sanglier au milieu d'une meute acharnée à le coiffer, l'Amérique, qui ne craint pas les autres nations, s'affole devant sa propre pesanteur; plus elle est riche, plus elle est lourde, accablée de graisse et d'orgueil elle se laisse rouler, les yeux clos, vers la

guerre : nous autres, nous n'écrivons que pour
quelques hommes dans notre pays et pour une
poignée d'autres en Europe; mais il faut que nous
allions les chercher où ils sont, c'est-à-dire perdus dans
leur temps comme des aiguilles dans une meule, et
que nous leur rappelions leurs pouvoirs. Prenons-les,
dans leur métier, dans leur famille, dans leur classe,
dans leur pays et mesurons avec eux leur servitude,
mais que ce ne soit point pour les y enfoncer davantage : montrons-leur que dans le geste le plus mécanique du travailleur se trouve déjà la négation
entière de l'oppression; n'envisageons jamais leur situation comme une donnée de fait, mais comme un
problème, faisons voir qu'elle tient sa forme et ses
limites d'un horizon infini de possibilités, en un mot
qu'elle n'a d'autre figure que celle qu'ils lui con-
fèrent par la manière qu'ils ont choisie de la dépasser;
enseignons-leur qu'ils sont à la fois victimes et responsables de tout, ensemble opprimés, oppresseurs
et complices de leurs propres oppresseurs et qu'on
ne peut jamais faire le départ entre ce qu'un homme
subit, ce qu'il accepte et ce qu'il veut; montrons que
le monde où ils vivent ne se définit jamais que par
référence à l'avenir qu'ils projettent devant eux et,
puisque la lecture leur révèle leur liberté, profitons-
en pour leur rappeler que cet avenir où ils se placent
pour juger le présent n'est autre que celui où l'homme
se joint lui-même et s'atteint enfin comme totalité
par l'avènement de la Cité des Fins; car c'est seulement le pressentiment de la Justice qui permet de
s'indigner contre une injustice singulière, c'est-à-dire,
précisément, de la constituer en injustice; enfin,
en les invitant à se placer du point de vue de la Cité
des Fins pour comprendre leur époque, ne leur laissons pas ignorer ce que cette époque présente de
favorable pour la réalisation de leur dessein. Le
théâtre, autrefois, était de « caractères » : on faisait

paraître sur la scène des personnages plus ou moins complexes, mais entiers et la situation n'avait d'autre rôle que de mettre ces caractères aux prises, en montrant comment chacun d'eux était modifié par l'action des autres. J'ai montré ailleurs comment, depuis peu, d'importants changements s'étaient faits en ce domaine : plusieurs auteurs reviennent au théâtre de situation. Plus de caractères : les héros sont des libertés prises au piège, comme nous tous. Quelles sont les issues ? Chaque personnage ne sera rien que le choix d'une issue et ne vaudra pas plus que l'issue choisie. Il est à souhaiter que la littérature entière devienne morale et problématique, comme ce nouveau théâtre. Morale — non pas moralisatrice : qu'elle montre simplement que l'homme est *aussi* valeur et que les questions qu'il se pose sont toujours morales. Surtout qu'elle montre en lui l'inventeur. En un sens, chaque situation est une souricière, des murs partout : je m'exprimais mal, il n'y a pas d'issues à *choisir*. Une issue, ça s'invente. Et chacun, en inventant sa propre issue, s'invente soi-même. L'homme est à inventer chaque jour.

En particulier, tout est perdu si nous voulons *choisir* entre les puissances qui préparent la guerre. Choisir l'U. R. S. S., c'est renoncer aux libertés formelles sans même avoir l'espoir d'acquérir les matérielles : le retard de son industrie lui interdit, en cas de victoire, d'organiser l'Europe, d'où le prolongement indéfini de la dictature et de la misère. Mais, après la victoire de l'Amérique, quand le P. C. serait anéanti, la classe ouvrière découragée, désorientée, et pour risquer ce néologisme, atomisée, le capitalisme d'autant plus impitoyable qu'il serait lmaître du monde, croit-on qu'un mouvement révolutionnaire qui repartirait de zéro aurait beaucoup de chances ? Il faut compter, dira-t-on, avec les

inconnues. Justement : je veux compter avec ce que
je connais. Mais qui nous oblige à choisir ? Est-ce
vraiment en choisissant entre des ensembles donnés,
simplement parce qu'ils sont donnés, et en se rangeant
du côté du plus fort, que l'on fait l'histoire ? En
ce cas tous les Français eussent dû, vers 1941, se
ranger du côté de l'Allemagne, comme le proposaient
les collaborateurs. Or, il est manifeste, au contraire,
que l'action historique ne s'est jamais réduite à un
choix entre des données brutes, mais qu'elle a toujours été caractérisée par l'invention de solutions
nouvelles à partir d'une situation définie. Le respect
des « ensembles » est du pur et simple empirisme,
il y a beau temps que l'homme a dépassé l'empirisme
dans la science, la morale et la vie individuelle :
les fontainiers de Florence « choisissaient entre des
ensembles »; Torricelli a *inventé* la pesanteur de l'air,
je dis qu'il l'a inventée plutôt que découverte parce
que, lorsqu'un objet est caché à tous les yeux, il faut
l'inventer de toutes pièces pour pouvoir le découvrir.
Pourquoi, par quel complexe d'infériorité nos
réalistes refusent-ils, quand il s'agit du fait historique, cette faculté de création qu'ils proclament
partout ailleurs ? L'agent historique est presque
toujours l'homme qui, mis en face d'un dilemme, fait
paraître soudain un troisième terme, jusque-là invisible. Entre l'U. R. S. S. et le bloc anglo-saxon, il
est vrai qu'il faut *choisir*. L'Europe socialiste, elle,
n'est pas « à choisir », puisqu'elle n'existe pas : elle
est *à faire*. Non point d'abord avec l'Angleterre de
M. Churchill, ni même avec celle de M. Bevin : sur
le continent d'abord, par l'union de tous ces pays
qui ont les mêmes problèmes. On dira qu'il est trop
tard, mais qu'en sait-on ? L'a-t-on seulement essayé ?
Nos relations avec nos voisins immédiats passent
toujours par Moscou, Londres ou New-York : ignore-
t-on qu'il y a aussi des chemins directs ? Quoi qu'il

en soit et tant que les circonstances n'auront pas
changé, les chances de la littérature sont liées à
l'avènement d'une Europe socialiste, c'est-à-dire
d'un groupe d'États à structure démocratique et
collectiviste, dont chacun se serait, en attendant
mieux, dessaisi d'une partie de sa souveraineté au
profit de l'ensemble. Dans cette hypothèse seulement
il reste un espoir d'éviter la guerre; dans cette
hypothèse seulement la circulation des idées restera
libre sur le continent et la littérature retrouvera
un objet et un public.

Voilà bien des tâches à la fois — et bien disparates,
dira-t-on. Il est vrai. Mais Bergson a bien montré
que l'œil — organe d'une complication extrême, si
on l'envisage comme une juxtaposition de fonctions —
retrouve une sorte de simplicité si on le replace
dans le mouvement créateur de l'évolution. De même
pour l'écrivain : si vous dénombrez, par l'analyse,
les thèmes que Kafka développe, les questions qu'il
pose dans ses livres et si vous considérez ensuite,
en vous reportant au début de sa carrière, que
c'étaient pour lui des thèmes *à traiter*, des questions
à poser, vous serez effrayés. Mais ce n'est point
ainsi qu'il faut le prendre : l'œuvre de Kafka est
une réaction libre et unitaire au monde judéo-
chrétien de l'Europe centrale; ses romans sont le
dépassement synthétique de sa situation d'homme,
de Juif, de Tchèque, de fiancé récalcitrant, de tuber-
culeux, etc., comme l'étaient aussi sa poignée de
main, son sourire et ce regard que Max Brod admirait
tant. Sous l'analyse du critique, ils s'effondrent en
problèmes; mais le critique a tort, il faut les lire
dans le mouvement. Je n'ai pas voulu donner des pen-
sums aux écrivains de ma génération : de quel droit

le ferais-je et qui m'en a prié ? Et je n'ai pas de goût
non plus pour les manifestes d'école. J'ai seulement
tenté de décrire une situation, avec ses perspectives,
ses menaces, ses consignes; une littérature de la
Praxis prend naissance à l'époque du public introuvable : voilà la donnée; à chacun son issue. Son issue,
c'est-à-dire son style, sa technique, ses sujets. Si
l'écrivain est pénétré, comme je suis, de l'urgence de
ces problèmes, on peut être sûr, qu'il y proposera
des solutions *dans l'unité créatrice de son œuvre*,
c'est-à-dire dans l'indistinction d'un mouvement de
libre création [26].

Rien ne nous assure que la littérature soit immor-
telle; sa chance, aujourd'hui, son unique chance,
c'est la chance de l'Europe, du socialisme, de la démocratie, de la paix. Il faut la jouer; si nous la perdons,
nous autres écrivains, tant pis pour nous. Mais aussi,
tant pis pour la société. Par la littérature, je l'ai
montré, la collectivité passe à la réflexion et à la
médiation, elle acquiert une conscience malheureuse,
une image sans équilibre d'elle-même qu'elle cherche
sans cesse à modifier et à améliorer. Mais, après
tout, l'art d'écrire n'est pas protégé par les décrets
immuables de la Providence; il est ce que les hommes
le font, ils le choisissent en se choisissant. S'il devait
se tourner en pure propagande ou en pur divertissement, la société retomberait dans la bauge de l'immédiat, c'est-à-dire dans la vie sans mémoire des
hyménoptères et des gastéropodes. Bien sûr, tout
cela n'est pas si important : le monde peut fort
bien se passer de la littérature. Mais il peut se passer
de l'homme encore mieux.

NOTES

1. La littérature américaine est encore au stade du régionalisme.

2. De passage à New-York en 1945, j'avais prié un agent littéraire d'acquérir les droits de traduction pour *Miss Lonelyheart*, l'ouvrage de Nathanaël West. Il ne connaissait pas le livre et conclut un accord de principe avec l'auteur d'un certain *Lonelyheart*, une vieille demoiselle fort surprise qu'on songeât à la traduire en français. Détrompé, il reprit ses recherches et trouva enfin l'éditeur de West qui lui avoua ne pas savoir ce que cet auteur était devenu. Sur mes instances, ils firent une enquête l'un et l'autre et apprirent enfin que West était mort depuis plusieurs années dans un accident d'automobile. Il paraît qu'il avait encore un compte en banque à New-York et l'éditeur y envoyait un chèque de temps à autre.

3. Les âmes bourgeoises, chez Jouhandeau, possèdent la même qualité de merveilleux; mais souvent ce merveilleux change de signe : il devient négatif et satanique. Comme bien on pense les messes noires de la bourgeoisie sont plus fascinantes encore que ses fastes permis.

4. Se faire le clerc de la violence, cela implique qu'on adopte délibérément la violence comme méthode de pensée, c'est-à-dire qu'on recourt communément à l'intimidation, au principe d'autorité, qu'on refuse avec hauteur de démontrer, de discuter. C'est ce qui donne aux textes dogmatiques des surréalistes une ressemblance purement formelle, mais troublante avec les écrits politiques de Charles Maurras.

5. Autre ressemblance avec l'Action Française dont Maurras a pu dire qu'elle n'était pas un parti, mais une conspiration. Et les expéditions punitives des surréalistes ne ressemblent-elles pas aux espiègleries des camelots du roi ?

6. Ces remarques sans passion ont provoqué des remous passionnés. Pourtant loin de me convaincre, défenses et attaques m'ont enfoncé dans la conviction que le surréalisme avait perdu — provisoirement peut-être — son actualité ! Je constate en effet que la plupart de ses défenseurs sont des éclec-

tiques. On en fait un phénomène culturel « de haute importance », une attitude « exemplaire » et l'on tente de l'intégrer,
en douce, à l'humanisme bourgeois. S'il était encore vivant,
croit-on qu'il accepterait d'épicer, avec le poivre freudien,
le rationalisme un peu fade de M. Alquié? Au fond il est victime de cet idéalisme contre lequel il a tant lutté; la *Gazette
des Lettres*, *Fontaine*, *Carrefour*, autant de poches stomacales,
acharnées à le digérer. Si quelque Desnos eût pu lire en 1930
ces lignes de M. Claude Mauriac, jeune diastase de la IVᵉ République : « L'homme se bat contre l'homme sans savoir que
c'est contre une certaine conception de l'homme étriquée
et fausse que le front commun de tous les esprits devrait
d'abord être réalisé. Mais cela le surréalisme le sait et le crie
depuis vingt ans. Entreprise de connaissance, il proclame que
tout est à réinventer des modes de penser et de sentir tra-
ditionnels », il aurait certainement protesté : le surréalisme
n'était pas une « entreprise de *connaissance* »; il se réclamait
nommément de la phrase célèbre de Marx : « Nous ne voulons
pas comprendre le monde, nous voulons le changer »; il n'a
jamais voulu ce « front commun des esprits » qui rappelle
agréablement le Rassemblement populaire français. Contre
cet optimisme assez sot, il a toujours affirmé la connexion
rigoureuse de la censure intérieure et de l'oppression; s'il
devait y avoir un front commun de tous les esprits (mais que
cette expression d'*esprits* au pluriel est peu surréaliste !)
il viendrait après la Révolution. Dans son beau temps, il
n'eût pas toléré qu'on se penchât ainsi sur lui pour le comprendre. Il considérait — semblable en ceci au parti communiste — que tout ce qui n'était pas totalement et exclusivement pour lui était contre. Se rend-il bien compte aujourd'hui
de la manœuvre dont il fait l'objet ? Pour l'éclairer, je lui
révélerai donc que M. Bataille, avant d'informer publiquement
Merleau-Ponty qu'il nous retirait son article, l'avait avisé de
ses intentions dans une conversation privée. Ce champion
du surréalisme avait alors déclaré : « Je fais les plus grands re-
proches à Breton mais il faut nous unir contre le communisme. »
Voilà qui suffit. Je crois faire montre de plus d'estime envers
le surréalisme en me reportant au temps de sa vie ardente
et en discutant son propos qu'en essayant sournoisement
de l'assimiler. Il est vrai qu'il ne m'en saura pas beaucoup
de gré, car, comme tous les partis totalitaires, il affirme la
continuité de ses vues pour masquer leur perpétuel changement
et n'aime point, de ce fait, qu'on se reporte à ses déclarations
antérieures. Beaucoup des textes que je rencontre aujourd'hui
dans le catalogue de l'exposition surréaliste (*Le Surréalisme*

en 1947) et qui sont approuvés par les chefs du mouvement sont plus proches du doux éclectisme de M. C. Mauriac que des âpres révoltes du premier surréalisme. Voici, par exemple, quelques lignes de M. Pastoureau : « L'expérience politique du surréalisme qui le fit évoluer autour du parti communiste pendant quelque dix ans est très nettement concluante. Tenter de la poursuivre serait s'enfermer dans le dilemme de la compromission et de l'inefficacité. Il est contradictoire aux mobiles qui ont autrefois poussé le surréalisme à entreprendre une action politique et qui sont autant *des revendications immédiates dans le domaine de l'esprit et plus spécialement dans celui de la morale* que la poursuite de la fin lointaine qu'est la libération totale de l'homme, de suivre le parti communiste dans la voie de collaboration des classes où il s'est engagé. Et pourtant il est patent que la politique sur laquelle on puisse fonder l'espoir de voir se réaliser les aspirations du prolétariat n'est pas celle de l'opposition dite de gauche au parti communiste ni celle des groupuscules anarchistes... le surréalisme dont c'est le rôle assigné de revendiquer d'innombrables réformes dans le domaine de l'esprit et en particulier des réformes éthiques, ne peut plus participer à une action politique nécessairement immorale pour être efficace, non plus qu'il ne peut, à moins de renoncer à la libération de l'homme comme but à atteindre, participer à une action politique nécessairement inefficace parce que respectueuse des principes qu'elle estime ne pas avoir à transgresser. Il se replie donc sur lui-même. Ses efforts tendront encore à faire aboutir les mêmes revendications et à précipiter la libération de l'homme, mais *par d'autres moyens*. »

(On trouvera des textes analogues et même des phrases identiques dans « Rupture inaugurale », déclaration adoptée le 21 juin 1947 par le groupe en France, cf. p. 8 à 11.)

On notera au passage ce mot de « réforme » et le recours inusité à la morale. Lirons-nous quelque jour un périodique intitulé : « Le Surréalisme au service de la Réforme » ? Mais surtout ce texte consacre la rupture du surréalisme avec le marxisme : il est entendu, à présent, qu'on peut agir sur les superstructures sans que l'infrastructure économique soit modifiée. Un surréalisme *éthique* et *réformiste*, voulant borner son action à changer les idéologies : voilà qui sent dangereusement l'idéalisme. Reste à déterminer quels sont « ces autres moyens » dont on nous parle. Le surréalisme va-t-il nous offrir de nouvelles tables de valeur ? Va-t-il produire une idéologie nouvelle ? Mais non : le surréalisme va s'employer, « poursuivant ses objectifs de toujours, à la réduction de la civilisation chrétienne et à la préparation des conditions d'avè-

nement de la *Weltanschauung* ultérieure. » Il s'agit toujours,
on le voit, de négation. La civilisation occidentale, de l'aveu
même de Pastoureau, est moribonde; une guerre immense
menace qui se chargera de l'enterrer; notre temps appelle une
idéologie neuve qui permette à l'homme de vivre : mais le
surréalisme continuera à s'attaquer au « stade chrétien-
thomiste » de la civilisation. Et comment peut-on s'y attaquer ?
Par le joli bonbon si vite sucé de l'Exposition 1947 ? Revenons
plutôt au *vrai* surréalisme, celui du *Point du Jour*, de *Nadja*,
des *Vases communicants*.

Alquié et Max Pol-Fouchet insistent avant tout sur ce qu'il
fut une tentative de libération. Il s'agit, selon eux, d'affirmer
les droits de la totalité humaine, sans en rien exclure, fût-ce
l'inconscient, le rêve, la sexualité, l'imaginaire. Je suis tout
à fait d'accord avec eux : c'est là ce que le surréalisme a
voulu; c'est certainement la grandeur de son entreprise.
Encore faut-il noter que l'idée « totalitaire » est d'époque;
c'est elle qui anime la tentative nazie, la tentative marxiste,
aujourd'hui la tentative « existentialiste ». Il faut certainement
revenir à Hegel comme à la source commune de tous ces efforts.
Seulement je discerne une contradiction grave à l'origine du
surréalisme : pour employer le langage hégélien, je dirai que
ce mouvement a eu le *concept* de la totalité (c'est ce qui
ressort très clairement du mot fameux de Breton : liberté,
couleur d'homme) et qu'il a *réalisé* tout autre chose dans ses
manifestations concrètes. La totalité de l'homme en effet est
nécessairement une synthèse, c'est-à-dire l'unité organique
et schématique de toutes ses structures secondaires. Une libération qui se propose d'être *totale*, doit partir d'une connaissance totale de l'homme par lui-même (je ne cherche pas ici
à montrer qu'elle est possible : on sait que j'en suis profondément convaincu). Cela ne signifie pas que nous devions
connaître — ni ne puissions connaître — *a priori* tout le contenu
anthropologique de la réalité humaine, mais que nous puissions nous atteindre nous-mêmes *d'abord* dans l'unité, profonde
et manifeste à la fois, de nos conduites, de nos affections et de
nos rêves. Le surréalisme, fruit d'une époque déterminée,
s'embarrasse au départ de survivances antisynthétiques :
d'abord la négativité analytique qui s'exerce sur la *réalité
quotidienne.* Hegel écrit du scepticisme : « La pensée devient
la pensée parfaite anéantissant l'être du monde dans la
multiple variété de ses déterminations et la négativité de la
conscience de soi libre au sein de cette configuration multi-
forme de la vie, devient négativité réelle... le scepticisme correspond à la réalisation de cette conscience, à l'attitude négative
à l'égard de l'être-autre; il correspond donc au désir et au

travail » (Ph. de l'E., trad. Hyppolite, p. 172). De même, ce qui me paraît essentiel dans l'activité surréaliste c'est la descente de l'esprit négatif *dans le travail :* la négativité sceptique *se fait concrète ;* les morceaux de sucre de Duchamp aussi bien que le loup-table, ce sont des *travaux,* c'est-à-dire précisément la destruction concrète et avec effort de ce que le scepticisme détruit seulement en parole. J'en dirai autant du *désir,* une des structures essentielles de l'amour surréaliste et qui est, on le sait, désir de consommation, de destruction. On voit le chemin parcouru et qui ressemble justement aux avatars hégéliens de la conscience : l'analytique bourgeoise est destruction idéaliste du monde, par digestion ; l'attitude des écrivains ralliés mérite le nom que Hegel donne au stoïcisme : « elle est seulement concept de la négativité; elle s'élève au-dessus de cette vie comme la conscience du maître. Au contraire le surréalisme « pénètre dans cette vie comme la conscience de l'esclave ». C'est certainement sa valeur et c'est par là, sans aucun doute, qu'il peut prétendre rejoindre la conscience du travailleur qui éprouve sa liberté dans le travail. Seulement le travailleur détruit pour construire : sur l'anéantissement de l'arbre, il construit la poutre et le pieu. Il apprend donc les deux faces de la liberté qui est négativité constructrice. Le surréalisme, empruntant sa méthode à l'analyse bourgeoise, inverse le processus : au lieu de détruire pour construire, c'est pour détruire qu'il construit. La construction est toujours aliénée, chez lui, elle se fond dans un processus dont la fin est l'anéantissement. Cependant comme la construction est réelle et la destruction symbolique, l'objet surréaliste peut être aussi conçu directement comme sa propre fin. Selon la direction de l'attention il est « sucre de marbre » ou contestation du sucre. L'objet surréaliste est nécessairement chatoyant, parce qu'il figure l'ordre humain renversé et que, comme tel, il contient en soi sa propre contradiction. C'est ce qui permet à son constructeur de prétendre à la fois qu'il détruit le réel et qu'il crée poétiquement une surréalité au delà de la réalité. En fait le surréel ainsi construit devient un objet du monde parmi d'autres ou n'est que l'indication figée de la destruction possible du monde. Le loup-table de la dernière Exposition, c'est aussi bien un effort syncrétique pour faire passer dans notre chair un sens obscur de la lignosité et, aussi bien, une contestation réciproque de l'inerte par le vivant et du vivant par l'inerte. L'effort des surréalistes est pour présenter ces deux faces de leurs productions dans l'unité d'un même mouvement. Mais il manque la synthèse : c'est que nos auteurs n'en veulent pas; il leur convient de présenter les deux moments comme fondus dans une unité essentielle et, à la fois, comme étant

chacun l'essentiel, ce qui ne nous fait pas sortir de la contradiction. Et sans doute le résultat escompté est-il obtenu :
l'objet créé détruit sollicite une tension dans l'esprit du spectateur et c'est cette tension qui est à proprement parler l'*instant* surréaliste : la chose *donnée* est détruite par contestation
interne mais la contestation même et la destruction sont con-
testées à leur tour par le caractère positif et l'*être-là* concret
de la création. Mais cet irritant chatoiement de l'impossible
n'est *rien* au fond, sinon l'écart impossible à combler entre les
deux termes d'une contradiction. Il s'agit ici de provoquer
techniquement l'*insatisfaction* baudelairienne. Nous n'avons
aucune révélation, aucune intuition d'objet neuf, aucune
saisie de matière ou de contenu mais seulement la conscience *purement formelle* de l'esprit comme dépassement,
appel et vide. Et j'appliquerai encore au surréalisme la formule
de Hegel sur le scepticisme : « Dans le (surréalisme) la conscience fait en vérité l'expérience d'elle-même comme conscience
se contredisant à l'intérieur de soi-même. » Au moins va-t-elle
se retourner sur elle-même, opérer une conversion philosophique ? L'objet surréaliste aura-t-il l'efficience concrète de
l'hypothèse du malin génie ? Mais ici intervient un deuxième
préjugé du surréalisme : j'ai montré qu'il refuse la subjectivité
tout comme le libre arbitre. Son amour profond de la matérialité (objet et support insondable de ses destructions)
l'amène à professer le matérialisme. Il recouvre donc aussitôt
cette conscience qu'il a un instant découverte, il substantifie
la contradiction; il ne s'agit plus d'une tension de la subjectivité mais d'une structure objective de l'univers. Lisez
les *Vases communicants* : le titre aussi bien que le texte
montrent la regrettable absence de toute médiation; rêve et
veille sont des vases communicants, cela veut dire qu'il y
a mélange, flux et reflux mais non unité synthétique. J'entends bien ce qu'on me dira : mais cette unité synthétique,
elle est à faire et c'est justement le but que le surréalisme se
propose. « Le surréalisme, dit encore Arpad Mezei, part des
réalités distinctes du conscient et de l'inconscient et va vers la
synthèse de ces composantes. » J'entends; mais *avec quoi* se
propose-t-il de la faire ? Quel est l'outil de la médiation ?
Voir tout un manège de fées tourner sur une citrouille (si même
cela est possible, ce dont je doute), c'est *mélanger* le rêve à la
réalité, ce n'est pas les unifier dans une forme nouvelle qui
retiendrait en elle, transformés et dépassés, les éléments du
rêve et ceux du réel. En fait nous sommes toujours sur le
plan de la contestation : la citrouille *réelle*, soutenue par le
monde réel tout entier conteste ces fées pâlissantes qui courent
sur sa peau; et les fées, inversement, contestent la cucur-

bitacée. Reste la conscience, seul témoin de cette destruction
réciproque, seul recours; mais on ne veut pas d'elle. Que si
nous peignons ou sculptons nos rêves, c'est le sommeil qui
est mangé par la veille : l'objet scandaleux ressaisi par les
lumières électriques, présenté dans une chambre close, au
milieu d'autres objets, à deux mètres dix d'un mur, à trois
mètres quinze d'un autre, devient chose du monde (je me
place ici dans l'hypothèse surréaliste qui reconnaît à l'image
la même nature qu'à la perception; il va de soi qu'il n'y aurait
même plus lieu de discuter si l'on pensait, comme je fais, que
ces natures sont radicalement distinctes) en tant qu'il est
création positive et n'y échappe qu'en tant qu'il est négativité
pure. Ainsi l'homme surréaliste est une addition, un mélange
mais jamais une synthèse. Ce n'est pas un hasard si nos auteurs
doivent tant à la psychanalyse : elle leur offrait précisément
sous le nom de « complexes » le modèle de ces interprétations
contradictoires, multiples et sans cohésion réelle dont ils
usent partout. Et il est vrai que les « complexes » existent.
Mais ce qu'on n'a pas assez remarqué c'est qu'ils ne peuvent
exister que sur le fondement d'une réalité synthétique préa-
lablement donnée. Ainsi l'homme total pour le surréalisme
n'est que la somme exhaustive de toutes ses manifestations.
Faute de l'idée synthétique ils ont organisé des tourniquets
de contraires; ce papillottement d'être et de non-être eût pu
révéler la subjectivité, comme les contradictions du sensible
renvoient Platon aux formes intelligibles; mais leur refus du
subjectif a transformé l'homme en une simple maison hantée;
en cet atrium vague qu'est pour eux la conscience apparaissent
et disparaissent des objets auto-destructifs, rigoureusement
semblables à des choses. Ils entrent par les yeux ou par la
porte de derrière. De grandes voix sans corps résonnent comme
celle qui annonça la mort de Pan. Plus encore que le matérialisme, cette *collection* hétéroclite évoque le néo-réalisme américain. Après cela, pour remplacer les unifications synthétiques
qu'opère la conscience, on concevra une sorte d'unité magique,
par participation, qui se manifeste capricieusement et qu'on
nommera hasard objectif. Mais ce n'est que l'image invertie
de l'activité humaine. On ne libère pas une collection, on la
recense. Et c'est bien là ce qu'est le surréalisme : un recensement. Mais non une libération : car il n'y a personne à libérer;
il s'agit seulement de lutter contre le discrédit où sont tombés
certains lots de la collection humaine. Le surréalisme est
hanté par le tout-fait, le solide, il a horreur des genèses et des
naissances; la création n'est jamais pour lui une émanation,
un passage de la puissance à l'acte, une gestation; c'est le
surgissement *ex nihilo*, l'apparition brusque d'un objet tout

constitué qui enrichit la collection. Au fond, une *découverte*.
Comment donc pourrait-il « délivrer l'homme de ses monstres »?
Il a tué les monstres, peut-être, mais il a tué l'homme aussi.
Reste, dira-t-on, le désir. Les surréalistes ont voulu libérer
le désir humain, ils ont proclamé que l'homme était désir.
Mais cela n'est pas tout à fait vrai ; d'abord ils ont jeté l'interdit sur toute une catégorie de désirs (homosexualité, vices, etc.)
sans jamais justifier cet interdit. Ensuite ils ont jugé conforme
à leur haine du subjectif de n'apprendre jamais le désir que
par ses produits comme fait aussi la psychanalyse. Ainsi le désir
est encore *chose*, collection. Seulement, au lieu de remonter des
choses (actes manqués, images du symbolisme onirique, etc.)
à leur source subjective (qui est le désir proprement dit), les
surréalistes restent fixés sur la chose. Au fond le désir est
pauvre et ne les intéresse pas par lui-même et puis il représente
l'explication rationnelle des contradictions qu'offrent les
complexes et leurs produits. On trouvera bien peu de choses
et fort vagues sur l'inconscient et la libido chez Breton. Ce
qui le passionne, ce n'est pas le désir à chaud mais le désir
cristallisé, ce qu'on pourrait appeler, en empruntant une
expression de Jaspers, le chiffre du désir dans le monde.
Aussi bien ce qui m'a frappé chez les surréalistes ou ex-sur-
réalistes que j'ai fréquentés n'a jamais été la magnificence des
désirs ou de la liberté. Ils ont mené des vies modestes et pleines
d'interdits, leurs violences sporadiques faisaient plutôt penser
aux spasmes d'un possédé qu'à une action concertée; pour
le reste, solidement harponnés par de puissants complexes.
Pour libérer le désir, il m'a toujours semblé que les grands
dogues de la Renaissance ou même les Romantiques avaient
fait beaucoup plus. Au moins, dira-t-on, sont-ce de grands
poètes. A la bonne heure : voilà un terrain d'entente. Des
naïfs ont déclaré que j'étais « antipoétique » ou « contre la
poésie ». Phrase absurde, autant dire que je *suis contre* l'air
ou contre l'eau. Je reconnais hautement, au contraire, que
le surréalisme est le *seul* mouvement poétique de la première
moitié du xxᵉ siècle; je reconnais même qu'il contribue,
par un certain côté, à la libération de l'homme; mais ce qu'il
libère ce n'est ni le désir, ni la totalité humaine, c'est l'imagination pure. Or précisément l'imaginaire pur et la *praxis*
sont difficilement compatibles. J'en trouve l'aveu touchant chez
un surréaliste de 47, que son nom semble prédisposer à la sincérité la plus entière :

« Je dois reconnaître (et sans doute, parmi ceux qui ne se
satisfont pas à bon compte ne suis-je pas le seul) qu'un écart
existe entre mon sentiment de la révolte, la réalité de ma vie,
les lieux enfin du combat de poésie que peut-être je livre.

que les œuvres de ceux qui sont mes amis m'aident à livrer.
Malgré eux, malgré moi, je ne sais guère vivre.

« Le recours à l'imaginaire, qui est critique de l'état social,
qui est protestation, et précipitation de l'histoire, risque-t-il
de couper les ponts qui nous relient en même temps qu'à la
réalité, aux autres hommes? Je sais qu'il ne peut être question
de liberté pour l'homme seul. » (Yves BONNEFOY : Donner à
vivre, in « *Le Surréalisme en 1947* », page 68.)

Mais, entre les deux guerres, le surréalisme parlait d'un
tout autre ton. Et c'est à tout autre chose que je m'en prenais
plus haut : lorsque les surréalistes signaient des manifestes politiques, faisaient comparaître en jugement ceux d'entre eux
qui n'étaient pas fidèles à la ligne, définissaient une méthode
d'action sociale, entraient au P. C., en sortaient avec éclat,
se rapprochaient de Trotzky, se souciaient de préciser leur
position vis-à-vis de la Russie soviétique, j'ai peine à croire
qu'ils pensaient agir en poètes. A cela on répondra que l'homme
est tout un et qu'on ne le divise pas en politique et en poète.
J'en demeure d'accord et j'ajouterai même que je suis plus
à l'aise pour le reconnaître que des auteurs qui font de la
poésie un produit de l'automatisme et de la politique un effort
conscient et réfléchi. Mais enfin c'est un truisme, vrai et faux
à la fois, comme tous les truismes. Car si l'homme est le même,
si, d'une certaine façon, on retrouve partout sa marque, cela
ne signifie point que ses *activités* soient identiques; et si, en
chaque cas, elles mettent en jeu tout l'esprit, il n'en faut pas
conclure qu'elles le mettent en jeu de la même manière. Ni non
plus que la réussite de l'une soit la justification des échecs de
l'autre. Pense-t-on d'ailleurs qu'on flatterait les surréalistes en
leur disant qu'ils ont fait de la politique en poètes ? Cependant
il est loisible à un écrivain qui veut marquer l'unité de sa vie
et de son œuvre de montrer par une *théorie* la communauté de
visées de sa poésie et de sa praxis. Mais précisément cette théorie ne peut être elle-même que *de la prose*. Il y a une prose surréaliste et c'est elle seule que j'ai étudiée dans les pages qu'on in-
crimine. Seulement le surréalisme est insaisissable; c'est Protée.
Il se présente tantôt comme tout engagé dans la réalité, dans
la lutte, dans la vie; et si on lui demande des comptes, il se
met à crier qu'il est poésie pure et qu'on l'assassine et qu'on
n'entend rien à la poésie. C'est ce que montre assez cette
anecdote que chacun sait, mais qui est lourde de signification :
Aragon avait écrit un poème qui parut, à juste titre, une provocation au meurtre; il fut question de poursuites; alors, tout
le groupe surréaliste affirma solennellement l'irresponsabilité
du poète : les produits de l'automatisme ne sauraient être
assimilés à des propos concertés. Cependant, pour qui avait

quelque pratique de l'écriture automatique, il était visible que le poème d'Aragon était d'une espèce fort différente. Voici un homme vibrant d'indignation qui réclame en termes violents et clairs la mort de l'oppresseur; l'oppresseur s'émeut et tout à coup ne trouve plus rien en face de lui qu'un poète, qui s'éveille et se frotte les yeux et s'étonne qu'on le blâme pour des songes. C'est ce qui vient de se reproduire : j'ai tenté un examen critique du fait global « surréalisme » comme engagement dans le monde, en tant que les surréalistes tentaient d'en expliciter *par la prose* les significations. On me répond que j'offense les poètes et que je méconnais leur « apport » à la vie intérieure. Mais enfin ils se moquaient bien de la vie intérieure, ils voulaient la faire éclater, rompre les digues entre subjectif et objectif, et faire la Révolution aux côtés du prolétariat.

Concluons : le surréalisme entre en période de repli, il rompt avec le marxisme et le P. C. Il veut démolir pierre à pierre l'édifice chrétien-thomiste. Fort bien. Mais je demande quel public il compte atteindre. Autrement dit *dans quelles âmes* il compte ruiner la civilisation occidentale. Il a dit et répété qu'il ne pouvait toucher directement les ouvriers et qu'ils n'étaient pas encore accessibles à son action. Les faits lui donnent raison : combien d'ouvriers sont entrés à l'Exposition de 1947 ? Combien de bourgeois, au contraire ? Ainsi son propos ne peut être que négatif : détruire dans les esprits des bourgeois qui forment son public les derniers mythes chrétiens qui s'y trouvent encore. C'est ce que je voulais démontrer.

7. Qui les caractérisent surtout depuis cent ans, à cause du malentendu qui les sépare du public et qui les oblige à décider eux-mêmes des marques de leur talent.

8. Prévost a affirmé plus d'une fois sa sympathie pour l'épicurisme. Mais c'était l'épicurisme revu et corrigé par Alain.

9. Si je n'ai parlé, plus haut, ni de Malraux ni de Saint-Exupéry, c'est qu'ils appartiennent à notre génération. Ils ont écrit avant nous et sont sans doute un peu plus âgés que nous. Mais, alors qu'il nous a fallu, pour nous découvrir, l'urgence et la réalité physique d'un conflit, le premier a eu l'immense mérite de reconnaître, dès son premier ouvrage, que nous étions en guerre et de faire une littérature de guerre, quand les surréalistes et même Drieu se consacraient à une littérature de paix. Pour le second, contre le subjectivisme et le quiétisme de nos prédécesseurs, il a su esquisser les grands traits d'une littérature du travail et de l'outil. Je montrerai plus loin qu'il est le précurseur d'une littérature de construction qui tend à remplacer la littérature de consommation. Guerre et construction, héroïsme et travail, faire, avoir et être, condition humaine,

on verra, à la fin de ce chapitre, que ce sont les principaux thèmes littéraires et philosophiques d'aujourd'hui. Quand je dis « nous », par conséquent, je crois pouvoir parler aussi d'eux.

10. Que font Camus, Malraux, Kœstler, Rousset, etc., sinon une littérature de situations extrêmes ? Leurs créatures sont au sommet du pouvoir ou dans des cachots, à la veille de mourir. ou d'être torturés, ou de tuer; guerres, coups d'État, action révolutionnaire, bombardements et massacres, voilà pour le quotidien. A chaque page, à chaque ligne, c'est toujours l'homme tout entier qui est en question.

11. Bien entendu, certaines consciences sont plus riches que d'autres, plus intuitives ou mieux armées pour l'analyse ou pour la synthèse; il en est même de prophétiques et quelques-unes sont mieux placées pour prévoir parce qu'elles ont en main certaines cartes ou parce qu'elles découvrent un horizon plus large. Mais ces différences sont *a posteriori* et l'appréciation du présent, du proche avenir reste conjecturale.

Pour nous aussi l'événement n'apparaît qu'au travers des subjectivités. Mais sa transcendance vient de ce qu'il les déborde toutes parce qu'il s'étend à travers elles et révèle à chacune un aspect différent de lui-même et d'elle-même. Ainsi notre problème technique est de trouver une orchestration des consciences qui nous permette de rendre la pluridimensionnalité de l'événement. De plus, en renonçant à la fiction du narrateur tout-connaissant, nous avons assumé l'obligation de supprimer les intermédiaires entre le lecteur et les subjectivités-points-de-vue de nos personnages; il s'agit de le faire entrer dans les consciences comme dans un moulin, il faut même qu'il coïncide successivement avec chacune d'entre elles. Ainsi avons-nous appris de Joyce à rechercher une deuxième espèce de réalisme : le réalisme brut de la subjectivité sans médiation ni distance. Ce qui nous entraîne à professer un troisième réalisme : celui de la temporalité. Si nous plongeons en effet, sans médiation, le lecteur dans une conscience, si nous lui refusons tous les moyens de la survoler, alors il faut lui imposer sans raccourcis le temps de cette conscience. Si je ramasse six mois en une page, le lecteur saute hors du livre. Ce dernier aspect du réalisme suscite des difficultés que personne de nous n'a résolues et qui, peut-être, sont partiellement insolubles, car il n'est ni possible ni souhaitable de limiter tous les romans au récit d'une seule journée. S'y résignât-on même, il resterait que le fait de consacrer un livre à vingt-quatre heures plutôt qu'à une, à une heure plutôt qu'à une minute, implique l'intervention de l'auteur et un choix transcendant. Il faudra alors masquer ce choix par des procédés purement esthétiques, construire des trompe-l'œil et, comme toujours en art, mentir pour être vrai.

12. De ce point de vue, l'objectivité absolue, c'est-à-dire le récit à la troisième personne qui présente les personnages uniquement par leurs conduites et leurs paroles, sans explication ni incursion dans leur vie intérieure, en conservant l'ordre chronologique strict, est rigoureusement équivalente à l'absolue subjectivité. Logiquement, bien sûr, on pourrait prétendre qu'il y a au moins une conscience témoin : celle du lecteur. Mais en fait, le lecteur oublie de se voir pendant qu'il voit et l'histoire garde pour lui l'innocence d'une forêt vierge dont les arbres poussent loin de tous les regards.

. 13. Je me suis parfois demandé si les Allemands, qui disposaient de cent moyens pour connaître les noms des membres du C. N. E., ne nous épargnaient pas. Pour eux aussi, nous étions de purs consommateurs. Ce processus, ici, est inverse : la diffusion de nos journaux était fort restreinte; il eût été plus néfaste à la prétendue politique de collaboration d'arrêter Eluard ou Mauriac que dangereux de les laisser chuchoter en liberté. La Gestapo a sans doute préféré concentrer ses efforts sur les forces clandestines et sur les maquisards, dont les destructions réelles la gênaient plus que notre abstraite négativité. Sans doute ils ont arrêté et fusillé Jacques Decour. Mais, à l'époque, Decour n'était pas encore très connu.

14. Voir surtout *Terre des Hommes*.

15. Comme Hemingway, par exemple, dans *Pour qui sonne le glas*.

16. D'ailleurs, il ne faut pas exagérer. *En gros* la situation de l'écrivain s'est améliorée. Mais c'est surtout, comme on verra, par des moyens extra-littéraires (radio, cinéma, journalisme) dont il ne disposait pas autrefois. Celui qui ne peut ou ne veut pas recourir à ces moyens doit exercer un second métier ou vivre dans la gêne : « Il est extrêmement rare que j'aie du café à boire, assez de cigarettes, écrit Julien Blanc (Doléances d'un écrivain, *Combat*, 27-4-47). Demain, je ne mettrai pas de beurre sur mon pain et le phosphore qui me manque coûte des prix fous chez les pharmaciens... Depuis 1943, j'ai été opéré cinq fois, gravement. Je vais l'être ces jours-ci une sixième fois, très gravement. Écrivain, je ne suis pas assuré social. J'ai une femme et un enfant... L'État ne se rappelle à mon bon souvenir que pour me demander des impôts excessifs sur mes droits d'auteur insignifiants... Il va falloir que je fasse des démarches pour que l'on réduise les frais d'hospitalisation... Et la Société des gens de lettres, et la Caisse des lettres ? La première appuiera mes démarches, la seconde m'ayant fait cadeau le mois dernier de quatre mille francs... Passons. »

17. Mis à part, bien entendu, les « écrivains » catholiques. Quant aux soi-disant écrivains communistes, j'en parle plus loin.

18. Je ne fais pas de difficulté pour admettre la description marxiste de l'angoisse « existentialiste » comme phénomène d'époque et de classe. L'existentialisme, sous sa forme contemporaine, apparaît sur la décomposition de la bourgeoisie et son origine est bourgeoise. Mais que cette décomposition puisse *dévoiler* certains aspects de la condition humaine et rendre possibles certaines intuitions métaphysiques, cela ne signifie pas que ces intuitions et ce dévoilement soient des illusions de la conscience bourgeoise ou des représentations mythiques de la situation.

19. L'ouvrier, c'est sous la pression des circonstances qu'il a adhéré au P. C. Il est moins suspect parce que ses possibilités de choix sont plus réduites.

20. Dans la littérature communiste, en France, je trouve un seul écrivain authentique. Ce n'est pas non plus par hasard qu'il écrit sur le mimosa ou les galets.

21. Ils ont fait lire Hugo; plus récemment ils ont répandu les ouvrages de Giono dans certaines campagnes.

22. J'excepte la tentative avortée de Prévost et de ses contemporains. J'en ai parlé plus haut.

23. Cette contradiction se retrouve partout et singulièrement dans *l'amitié* communiste. Nizan avait beaucoup d'amis. Où sont-ils ? Ceux qu'il a le plus chaudement aimés appartenaient au P. C. : ce sont eux qui l'accablent aujourd'hui. Les seuls qui lui demeurent fidèles ne sont pas du Parti. C'est que la communauté stalinienne, avec son pouvoir excommunicateur, demeure présente dans l'amour et dans l'amitié qui sont des relations de personne à personne.

24. Et l'idée de liberté? Les critiques effarantes qu'on fait à l'existentialisme prouvent que les gens n'y entendent plus rien. Est-ce leur faute ? Voici le P. R. L. antidémocratique, antisocialiste, recrutant d'anciens fascistes, d'anciens collaborationnistes, d'anciens P. S. F. Il se nomme pourtant Parti républicain de la liberté. Si vous êtes contre lui, c'est donc que vous êtes contre la liberté. Mais les communistes aussi se réclament de la liberté, seulement c'est de la liberté hégélienne qui est assomption de la nécessité. Et les surréalistes aussi, qui sont déterministes. Un jeune oison m'a dit un jour : « Après *les Mouches* où vous avez parlé sans faute de la liberté d'Oreste, vous vous êtes trahi vous-même et vous nous avez trahis en écrivant *l'Être et le Néant* et en manquant à fonder un humanisme déterministe et matérialiste. » Je comprends ce qu'il a voulu dire : c'est que le matérialisme délivre l'homme de ses mythes. Il est libération, je le veux, mais pour mieux asservir encore. Cependant, dès 1760, des colons américains défendaient l'esclavage au nom de la liberté : si le colon, citoyen et pionnier, veut acheter un nègre, n'est-il pas libre ? Et, l'ayant acheté, n'est-il pas libre de s'en servir ? L'argument est resté. En 1947, le propriétaire d'une piscine refuse d'y admettre un capitaine juif, héros de la guerre. Le capitaine écrit aux journaux pour se plaindre. Les journaux publient sa protestation et concluent : « Admirable pays que l'Amérique. Le propriétaire de la piscine était *libre* d'en refuser l'accès à un Juif. Mais le Juif, citoyen des États-Unis, était *libre* de protester dans la presse. Et la presse, libre comme on sait, mentionne sans prendre parti le pour et le contre. Finalement, tout le monde est libre. » Le seul ennui c'est que le mot de *liberté* qui recouvre ces acceptions si différentes — et cent autres — soit employé sans qu'on croie devoir prévenir du sens qu'on lui donne en chaque cas.

25. Parce qu'elle est, comme l'Esprit, du type de ce que j'ai appelé ailleurs « totalité détotalisée ».

26. *La Peste*, de Camus, qui vient de paraître, me semble un bon exemple de ce mouvement unificateur qui fond dans l'unité organique d'un seul mythe une pluralité de thèmes critiques et constructeurs.

*Cet ouvrage
a été achevé d'imprimer
sur les presses de l'Imprimerie Floch,
à Mayenne, le 25 juin 1964.
Dépôt légal : 2ᵉ trimestre 1948.
Nᵒ d'édition : 10 412.
(6127)*

Imprimé en France.